CB073696

"Sou um estrangeiro neste mundo... Sou um poeta que compõe em verso o que a vida oferece em prosa e põe em prosa o que a vida compõe em verso."

Khalil Gibran

Khalil Gibran

OBRAS SELECIONADAS

ns
SÃO PAULO, 2023

Khalil Gibran: obras selecionadas - livro 1
The Prophet, The Wanderer, Spirits Rebellious,
The Broken Wings, The madman by Khalil Gibran
Copyright © 2023 by Novo Século Editora Ltda.

Editor: Luiz Vasconcelos
Produção editorial: Lucas Luan Durães
　　　　　　　　　　Fernanda Felix
Tradução: Afonso Teixeira
Revisão: Luciene Ribeiro dos Santos Freitas
Projeto gráfico e diagramação: Mayra Freitas
Ilustração de capa: Luyse Costa

Texto de acordo com as normas do Novo Acordo Ortográfico da Língua Portuguesa (1990), em vigor desde 1º de janeiro de 2009.

Dados Internacionais de Catalogação na Publicação (CIP)
Angélica Ilacqua CRB-8/7057

Gibran, Khalil
　Obras selecionadas : livro 1 / Khalil Gibran ; tradução de Afonso Teixeira. -- Barueri, SP : Novo Século Editora, 2023.
　304 p. : il., color.

ISBN 978-65-5561-535-7

Títulos originais: The Prophet, The Wanderer, Spirits Rebellious, The Broken Wings, The madman

1. Literatura libanesa 2. Contos I. Título II. Teixeira, Afonso

23-1126　　　　　　　　　　　　　　　　　　CDD 892.7

Índice para catálogo sistemático:
1. Literatura libanesa

Alameda Araguaia, 2190 – Bloco A – 11º andar – Conjunto 1111
CEP 06455-000 – Alphaville Industrial, Barueri – SP – Brasil
Tel.: (11) 3699-7710 | Fax: (11) 3699-7323
www.gruponovoseculo.com.br | atendimento@gruponovoseculo.com.br

Obras de Gibran Khalil Gibran

Perfil da arte da música (1905) *
Ninfas do vale (1906)
Espíritos rebeldes (1908)
Asas partidas (1912)
Um lágrima e um sorriso (1914)
The Madman (1918) **
As procissões (1919)
Vinte desenhos (1919)
As tormentas (1920)
The Forerunner (1920)
O novo e o maravilhoso (1923)
The Prophet (1923)
Sand and Foam (1926)
Jesus, the Son of Man (1928)
The Earth Gods (1931)
The Wanderer (1932 – obra póstuma) ***
The Garden of the Prophet (1933)
Lazarus and his Beloved (1973)
The Blind (1981)
O homem invisível (1993) ****
Entre a noite e a manhã (1993) ****
As faces coloridas (1993) ****
O começo da revolução (1993) ****
O rei e o pastor (1993) ****

* Obras escritas originalmente em árabe (estão em português na lista)
** Obras escritas originalmente em inglês
*** A partir daqui, todas as obras foram publicadas após a morte do autor
**** Teatro

Prefácio

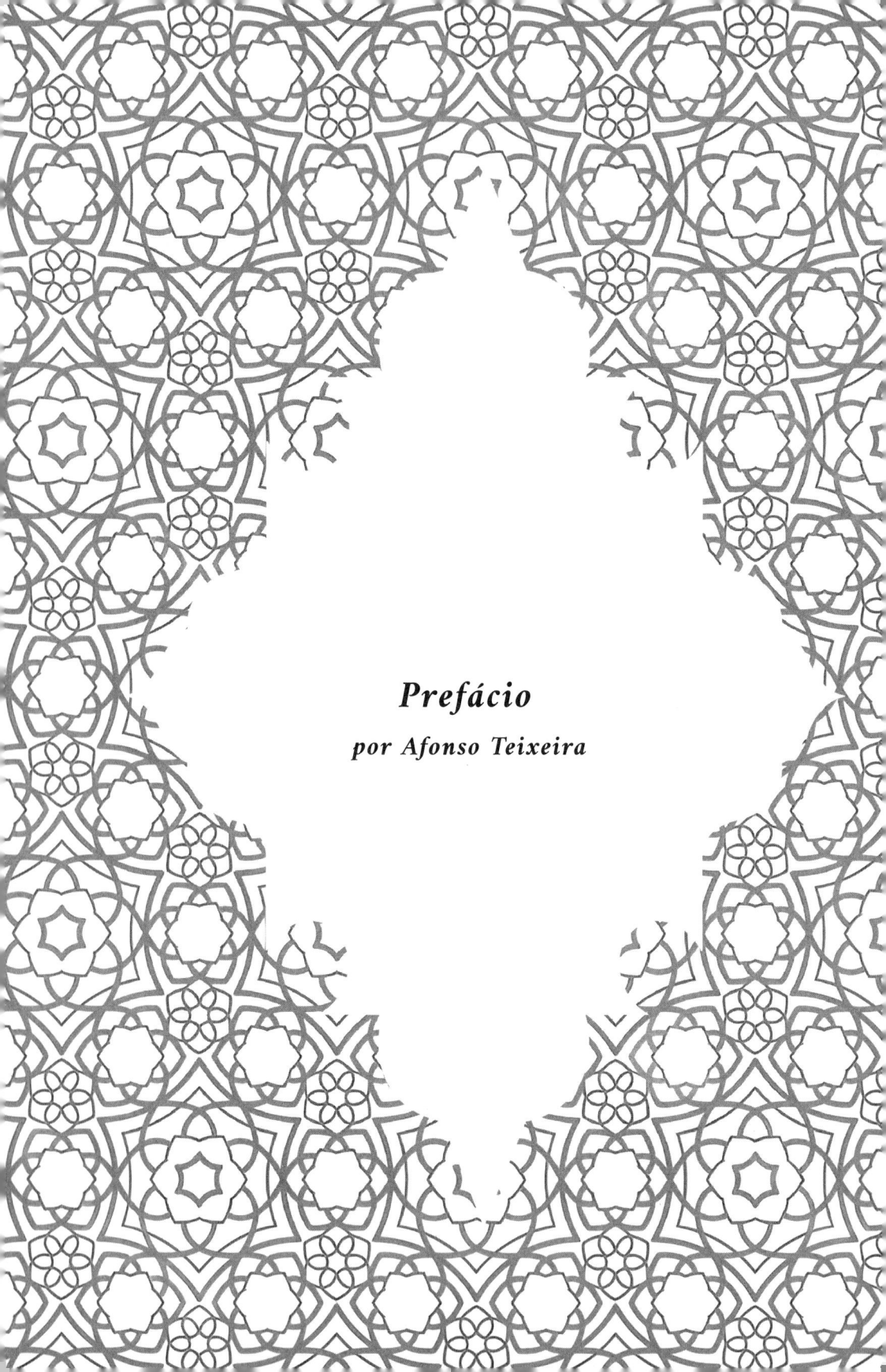

por Afonso Teixeira

Gibran Khalil Gibran (Jubran Khalil Jubran) nasceu no dia 6 de janeiro de 1883, no Líbano, em uma família de cristãos maronitas. O Líbano era, então, província da Síria e parte do Império Otomano. O pai de Gibran fora preso, acusado de fraude e os bens da família foram confiscados, o que fez com que ela decidisse emigrar para os Estados Unidos. Estabeleceram-se em Boston, num bairro de imigrantes sírio-libaneses; ao matricular-se na escola, o nome de Gibran foi grafado como Khalil Gibran, e assim ele seria doravante conhecido.

Gibran, em sua formação, estudou no Líbano e em Paris. Com a morte prematura de dois irmãos e da mãe, passou a ser criado pela irmã mais velha. Gibran expôs seus desenhos em uma mostra em 1904, onde conheceu Mary Haskell, que se tornaria sua benfeitora.

Em 1905, publicou sua primeira obra escrita, *Perfil da arte da música*; um ano depois, sairia *Ninfas do vale*. Em 1908, Gibran publica *Espíritos rebeldes*, livro crítico do clericalismo e que seria queimado em praça pública no Líbano, por ter sido considerado perigoso, revolucionário e um veneno para a juventude.

Gibran voltou a Paris em 1909, com o apoio financeiro de Haskell para trabalhar em um estúdio. Durante sua estada em Paris, Gibran entrou em contato com revolucionários sírios; mais tarde, de volta a Boston, passaria a envolver-se mais ativamente no movimento de independência do Líbano (1911). No mesmo ano, muda-se definitivamente para Nova York. Em 1912, ele publica *Asas partidas*; em 1914, *Uma lágrima e um sorriso*; obras ainda em árabe.

Em junho de 1916, foi criado o Syrian-Mount Lebanon Relief Committee, e Gibran passou a atuar como secretário desse comitê para a libertação do Líbano. A partir de 1918, a maioria das obras de Gibran passam a ser escritas em inglês. Ainda em árabe, sairão *As procissões* (1918) e *As tormentas* (1920). *O louco* (1918) foi a obra de estreia do autor em inglês.

Em 1922, por orientação médica, Gibran passa três meses numa região praiana para descansar; é quando escreve – segundo ele próprio – seus melhores poemas. No ano seguinte, publica no Cairo *O novo e o maravilhoso* (em árabe) e sua obra mais famosa, *O profeta* (em inglês). *Areia e espuma* (1926) e *Jesus, o filho do Homem* (1928) serão suas obras seguintes, ambas em inglês.

A última obra de Gibran a ser publicada em vida foi *Os deuses terrenos* (1931). Gibran morreu no dia 10 de abril de 1931, em consequência de problemas no fígado (hepatomegalia). Foi sepultado no cemitério Mount Benedict, em Boston e, mais tarde, seus restos mortais foram transladados para o Líbano. Hoje, sua sepultura encontra-se no Museu Gibran, no mosteiro de Mar Sarkis. Todos os rendimentos de direitos autorais de Gibran foram doados pelo autor a um fundo de desenvolvimento de sua cidade natal.

A obra de Gibran contempla uma variedade muito grande de gêneros: poesia, contos, fábulas, ensaios políticos, aforismas, parábolas, cartas e peças de teatro. A linguagem de seus escritos reflete um acentuado simbolismo, revelando uma nostalgia em relação à sua terra natal, além do misticismo oriental. A Bíblia, tanto a versão autorizada inglesa como a siríaca, marca o estilo do autor – o que era incomum entre escritores de língua árabe, que, em geral, são influenciados pelo Alcorão. Fica evidente nos escritos de Gibran a utilização de parábolas, como ocorre no Novo Testamento. O misticismo apocalíptico de William Blake também deixou uma marca importante em Gibran, não apenas em seus textos, mas também em seus desenhos. O cristianismo maronita de sua família, o islamismo e o sufismo de sua terra também contribuíram para a formação espiritual do escritor – formação essa que recebeu a contribuição da Teosofia e da psicologia de Jung.

Outros autores que influenciaram Gibran foram o poeta sírio Francis Marash, o poeta norte-americano Walt Whitman e o filósofo alemão Friedrich Nietzsche. A influência de Nietzsche é notada, sobretudo, em *O profeta*, inspirado obviamente no Zaratustra do filósofo alemão.

O Profeta

A chegada do barco

Al-Mustafá, o eleito e bem-amado, que era aurora em seu próprio dia, esperou durante doze anos na cidade de Orfalés o regresso do barco que o levaria de volta à ilha materna.

E no décimo segundo ano, no sétimo dia de Ailul, o mês da colheita, subiu as colinas além das muralhas da cidade, olhou para o mar e contemplou seu barco que surgia em meio às brumas.

Então, as portas de seu coração se abriram. E sua alegria voou longe sobre o mar. Ele fechou os olhos e orou no silêncio de sua alma.

Mas, ao descer as colinas, dominou-o a tristeza, e pensou em seu coração:

Como posso partir em paz e sem sofrimento? Não, não sem uma chaga no espírito eu deixaria esta cidade.

Longos foram os dias de dor que passei entre estes muros, e longas foram as noites de solidão; e quem pode distanciar-se da própria dor e solidão sem remorso?

Muitos pedaços de minh'alma espalhei por estas ruas, e muitos foram os filhos de minhas lembranças que caminharam nus entre estas muralhas, e não posso apartar-me deles sem pesar e sem aflição.

Não são as vestes aquilo de que hoje me despojo, mas a própria pele que dilacero com as mãos.

Não é um pensamento que abandono, mas um coração compadecido pela fome e pela sede.

Contudo, não posso demorar-me mais.

O mar, que tudo chama para si, também me chama, e devo embarcar.

Pois ficar, enquanto as horas ardem na noite, significa gelar e fossilizar dentro de um molde.

Deveria resignar-me e levar tudo comigo. Mas, como poderia?

Uma voz não pode levar a língua e os lábios que lhe deram asas. Sozinha, deve buscar o etéreo.

Pois é só e despojada do ninho, que a águia voa em direção ao Sol.

Então, quando alcançou o pé da colina, voltou-se mais uma vez para o mar, e viu seu barco chegar ao porto; e sobre a proa, os nautas, homens de sua terra.

E seu espírito clamou a eles, e ele disse:

– Filhos de minha antiga terra, cavaleiros das ondas, muito navegastes em meus sonhos. Ora vindes em minha vigília, que é meu mais profundo sonho.

Estou pronto para partir, e meu anseio, de velas prontas, aguarda o vento.

Ainda uma vez mais respirarei este ar sereno, e, cheio de afeto, volverei o olhar. Depois, estaremos juntos, nauta entre nautas.

E tu, mar imenso, mãe sempre desperta, és tu, apenas, o sossego e a liberdade para o rio e para o arroio. Falta-te uma única curva nessa corrente, um único murmúrio a sussurrar neste remanso.

Depois, a ti volverei, como gota imensa num oceano vasto.

E à medida que caminhava, via ao longe homens e mulheres deixando os campos e os vinhedos e arrojando-se através dos portões da cidade. Ele ouvia suas vozes a chamá-lo pelo nome, e gritavam de um lado a outro anunciando a chegada do barco.

E ele disse para si:

– Será o dia da partida o dia da congregação? E será dito que o dia do meu crepúsculo será o dia de minha aurora? O que devo dizer àquele que deixou seu arado no meio do campo, ou àquele que detém a roda de seu lagar? Meu coração se tornará em árvore frondosa com frutos que colherei e darei a eles?

Terão meus desejos de brotarem como uma fonte com a qual encherei seus cálices? Seria eu uma harpa tocada pela mão do Todo-Poderoso ou uma flauta atravessada pelo ar de Seu alento? Sou eu aquele que busca o silêncio? E que tesouros teria encontrado em meus silêncios dos quais me despojaria com confiança?

Se este é o meu dia da colheita, em que seara semeei o grão e em qual esquecida estação? Se esta é mesmo a hora em que ergo minha lanterna, não será minha a chama que ali haverá de arder. Erguerei vazia e sem luz a minha lanterna, e o guardião da noite a encherá de óleo e a fará brilhar.

Foram essas as suas palavras. Mas muito do que tinha no coração ficou calado, pois ele próprio não podia proferir seu segredo mais íntimo.

Quando adentrou a cidade, o povo todo foi-lhe ao encontro e o aclamaram a uma só voz. E os anciãos da cidade se acercaram e disseram:

– Não nos deixes ainda. Foste o meio-dia de nosso crepúsculo, e a tua jovialidade encheu-nos de sonhos para sonhar. Não és um estrangeiro entre nós, tampouco um hóspede, mas nosso filho e o mais amado. Que os nossos olhos não se privem do teu semblante.

E os sacerdotes e as sacerdotisas lhe disseram:

– Não deixes que as vagas do mar nos separem agora, nem que os anos em que entre nós passaste se tornem mera lembrança. Caminhaste entre nós como um espírito, e a tua sombra foi luz sobre nossas faces. Nós te amamos muito. Mas nosso amor era mudo e se ocultava debaixo de véus. Entretanto, agora levanta a voz e se revela diante de ti. Sempre tem sido verdade que o amor só revela o quanto é profundo na hora da separação.

Outros chegaram também e imploraram. Mas ele não disse nada. Apenas abaixou a cabeça; e os que estavam próximos viram as lágrimas que lhe caíam no peito.

E ele e o povo se dirigiram ao grande mercado diante do templo.

Do santuário, surgiu uma mulher cujo nome era Almitra. Era uma vidente.

E ele olhou para ela com imensa ternura, pois foi ela a primeira que o procurou e que nele acreditou quando ele estava na cidade havia apenas um dia. Ela o saudou, dizendo:

– Profeta de Deus, em busca da imensidão, quantas vezes não tens contemplado a distância em busca de teu barco? Agora, teu barco se acerca e tens de partir. Profunda é a saudade que tens da terra de tuas lembranças e do lar de teus maiores desejos; nosso amor não te prenderá, nem as nossas necessidades te segurarão. Antes que nos deixes, te pedimos que fales a nós e nos dês um pouco da tua verdade. E nós a daremos a nossos filhos, e eles a darão aos filhos deles, e a tua verdade não perecerá. Em tua solidão, velaste por nossos dias, e na tua vigília escutaste os lamentos e os risos de nosso sono. Agora, pois, ilumina-nos e dize-nos tudo o que a ti foi revelado sobre o que há entre o nascimento e a morte.

E ele respondeu-lhes:

– Povo de Orfalés, o que posso dizer-vos que já não esteja se movendo dentro de vossas almas?

Do amor

Então, Almitra disse:
– Fala-nos do Amor.
E ele ergueu a cabeça e olhou para o povo; e, sobre todos, caiu o silêncio. E com voz firme, disse:
– Quando o amor vos chamar, segui-o.
Ainda que seus caminhos sejam agrestes e íngremes.
E quando suas asas vos envolverem, recebei-a.
Embora a espada oculta em suas plumas vos possa ferir.
E quando ele falar convosco, acreditai nele.
Embora sua voz possa desfazer os vossos sonhos.
Como o vento norte que devasta o jardim.
Da mesma forma que o amor vos coroa, ele vos crucifica.
E como vos desenvolve, vos apara.
Assim como sobe ao alto de vossas copas e acaricia os ramos mais delicados que balançam ao sol,
Ele desce até às vossas raízes e as estremece.
Como um feixe de trigo, ele vos recolhe junto a si.
Ele vos trilha para desnudar-vos.
E vos peneira para livrar-vos das palhas.
Ele vos mói até à brancura.

E vos sova para amaciar-vos.

E, então, ele vos deita ao seu fogo sagrado, para vos tornar no pão sagrado do banquete de Deus.

Todas essas coisas fará o amor em vós, para que saibais os segredos de vosso próprio coração, e com esse saber tornar-vos um fragmento do seio da vida.

Mas, se pelo tremor buscardes apenas a paz e o prazer do amor, será melhor que escondais vossa nudez e passeis ao largo de sua eira.

Para entrardes num mundo carente de estações, onde não rireis todos os vossos risos e não derramareis todas as vossas lágrimas.

O amor dá apenas a si próprio e nada toma senão de si. O amor nada possui, e nada deixa possuir. Porque o amor basta a si próprio.

Quando amardes, não direis: "Deus está em meu coração"; mas: "Estou eu no coração de Deus".

E sabei que não podeis ditar o curso do amor, pois o amor, se vos achar merecedores, ditará o vosso caminho.

O amor não tem outro propósito senão tornar-se pleno.

Mas, se amardes, e tiverdes desejos, que sejam estes os vossos desejos:

Desfazer-vos e ser como um arroio ligeiro que entoa seu canto para a noite;

Sentir a dor do excesso de ternura. Ser ferido pelo próprio entendimento do amor; e sangrar de boa-vontade e com alegria;

Despertar ao amanhecer com o coração alado e agradecer por outra jornada de amor;

Descansar ao meio-dia e meditar sobre o êxtase do amor;

Voltar para casa ao entardecer com gratidão;

E, então, dormir com uma prece no coração pelo bem-amado e com uma canção de louvor nos lábios.

Do matrimônio

Então, Almitra voltou a falar e disse:

– E quanto ao matrimônio, Mestre?

E ele respondeu dizendo:

– Nascestes juntos, e juntos permanecereis para todo o sempre.

E juntos estareis quando as asas brancas da morte dispersar os vossos dias.

Sim, estareis juntos, mesmo na silenciosa memória de Deus.

Mas que haja espaço em vossa comunhão, e que os ventos celestiais dancem no meio de vós.

Amai-vos uns aos outros, mas não façais do amor um laço:

Que o amor seja a maré nas praias de vossas almas.

Enchei as taças uns dos outros mas não bebais da mesma taça.

Reparti o pão, mas não comais do mesmo filão. Cantai e dançai juntos e felizes, mas permiti que cada um possa estar só.

Da mesma forma que as cordas do alaúde, que, embora separadas, vibram com a mesma música.

Entregai vossos corações, mas não para que o próximo os guarde, pois apenas os braços da vida podem envolver vossos corações.

Permanecei juntos, mas não em demasia, pois os pilares do templo mantêm-se separados, e o carvalho e o cipreste crescem afastados um da sombra do outro.

Dos filhos

E uma mulher que segurava uma criança contra o colo disse:
– Fala-nos dos filhos.
E ele disse:
– Vossos filhos não são vossos filhos. São os filhos e filhas do desejo da vida por si própria.

Vêm através de vós, mas não de vós. E mesmo que estejam convosco, não vos pertencem.

Podeis dar a eles o vosso amor, mas não os vossos pensamentos, pois eles têm os próprios pensamentos.

Podeis abrigar seus corpos, mas não suas almas, pois suas almas habitam a morada do amanhã, que não podeis visitar, sequer em sonhos.

Esforçai-vos para ser como eles, mas não buscais fazer com que sejam como vós, pois a vida não anda para trás, nem se detém no ontem.

Sois os arcos com os quais os vossos filhos, como setas vivas, são lançados ao longe.

O Arqueiro vê o alvo no sendeiro do infinito, e vos tensiona com sua potência, e suas flechas voam ligeiras e distantes.

Que a tensão causada pela mão do Arqueiro seja a vossa alegria: assim como Ele ama a flecha que voa, Ele ama também o arco que permanece imóvel.

Da dádiva

Então, um homem rico disse:

– Fala-nos da dádiva.

E ele respondeu:

Pouco dais, se dais apenas de vossos bens. A dádiva é verdadeira quando dais de vós próprios.

De fato, o que são vossos bens, senão coisas que guardais pelo medo de delas necessitar amanhã?

E amanhã, o que trará o amanhã ao cão cuidadoso que esconde ossos na areia sem deixar traços enquanto segue os peregrinos a caminho da cidade santa?

E o que é o medo da necessidade senão a própria necessidade?

E o que é medo da sede diante do poço cheio, senão uma sede que não pode ser saciada?

Há quem pouco dispõe do muito que tem, e o faz para despertar a gratidão; mas o desejo oculto torna suas dádivas nocivas.

Há os que pouco têm e dele dispõem por inteiro. São os que acreditam na vida e na generosidade da vida, e seus cofres nunca ficam vazios.

E há os que de tudo dispõem com alegria, e essa alegria é a sua recompensa.

E há os que de tudo dispõem com dor, e essa dor é o seu batismo.

E há os que dispõem sem sentir dor nem alegria e sem cuidar na virtude.

São como a murta que, no vale, dispõe ao espaço seu perfume.

Deus fala pelas mãos desses seres, e, por trás dos olhos deles, Ele sorri para o mundo.

A dádiva é valiosa quando solicitada, mas melhor ainda quando não solicitada, dada por meio da compreensão; e, para o generoso, buscar quem deve receber é uma alegria maior do que a própria dádiva.

E não há nada que gostaríeis de reter? Tudo o que tendes será um dia distribuído; daí agora, para que o momento da dádiva seja vosso e não dos herdeiros.

Vós diríeis: "Darei, mas apenas aos que merecem".

As árvores nos pomares não falam assim, nem o gado nos campos. Entregam seus frutos para viver, porque retê-los é morrer.

O que é digno de receber seus dias e suas noites também o é de tudo o mais receber de vós.

E quem mereceu beber no oceano da vida, merece encher a taça no vosso regato.

E que maior merecimento que aquele que reside na coragem e na confiança; e ainda mais na caridade de receber?

E quem sois vós para obrigar os homens a vos mostrar o coração e despojar-se do orgulho, de forma a despir-lhes o valor e expor-lhes o orgulho?

Vede, primeiro, se sois dignos de dar e se sois um instrumento da caridade.

Pois, em verdade, é a vida que dá à vida; e vós, que vos considerais caridosos, nada mais sois do que testemunha.

E vós que sois recebedores – e todos vós o são –, não assumais dever algum de gratidão, para que não pese nenhum jugo sobre vós e sobre vossos benfeitores.

Em vez disso, elevai-vos com eles, como se de asas se tratassem as suas dádivas.

Já que cuidar demais das dívidas é duvidar da generosidade de quem tem por mãe a terra pródiga, e por pai o próprio Deus.

Da comida e da bebida

Disse então um velho estalajadeiro:
– Fala-nos da comida e da bebida.
E ele disse:
– Talvez pudésseis viver da fragrância da terra e nutrir-vos da luz como uma planta.

Mas, uma vez que tendes de matar para comer, e tirar do recém-nascido o leite de sua mãe para apaziguar a vossa sede, fazei disso um ato de veneração.

Que a vossa mesa seja um altar no qual são sacrificados os puros e os inocentes da floresta e da planície para o que é mais puro e ainda mais inocente no homem.

Quando matardes uma fera, dizei-lhe em vossos corações:
"O mesmo poder que te imola a mim imola também e também serei consumido,

Já que a mesma lei que te entregou em minhas mãos há de me entregar a mãos mais poderosas.

Teu sangue e meu sangue nada mais são que a seiva que alimenta a árvore do céu".

E quando tiverdes uma maçã entre os dentes, dizei a ela em vossos corações:
"Tuas sementes hão de viver em meu corpo e teus rebentos de amanhã de florescer em meu coração, e tua fragrância será meu hálito, e juntos nos regozijaremos, estação após estação".

No outono, quando colherdes as uvas de vossas vinhas para levá-las ao lagar, dizei-lhe em vossos corações:

"Eu também sou uma vinha e meus frutos serão colhidos e levados ao lagar, e, como vinho novo, serei guardado em tonéis perenes".

No inverno, quando beberdes o vinho, entoai em vossos corações uma canção para cada taça.

E que haja na canção um pensamento para os dias de outono, e para os vinhedos, e para o lagar.

Do trabalho

Então, um lavrador disse:

– Fala-nos do trabalho.

E ele respondeu:

– Trabalhais para manter-vos em harmonia com a terra e com a alma da terra.

Visto que o preguiçoso é um estranho entre as estações e se aparta do cortejo da vida, que, majestosamente e em orgulhosa submissão, avança para o infinito.

Quando trabalhais, sois uma flauta, em cujo coração o sussurro das horas se transforma em harmonia.

Quem entre vós gostaria de ser um junco mudo e silente enquanto todas as coisas cantam juntas e em uníssono?

Sempre vos foi dito que o trabalho é uma maldição e o labor um infortúnio.

Mas eu vos digo que, quando trabalhais, preencheis uma parte do sonho mais distante da terra, designado a vós no próprio nascimento desse sonho.

E, ao vos apegar ao trabalho, em verdade estareis amando a vida. E o amor à vida pelo trabalho é a iniciação no segredo mais íntimo da vida.

Mas, se em vossa aflição, chamai ao nascimento desgraça, e ao peso da carne, uma maldição inscrita em vossas frontes, eu vos responderei que nada além do suor de vossos rostos lavará o que foi inscrito.

Também vos foi dito que vida é escuridão, e, cansados, ecoais o que foi dito pelos cansados.

E eu vos direi que a vida é de fato sombria, exceto quando existe um desejo,
E todo desejo é cego, exceto quando existe sabedoria,
E toda sabedoria é vã, exceto quando existe trabalho,
E todo trabalho é inútil, exceto quando existe amor.

E quando trabalhais com amor, estais em integração convosco próprios, com o próximo e com Deus.

Mas o que significa trabalhar com amor?

É tecer o pano com fios puxados do coração, como se àquele a quem amais fosse destinado.

É construir uma casa com afeto, como se o vosso amado fosse ali habitar.

É semear o grão com ternura e colher com alegria, como se o vosso amado fosse comer o fruto.

É colocar em tudo o que se faz um sopro da alma:

Sabendo que todos os bem-aventurados que já partiram vos cercam e observam.

Muitas vezes ouvi-vos dizer, como se falásseis em sonhos:

"Quem trabalha o mármore e encontra a forma de sua alma na pedra é mais nobre do que aquele que lavra a terra.

E aquele que toma o arco-íris e o estampa sobre a tela, numa efígie humana, é mais do que aquele que faz as sandálias para os nossos pés".

No entanto, eu digo, não em sonhos, mas em plena vigília do meio-dia, que o vento não fala mais docemente com o carvalho gigante que com a mais delicada das ervas do bosque.

E só é grande aquele que transforma a voz do vento em uma doce melodia suavizada pela ternura.

O trabalho é o amor que se torna visível. Se não trabalhais com amor, mas apenas com asco, melhor será deixar vosso labor e sentar-vos à porta do templo para receberdes a esmola daqueles que trabalham com alegria.

Pois se fazeis o pão com indiferença, tereis um pão amargo, que aplacará apenas a metade da fome de um homem.

E se prensais a uva com ressentimento, esse ressentimento destilará veneno no vinho.

E ainda que canteis como anjos, se não amais o canto, ensurdecereis os homens às vozes da manhã e do entardecer.

Da alegria e da tristeza

Então, uma mulher disse:

– Fala-nos da alegria e da tristeza.

E ele respondeu:

– Vossa alegria é a vossa tristeza sem máscara.

E o mesmo poço que dá à luz o vosso riso, muitas vezes, alimenta-se das vossas lágrimas.

E de que outra forma poderia ser?

Quanto mais profundamente a tristeza penetra em vosso ser, mais espaço abre para a alegria.

A taça que contém o vosso vinho não é a mesma que foi forjada no torno do oleiro?

E o alaúde que vos acaricia a alma, não provém da madeira que foi talhada pela faca?

Quando estiverdes alegres, olhai no fundo do coração, e sabereis que aquilo que te trouxe a tristeza é o mesmo que te dá a alegria.

E quando estiverdes tristes, olhai novamente no coração, e vereis que chorais pelo mesmo que vos deu prazer.

Há entre vós os que dizem: "A alegria é maior do que a tristeza". E outros que dizem: "Não, maior é a tristeza".

Mas eu vos digo que um e outro são inseparáveis.

Juntas, chegam; e quando uma senta-se à vossa mesa, a outra, adormecida, repousa em vosso leito.

Em verdade, estais suspensos, como os pratos da balança, entre a vossa tristeza e a vossa alegria.

E eu vos digo que só quando estais vazios é que estais equilibrados.

Quando o guardião do tesouro vos ergueis para pesar o ouro e a prata que lhe cabem, as vossas necessidades haverão de aumentar ou diminuir vossa alegria ou vossa tristeza.

Das casas

Então um pedreiro acercou-se e disse:

– Fala-nos das casas.

E ele respondeu, dizendo:

– Construí em sonhos um refúgio no deserto, antes de construir uma casa na cidade.

Porque, assim como retornais para casa ao crepúsculo, retorna o viajante que há em vós, e que sempre vive longe e sozinho.

Vossa casa é vosso corpo engrandecido.

Ela cresce ao sol e dorme no silêncio da noite; ela também sonha. Acaso vossa casa não sonha? E ao sonhar, não deixa a cidade para refugiar-se na floresta ou na montanha?

Ah, se eu pudesse reunir vossas casas em minhas mãos, e, como um semeador, espalhá-las pela floresta e pelos prados!

E se os vales fossem vossas avenidas e os caminhos verdes vossas trilhas, para que buscásseis uns aos outros em meio ao vinhedo e tomásseis em vossas vestes os perfumes da terra?

Mas ainda não é o tempo dessas coisas.

Vossos ancestrais, temerosos, puseram-vos muito próximos uns aos outros. E esse temor ainda persistirá por mais tempo. E, por mais tempo, os muros de vossas cidades hão de separar vossos lares de vossos campos.

Dizei-me, povo de Orfalés, o que tendes em vossas casas? O que guardais atrás dessas portas fechadas?

Tendes paz, esse impulso tranquilo que desvela a vossa força?

Tendes lembranças, esses arcos brilhantes que expandem as alturas do espírito?

Tendes a beleza, que transporta o coração dos objetos de madeira e pedra até à montanha sagrada?

Dizei-me, tendes tudo isso em vossas casas?

Ou tendes apenas o bem-estar e a veleidade deste, esse desejo furtivo que entra em casa como visita, torna-se hóspede e, por fim, dono?

Sim, e logo se torna um adestrador, e, com ganchos e chicote, transforma em fantoches vossos desejos mais fortes.

Embora suas mãos sejam de seda, de ferro é seu coração.

Ele vos adormece para sondar o vosso leito e burlar-se da dignidade do vosso corpo.

Ele escarnece de vossos sentidos normais e os forra e embrulha como a vasos frágeis.

Em verdade, vosso desejo de bem-estar destrói as paixões mais nobres da alma e, depois, assiste sorrindo ao vosso funeral.

Mas vós, filhos do espaço, vós, inquietos na quietude, não sereis capturados e domesticados.

Vossa casa não será uma âncora, mas um mastro.

Não sereis um véu brilhante a cobrir uma chaga, mas a pálpebra que cobre o olho.

Não deveis dobrar vossas asas para flanquear uma porta, nem baixar a cabeça para evitar o teto, nem temereis respirar por medo de que as paredes trinquem e desmoronem.

Não habitareis as tumbas erguidas pelos mortos para os vivos.

E embora tenham a magnificência e o esplendor, vossas casas não poderão conter vossos segredos nem abrigar vossas aspirações.

Pois aquilo que em vós é infinito habita no castelo celestial, cuja porta é a bruma da manhã e cujas janelas são os cânticos e o silêncio da noite.

Das roupas

E um tecelão disse:

– Fala-nos das roupas.

E ele respondeu:

– Vossas vestes escondem muito da vossa beleza, embora não escondam o que é feio.

E ainda que busqueis ocultar nas vestes a vossa intimidade, arriscai-vos a encontrar nelas arreios e grilhões.

Quem dera pudésseis enfrentar o sol e o vento com a pele em vez de roupas.

Porque o sopro da vida está na luz do sol, e a mão da vida, no vento.

Alguns dentre vós dizeis: "Foi o vento norte que teceu as roupas que vestimos".

E eu vos digo: Sim, era o vento norte, mas a vergonha foi seu tear e o enfraquecimento das nervuras, o seu fio.

E quando seu trabalho teve fim, passou a rir-se na floresta.

Não vos esqueçais de que a modéstia nada mais é que um escudo contra os olhos dos impuros.

E quando o impuro partir, o que será a modéstia senão um fardo e uma mancha no espírito?

E não vos esqueçais de que a terra se alegra em sentir os vossos pés descalços e que os ventos adoram brincar com vossos cabelos.

Da compra e da venda

E um comerciante disse:

– Fala-nos da compra e da venda.

E ele respondeu:

– A terra vos oferece seus frutos, e nada vos faltaria se soubésseis como encher as mãos.

É mudando os dons da terra que encontrais abundância e satisfação.

A menos que essa mudança seja feita com amor e justiça, alguns serão levados à ganância e outros, à fome.

Quando vós, trabalhadores do mar, dos campos e das vinhas encontrais no mercado os tecelões, os oleiros e os coletores de especiarias, invocai o espírito-mestre da terra, para que vá até vós e santifique a balança e o cálculo que pesa um valor contra o outro.

E não tolerais que participem de vossas transações os de mãos vazias: eles vendem palavras em troca do vosso trabalho.

A esses homens direis:

"Vinde conosco para o campo, ou ide para o mar com nossos irmãos para lançar as vossas redes: pois a terra e o mar deverão ser generosos para vós, como tem sido para nós".

E se vierem os cantores, dançarinos e flautistas, comprai de suas ofertas também.

Porque também eles são coletores de frutas e incensos, e o que eles trazem consigo, embora seja feito de sonhos, é abrigo e alimento para as vossas almas.

E antes de sairdes do mercado, certificai que ninguém se vá de mãos vazias.

Pois o espírito-mestre da terra não descansará em paz ao vento até que as necessidades dos mais humildes entre vós não sejam atendidas.

Do crime e do castigo

Então, um dos juízes da cidade aproximou-se e disse:
– Fala-nos do crime e do castigo.
E ele respondeu, dizendo:
– É quando vossos espíritos vagueiam sobre o vento, que vós, solitários e desavisados, cometem uma ofensa contra o próximo e, portanto, contra vós mesmos. E pela ofensa cometida, tereis de bater à porta dos abençoados e aguardar pelo perdão.

Semelhante ao oceano é o vosso Eu divino: permanece para sempre imaculado.

E, como o éter, sustenta apenas os que asas possuem.

E semelhante também ao sol é o seu Eu divino: não conhece os caminhos das toupeiras e evita o ninho das serpentes.

Mas vosso Eu divino não está sozinho em vosso ser.

Muito em vós ainda é humano, e muito ainda não o é, mas sim um pigmeu deformado que anda sonâmbulo na névoa, em busca do próprio despertar.

E do homem que existe em vós, gostaria de falar agora.

Porque é o homem, e não o seu Eu divino nem o pigmeu que vagueia na névoa, que conhece o crime e o castigo.

Muitas vezes vos ouço falar de alguém que comete um delito como se não fosse um de vós, mas um estranho entre vós e um intruso em vosso mundo.

Mas eu vos digo: assim como o santo e o justo não podem erguer-se além do que há de mais elevado em vós, tampouco o ímpio e o fraco não podem rastejar sob o que há de mais baixo em vós.

E assim como uma única folha não empalidece sem o consentimento silencioso de toda a árvore, o malfeitor não pode fazer o mal sem o consentimento secreto de todos vós.

Como em uma procissão, assim avançais juntos, em direção ao Eu divino. Sois o caminho e também o caminhante.

E quando um de vós tropeça, cai por aqueles que o seguem, pois os advertiu contra a pedra traiçoeira.

Sim, e ele também cai por aqueles que o precedem, que, embora tivessem pés mais rápidos e seguros, não removeram a pedra traiçoeira.

Escutais isto também, ainda que estas palavras devam pesar muito em vossos corações:

O assassinado não é isento de culpa pelo próprio assassinato. E o roubado não é inculpável por ter sido roubado, e os justos não estão inocentes dos atos dos ímpios.

Sim, o culpado muitas vezes é a vítima do ofendido e, com mais frequência ainda, o condenado carrega o fardo pelos inocentes e pelos inculpáveis.

Não se pode separar o justo do injusto, nem o bom do mau: porque os dois caminham juntos na face do sol, como os fios pretos e brancos que foram tecidos juntos.

E quando um fio preto se rompe, o tecelão verifica todo o tecido e também examina o tear.

Se um de vós julga adúltera uma esposa, que ele também pese na balança o coração do marido, e meça a própria alma cuidadosamente.

E quem quiser agredir o ofensor, que examine a alma do ofendido.

E se um de vós pune em nome da justiça e deita o machado na árvore do mal, que considere também as raízes; e, na verdade, encontrará as raízes do bem e do mal, do frutífero e do estéril, entrelaçadas no silencioso coração da terra.

E vós, juízes, que querem ser justos, que julgamento faríeis contra aquele que, embora honesto na carne, é ladrão no espírito? Que sentença aplicaríeis contra aquele que mata na carne enquanto foi morto no espírito? E como processaríeis aquele que em seus atos é um impostor e opressor, mas foi injustiçado e indignado? E como puniríeis aquele cujo remorso é ainda maior que seus erros? Não é o remorso a justiça conferida por aquela mesma lei que desejais servir?

No entanto, não podeis impor remorso ao inocente, nem o remover do coração culpado. Irrefletidamente, gritará na noite para que os homens despertem e se voltem para si próprios.

E vós, que dizeis entender a justiça, como alcançá-la sem ver o todo em sua plenitude? Só então sabereis que os justos e os caídos são um só homem vagando no crepúsculo, entre a noite de seu Eu pigmeu e o dia de seu Eu divino; e que a pedra angular do templo não é superior às das fundações.

Das leis

Então, falou um advogado:

– O que pensas de nossas leis, Mestre?

E ele respondeu:

– Tendes prazer em estabelecer leis, mas tendes mais prazer em violá-las.

Como aquelas crianças que brincam à beira do oceano e que, com grande perseverança, constroem castelos na areia, para depois, entre risos, destruí-los. Mas, enquanto construís vossos castelos de areia, o oceano carrega mais areia para a praia. E conforme os destruís, o oceano ri convosco.

Em verdade, o oceano ri sempre com os inocentes.

Mas o que dizer daqueles para quem a vida não é um oceano, nem as leis dos homens castelos de areia; aqueles para quem a vida é uma pedra, e a lei um cinzel com o qual querem esculpi-la à sua própria semelhança?

E do inválido que odeia os dançarinos? E do boi que ama o jugo e considera os gamos e os cervos da floresta criaturas perdidas e errantes? E da velha serpente que não consegue mais mudar de pele e chama as outras de nuas e indecentes? E daquele que chega cedo para a festa de núpcias e sai depois saciado e exausto, dizendo que toda festa é um crime e todo anfitrião um culpado? O que direis de todos esses, senão que também estão ao sol, mas de costas para ele? Eles veem apenas as próprias sombras, e suas sombras são suas leis.

E o que é o sol para eles senão um projetor de sombras? E o que significa reconhecer as leis senão curvar-se e desenhar aquelas sombras no chão? Mas vós, que andais de frente para o sol, que imagens esboçadas na terra vos poderiam impedir? Para vós que viajais com o vento, que veleta guiará o vosso curso? Que lei humana vos poderá amarrar quando romperdes o vosso jugo, sem que o seja à porta da prisão de outro homem? Que leis temereis se dançardes sem tropeçar nos grilhões urdidos pelo homem? E quem vos poderá julgar se rasgardes vossas vestes, sem as abandonar no caminho do outro?

Povo de Orfalés, podeis calar o tambor e soltar as cordas da lira, mas quem pode impedir a cotovia de cantar?

Da liberdade

E um orador disse:

– Fala-nos da liberdade.

E ele respondeu:

– Às portas da cidade e em vossos lares, eu vos vi prostrados a adorar a própria liberdade, como escravos que se humilham diante de um tirano e o glorificam enquanto ele vos destrói.

Sim, no átrio do templo e na sombra da cidadela, eu vi os mais livres dentre vós tratar a liberdade como um jugo e uma prisão.

E meu coração sangrou dentro de mim: porque só podeis ser livres quando o próprio desejo de buscar a liberdade se tornar um jugo sobre vós, e quando deixardes de falar da liberdade como meta e realização.

Sereis livres, de fato, não quando em vossos dias não houver preocupações e em vossas noites não houver necessidades nem dor; mas quando fordes capazes de vos elevar, nus e sem restrições, acima de tudo aquilo que aprisiona a vossa vida.

E como poderíeis erguer-vos além de vossos dias e noites, sem quebrar as cadeias que vós, na aurora de vosso entendimento, apertastes em torno do vosso entardecer?

Em verdade, o que chamais de liberdade é a mais forte dessas cadeias, ainda que seus elos brilhem ao sol e vos deslumbrem.

E o que é aquilo que quereis rejeitar para alcançar a liberdade senão fragmentos de vós mesmos? Se é uma lei injusta que desejais abolir, sabei que essa lei foi escrita por vossas próprias mãos em vossa própria testa.

Não sereis capazes de apagá-la queimando seus códigos nem lavando a testa de vossos juízes, mesmo se derramardes o mar inteiro sobre eles.

E se aquele que quereis destronar for um déspota, vede antes que o trono dele, erguido em vós, esteja destruído.

Pois, como pode um tirano dominar os livres e os orgulhosos a não ser pela tirania que já existe na liberdade deles, e pela vergonha em seu orgulho?

E se é uma preocupação que quereis rejeitar, essa preocupação foi mais bem-recebida por vós do que imposta por alguém.

E se for um medo que desejais dissipar, o assento desse medo está em vossos corações e não nas mãos que vos amedronta.

Em verdade, todas as coisas se movem em vosso ser em um constante vai e vem: as que desejais e as que rejeitais; as que vos enojam e as que vos atraem; as que perseguis e aquelas de que fugis.

Essas coisas se movem em vós como luzes e sombras, em pares bem unidos.

E quando a sombra enfraquece e desaparece, a luz que permaneceu nela se torna a sombra de outra luz.

E, assim, quando vossa liberdade perde as cadeias, ela própria se torna uma prisão para uma liberdade maior.

Da razão e da paixão

A sacerdotisa falou novamente e disse:
– Fala-nos da razão e da paixão.
E ele respondeu, dizendo:
– Vossa alma é, muitas vezes, um campo de batalha onde a razão e o juízo lutam contra as vossas paixões e apetites.

Eu gostaria de ser o pacificador de vossas almas e transformar a discórdia e a rivalidade de vossos elementos em unidade e harmonia.

Mas como poderia fazê-lo, a menos que vós próprios fossem também pacificadores e, além disso, amantes de todos os estes elementos?

Vossa razão e paixão são o leme e o velame de vossa alma navegante.

Se vossas velas ou vosso leme quebrarem, só podereis flutuar ou ficar à deriva no meio do mar.

Porque a razão, por reinar sozinha, é uma força que constringe; e a paixão, sem vigilância, é um fogo que queima até à própria destruição.

Portanto, que vossa alma exalte vossa razão até ao ápice de vossa paixão, para que vossa alma possa cantar; e que ela oriente a vossa paixão com razão para que ela possa viver uma ressurreição diária e, como a fênix, renascer das próprias cinzas.

Quisera eu que tratásseis vossos juízos e vossos apetites como trataríeis dois hóspedes queridos em vossas casas.

Vós certamente não honraríeis um hóspede mais do que o outro; porque quem busca tratar melhor um dos dois, perde o amor e a confiança de ambos.

Entre as colinas, quando vos sentais à sombra fresca dos choupos-brancos, compartilhando a paz e a serenidade dos campos e prados distantes, então vosso coração poderá dizer em silêncio: "Deus repousa na razão".

E quando chegar a tempestade e o vento poderoso comover a floresta, e os trovões e relâmpagos proclamarem a majestade do firmamento, que o vosso coração possa dizer com temor e respeito: "Deus opera na paixão".

E visto que sois um sopro na esfera de Deus e uma folha em Sua floresta, deveis também repousar na razão e agir na paixão.

Do sofrimento

E uma mulher disse:

– Fala-nos do sofrimento.

E ele respondeu:

– O sofrimento é a fratura da casca que envolve o vosso entendimento.

Assim como a semente da fruta deve ser quebrada para que seu coração fique exposto ao sol, assim deveis conhecer o sofrimento.

Se pudésseis manter vosso coração no deslumbramento do milagre cotidiano, vosso sofrimento não pareceria menos maravilhoso do que a alegria.

E aceitaríeis as estações de vosso coração, como sempre aceitastes as estações que passam sobre vossos campos.

E contemplaríeis com serenidade os invernos de vossa aflição.

Muito das vossas aflições é escolha própria.

É a poção amarga com que o médico que se esconde em vós cura o Eu que sofre.

Confiai, portanto, no médico e tomai o remédio na calma e no silêncio: pois a mão dele, embora pesada e dura, é guiada pela mão gentil do Invisível.

E o cálice que Ele vos oferta, embora queime vossos lábios, foi moldado no barro que o Oleiro umedeceu com Suas próprias lágrimas santas.

Do autoconhecimento

E um homem disse:

– Fala-nos do autoconhecimento.

E ele respondeu, dizendo:

– Vosso coração conhece em silêncio os segredos dos dias e das noites.

Mas vossos ouvidos desejam ouvir o que o vosso coração conhece.

Quereis saber em palavras o que sempre soubestes em pensamento.

Quereis tocar o corpo nu dos vossos sonhos com os dedos.

E é bom que assim seja.

A nascente secreta de vossa alma precisa brotar e escorrer, murmurando, em direção ao mar.

E o tesouro de vossas infinitas profundezas se revelará aos vossos olhos.

Mas que não haja balanças para pesar vosso tesouro desconhecido.

E não busqueis explorar as profundezas de vosso conhecimento com varas ou sondas.

Pois o vosso Eu é um mar sem limites e sem medidas.

Não digais: "Encontrei a verdade". Mas dizei: "Encontrei uma verdade".

Não digais: "Encontrei o caminho da alma". Mas sim: "Encontrei a alma caminhando em meu caminho".

Porque a alma caminha por todos os caminhos.

A alma não anda em linha reta, tampouco cresce como um junco.

A alma desabrocha como um lótus de muitas pétalas.

Do ensino

Então um professor disse:

– Fala-nos do ensino.

E ele disse:

– Ninguém será capaz de revelar a vós outra coisa senão aquilo que já está meio dormente na aurora do vosso entendimento.

O mestre que caminha à sombra do templo junto a seus discípulos nada dá de sua sabedoria, mas de sua fé e afeição.

Se ele for realmente sábio, não vos proporá adentrar a morada de seu conhecimento, mas vos conduzirá ao limiar de vosso próprio espírito.

O astrônomo vos poderá falar de como compreende o espaço, mas não será capaz de proporcionar-vos a sua compreensão.

O músico poderá cantar para vós o ritmo que percorre todo o espaço, mas não vos poderá dar o ouvido que apreende o ritmo, nem a voz que o ecoa.

E aquele que é versado na ciência dos números poderá falar sobre o universo dos pesos e medidas, mas não será capaz de vos conduzir a ele.

Porque a visão de um homem não empresta suas asas a outro homem.

Da mesma forma que cada um de vós permanece sozinho no conhecimento de Deus, cada um de vós deve ter um entendimento próprio de Deus e uma interpretação própria das coisas da terra.

Da amizade

E um jovem disse:

– Fala-nos da amizade.

E ele respondeu, dizendo:

– O vosso amigo é a resposta das vossas necessidades.

Ele é o campo que semeais com amor e colheis com gratidão.

É a vossa mesa e o vosso lar.

Pois ides a ele com fome e o buscais por paz.

Quando vosso amigo expressa o seu pensamento, não receeis o "não" em vossa mente, nem retenhais o "sim".

E quando ele se calar, que o vosso coração continue a ouvir o dele.

Pois sem palavras, na amizade, todos os pensamentos, todos os desejos, todas as expectativas nascem e são compartilhadas na alegria silenciosa.

Quando vos apartardes de vosso amigo, não vos abaleis.

Pois aquilo que vós amais acima de tudo nele pode ficar mais claro em sua ausência, como mais clara aparece a montanha para o montanhista vista da planície.

Não há outro propósito na amizade senão o amadurecimento do espírito.

Pois o amor que busca algo diferente da revelação de seu próprio mistério não é amor, mas uma rede esticada que só apanha o que é inútil.

E que o melhor de vós próprios o seja para o vosso amigo.

Se ele deve saber o fluxo de vossa maré, também deverá saber sua vazante.

Pois bem, o que será do vosso amigo se vós apenas procurá-lo para matar o tempo? Procurai-o sempre para viver o tempo.

Pois ele há de suprir vossas necessidades, e não o vosso vazio.

E na doçura da amizade, que haja risos e partilha de prazeres.

Pois no orvalho das coisas pequenas, o coração encontra a sua aurora e o seu frescor.

Do diálogo

Então, um literato disse:

– Fala-nos do diálogo.

E ele respondeu, dizendo:

– Quando não estais em paz com vossos pensamentos, tendes necessidade de falar.

E quando não suportais mais viver na solidão de vossos corações, buscais viver em vossos lábios; o som se torna distração e passatempo.

E em muitos de vossos diálogos, o pensamento é, em parte, desfigurado.

Pois o pensamento é um pássaro do espaço que, em uma gaiola de palavras, pode por certo abrir as asas, mas não consegue voar.

Existem entre vós aqueles que, por medo da solidão, buscam os que gostam de falar.

A quietude da solidão lhes revela o Eu nu, do qual preferem fugir.

E há os que falam e, sem conhecimento ou diligência, carregam uma verdade que eles próprios não compreendem.

E há quem tenha a verdade dentro de si, mas não a exprima em palavras.

Na intimidade dele, o espírito habita no compasso do silêncio.

Quando encontrardes o amigo na rua ou no mercado, deixai o espírito que há em vós mover os vossos lábios e direcionar a vossa língua.

Deixai a voz que está oculta em vossa voz falar para os ouvidos dele.

Pois a alma dele preservará a verdade do vosso coração, da mesma forma que o sabor do vinho é lembrado depois que sua cor é esquecida, e sua ânfora já não mais existe.

Do tempo

E um astrônomo disse:
– Mestre, o que podes dizer-nos acerca do tempo?
E ele respondeu:
– Quereis medir o tempo, que não tem medida e que é incomensurável.
Quereis ajustar vossa conduta e até determinar o curso de vosso espírito de acordo com as horas e as estações do ano.
Do tempo, quereis fazer um arroio, nas margens do qual vos sentaríeis para ver as águas fluírem.
No entanto, o que em vós é intemporal sabe que a vida também o é, e sabe que o ontem é apenas a lembrança do hoje, e o amanhã, o sonho do hoje.
E aquilo que em vós é canto e êxtase habita ainda nos confins daquele primeiro instante, em que as estrelas foram disseminadas no espaço.
Quem, dentre vós, não sente que seu poder de amar é ilimitado?
E, no entanto, quem não sente esse mesmo amor, ainda que ilimitado, confinado ao cerne de seu próprio ser, e movendo-se não de um pensamento de amor para outro, nem de um feito de amor para outro?
E não é o tempo, como o amor, indivisível e inescrutável?
No entanto, se, em vossos pensamentos, quereis medir o tempo em estações, deixai que cada estação envolva todas as outras, e que o presente envolva o passado com a saudade e o futuro com o anseio.

Do bem e do mal

E um ancião da cidade disse:

– Fala-nos do bem e do mal.

E ele respondeu:

– Do bem que há em vós, eu posso falar, mas não do mal.

Pois o que é o mal senão o próprio bem, torturado pela fome e pela sede?

Em verdade, quando a fome acomete o bem, ele procura o alimento até mesmo nas covas mais escuras; e quando tem sede, busca a saciedade até mesmo em águas estagnadas.

Sois bons quando sois um convosco próprios.

Entretanto, quando não sois um convosco próprios, sois maus.

Pois uma casa que está dividida não se torna um antro de ladrões; é simplesmente uma casa dividida.

E um navio sem leme pode vagar sem rumo entre ilhas perigosas e não ir a pique.

Sois bons quando vos esforçais para dar de vós próprios.

Mas não sois maus quando estais apenas em busca de lucro.

Pois, quando vos esforçais para ganhar, sois apenas raízes que se agarram à terra e se alimentam de seu seio.

Certamente o fruto não pode dizer à raiz: "Sê como sou, maduro e cheio, e sempre pródigo da tua abundância".

Pois, para o fruto, dar é uma necessidade, como para a raiz receber é uma necessidade.

Sois bons quando falais com plena consciência.

No entanto, não sois maus quando adormeceis enquanto vossa língua gagueja sem propósito.

Até mesmo um discurso vacilante pode fortalecer uma língua fraca.

Sois bons quando avançais em direção ao próprio objetivo, com firmeza e passos destemidos.

No entanto, não sois maus quando manquejais em direção a ele.

Mesmo aqueles que manquejam não andam para trás.

Mas vós que sois fortes e expeditos, cuidai para não manquejar por complacência na presença do coxo.

Sois bons de inúmeras maneiras, e não sois maus por não serdes bons. Sois apenas hesitantes e indolentes.

É pena que as gazelas não ensinem rapidez às tartarugas.

Em vossa ânsia de alcançar vosso Eu gigante, está a vossa bondade; e essa ânsia reside em todos vós.

Mas em alguns, esse anseio é uma torrente que corre impetuosa em direção ao mar, varrendo os segredos das colinas e a canção das florestas.

Em outros, é uma corrente preguiçosa que se perde em meandros e meandros, serpeando até alcançar a costa.

Mas quem deseja muito que se cuide de dizer ao que deseja pouco: "Por que és tão lento e avanças tão pouco?".

Pois quem é verdadeiramente bom não pergunta ao que está nu: "Onde estão tuas roupas?". Nem aos que vivem ao relento: "O que houve com a tua casa?".

Da oração

Em seguida, uma sacerdotisa disse:

– Fala-nos da oração.

E ele respondeu, dizendo:

– Orai em vossas aflições e necessidades; mas deveis orar também na plenitude de vossa alegria e nos dias de abundância.

O que é a oração senão a expansão de vosso ser no éter vivo?

E se é um alívio exalar vossas trevas para o espaço, será alívio maior quando exalardes a aurora de vosso coração.

E se não conseguis conter as lágrimas quando vossa alma vos chama para a oração, então ela também vos exortará repetidamente, mesmo chorando, para que aprendais a orar com alegria.

Quando orais, vós ergueis-vos para encontrar, no espaço, aqueles que nessa mesma hora estão orando, e a quem, salvo em oração, não podeis encontrar.

Portanto, que sua visita a esse templo invisível não tenha outro propósito que o êxtase e a doce comunhão.

Pois se entrardes no templo apenas para pedir, não recebereis.

E se entrardes para prostrar-se, ninguém vos erguerá.

E mesmo que lá entrais para pedir favores, não sereis servidos.

Que vos seja suficiente entrar no templo invisível.

Não vos posso ensinar a orar com palavras.

Deus não escuta vossas palavras, exceto quando Ele próprio as pronuncia através de vossos lábios.

Não posso ensinar-vos a oração dos mares, das florestas e das montanhas. Mas vós, que nasceram nas montanhas, nas florestas e nos mares podem encontrar as preces deles em vosso coração.

E se escutásseis apenas na quietude da noite, vós os ouviríeis dizer silenciosamente:

"Nosso Senhor, que és nosso Eu alado, é a Tua vontade que quer em nós. É Teu desejo que em nós deseja.

É o Teu impulso em nós que pode transformar nossas noites, que são Tuas, e nossos dias, que também são Teus.

Nada podemos pedir-te, pois conheces nossas necessidades antes que elas nasçam em nós.

Tu és nossa necessidade; e, dando-nos mais de Ti, dá-nos tudo".

Do prazer

Então um eremita que visitava a cidade todo ano, apresentou-se e disse:
– Fala-nos do prazer.
E ele respondeu, dizendo:
– O prazer é uma canção de liberdade, mas não é a liberdade.
É a flor de vossos desejos, mas não o fruto.
É o vale chamando a montanha, mas não é o vale nem a montanha.
É o enjaulado que busca voar, e não o espaço que se deixa enjaular.
Sim, o prazer é, de fato, uma canção de liberdade.
Eu gostaria que cantásseis com todo o coração, mas não gostaria que perdêsseis o coração ao cantar.
Alguns jovens entre vós procuram o prazer como se fosse tudo, e, por isso, são julgados e condenados. Não os culpeis, mas deixai-os procurar.
Pois eles encontrarão o prazer, mas não apenas isso.
Sete são suas irmãs, e a menor entre elas é mais bela que o prazer.
Nunca ouvistes falar do homem que, cavando a terra à procura de raízes, encontrou um tesouro?
Alguns de vossos anciãos se lembram dos prazeres com arrependimento, como erros cometidos em estado de embriaguez.
O arrependimento é o engano do espírito, e não o seu castigo.
Eles deveriam, agradecidos, lembrar-se de seus prazeres, como se lembrassem da colheita de verão.

Mas se encontram conforto no arrependimento, que se confortem.

Há, entre vós, os que não são jovens para procurar, nem velhos para recordar.

E no temor da busca e da lembrança, evitam os prazeres todos por medo de menosprezar o espírito ou de ofendê-lo.

Mas essa renúncia é o prazer em si.

E assim também descobrem um tesouro, ainda que escavem com mãos trêmulas as raízes.

Mas dizei-me, quem pode ofender o espírito? Acaso o rouxinol ofende o silêncio da noite? O vagalume ofende as estrelas?

Poderá a vossa chama ou vosso fumo sobrecarregar o vento? Credes que o espírito é um poço manso que podeis turvar com um cajado?

Muitas vezes, ao recusar o prazer, não fazeis nada além de armazenar o desejo no entrelaçamento do vosso Eu. Quem há de dizer se aquilo que reprimimos hoje não se manifestará amanhã?

Até mesmo vosso corpo conhece sua herança e suas necessidades legítimas e não quer ser enganado.

Vosso corpo é a harpa de vossa alma.

E depende de vós ou tocar uma música melodiosa ou entoar sons confusos a partir dela.

E então vos perguntais em vossos corações: "Como podemos distinguir no prazer o que é bom do que não é?".

Ide aos vossos campos e jardins: aí aprendereis que o prazer da abelha é colher o mel da flor.

Mas também o prazer da flor é dar o mel à abelha.

Porque, para a abelha, uma flor é uma fonte de vida. E para a flor, uma abelha é uma mensageira de amor.

E para ambas, abelha e flor, dar e receber o prazer é necessidade e êxtase.

Povo de Orfalés, sede como as flores e as abelhas em vossos prazeres!

Da beleza

E disse um poeta:

– Fala-nos da beleza.

E ele respondeu:

– Onde buscareis a beleza, e como a encontrareis, a menos que ela mesma seja vosso caminho e vosso guia?

E como falareis dela a não ser que seja ela a tecelã de vosso discurso?

Os aflitos e os feridos dizem: "A beleza é bondosa e gentil. Como uma jovem mãe um pouco receosa de sua própria glória, ela caminha entre nós".

E os apaixonados dizem: "Não, a beleza é algo de força e pavor. Como a tempestade, ela sacode a terra abaixo de nós e o céu acima de nós".

Os cansados e os enfadados dizem: "A beleza é feita de suaves murmúrios. Ela fala em nosso espírito. Sua voz invade os nossos silêncios como uma luz esmaecida que treme de medo da sombra".

Mas os inquietos dizem: "Ouvimos seus gritos entre as montanhas, e com eles vieram o som dos cascos, o bater de asas e o rugido dos leões".

À noite, os guardas da cidade dizem: "A beleza se levantará com o amanhecer do levante".

E ao meio-dia, os trabalhadores e os caminhantes dizem: "Vimo-la inclinada sobre a terra desde as janelas do crepúsculo".

No inverno, o prisioneiro na neve dirá: "Ela virá com a primavera, saltando sobre as colinas".

E no calor do verão, os ceifeiros dizem: "Nós a vimos dançando com as folhas do outono, e vimos flocos de neve em seus cabelos".

Todas essas coisas dissestes da beleza, mas em verdade não falastes dela, mas de vossas necessidades insatisfeitas. A beleza não é uma necessidade, mas um êxtase.

Não é uma boca sedenta nem uma mão vazia que suplica, e sim um coração inflamado e uma alma encantada.

Não é a imagem que vedes nem a canção que ouvis, e sim uma imagem que se vê, ainda que se fechem os olhos, e uma canção que se ouve, ainda que se tapem os ouvidos.

Não é a seiva que corre por baixo da cortiça, nem uma asa presa a uma garra, e sim um jardim sempre em flor e uma corte de anjos em voo constante.

Povo de Orfalés, a beleza é a vida quando a vida desvela sua fronte sagrada.

E vós sois a vida, e também o véu.

A beleza é a eternidade a contemplar-se em um espelho.

E vós sois a eternidade, e também o espelho.

Da religião

E um sacerdote ancião disse:

– Fala-nos da religião.

E ele respondeu-lhe:

– De que outra coisa tenho falado, hoje?

Não é a religião todos os nossos atos e reflexões? E também tudo aquilo que não é ato nem reflexão, mas um espanto e uma surpresa brotando continuamente da alma, mesmo quando as mãos talham a pedra ou trabalham o tear?

Quem pode separar a fé dos atos, ou a crença do cuidado?

Quem pode espalhar as horas diante de si, dizendo: "Isto é para Deus, e isto é para mim; isto é para minh'alma, e isto é para meu corpo"?

Todas as vossas horas batem asas pelo espaço, passando de um eu para outro eu. Aquele que faz da própria moralidade sua melhor roupa estaria melhor se estivesse nu.

O vento e o sol não lhes abrirão buracos na pele.

E aquele que define a conduta pela ética aprisiona a ave que canta em uma gaiola. O canto mais livre não passa através de barras e arames.

E aquele a quem a devoção é uma janela, que se pode abrir e fechar, ainda não visitou a casa de sua própria alma, cujas janelas vão de um amanhecer ao outro amanhecer.

A vida diária é vosso templo e vossa religião. Sempre que nele entrardes, levai tudo convosco.

Levai o arado e a forja, o martelo e o alaúde, e tudo quanto tendes feito por necessidade ou por prazer.

Pois, em pensamentos, não podeis alçar-vos acima de vossos sucessos nem cair abaixo de vossos fracassos.

E levai convosco todos os homens, pois em adoração não podeis voar mais alto que as esperanças deles, nem vos humilhar mais baixo que seu desespero.

E se conhecêsseis Deus, não teríeis que decifrar enigmas.

Olhai acima de vós e O vereis brincando com vossos filhos.

Olhai para o espaço e O vereis caminhando na nuvem, a estender os braços no relâmpago e a descer na chuva.

Vós O vereis sorrindo nas flores, e a erguer-Se em seguida para agitar as mãos nas árvores.

Da morte

Então, Almitra falou, dizendo:

– Gostaríamos, então, de saber sobre a morte.

E ele disse:

– Saberíeis o segredo da morte.

Mas como encontrá-lo sem que o busqueis no coração da vida?

A coruja, cujos olhos presos na noite são cegos para o dia, não pode desvelar o mistério da luz.

Se vós, de fato, contemplardes o espírito da morte, devereis abrir o coração para o corpo da vida.

Pois a vida e a morte são uma só, assim como o rio e o mar são um só.

Na profundidade de vossas esperanças e desejos reside o vosso conhecimento silencioso do além.

E, como sementes que sonham sob a neve, vosso coração sonha com a primavera.

Confiai nos sonhos, pois neles se oculta a porta da eternidade. O medo que tendes da morte não é senão o tremor do pastor quando se apresenta diante do rei, e recebe dele a mão em sinal de agradecimento.

Não está alegre o pastor por baixo de seu tremor, por receber a marca do rei?

Mas não estará ele mais atento ao próprio tremor?

Pois o que significa morrer senão ficar nu ao vento e derreter-se ao sol?

E o que significa deixar de respirar, senão libertar a respiração de suas marés agitadas, para que ela se levante e se expanda e possa, liberta, buscar a Deus?

Apenas quando beberdes do rio do silêncio, podereis verdadeiramente cantar.

E apenas quando alcançardes o topo da montanha, começareis a subir.

E quando a terra reclamar vossos membros, então podereis dançar verdadeiramente.

O adeus

Era noite. E Almitra, a vidente, disse:
– Bendito seja este dia e este lugar e o teu espírito que falou.
E ele respondeu:
– Fui eu quem falou? Não fui eu também um ouvinte?
Então, ele desceu os degraus do templo e todo o povo o seguiu.
E chegou ao seu barco e subiu ao convés.
E voltando-se mais uma vez para o povo, ergueu a voz e disse:
– Povo de Orfalés, o vento me diz para deixar-vos. Sou menos apressado que o vento, mas devo partir.

Nós, os errantes, buscamos sempre o caminho mais solitário, e não iniciamos o dia onde terminamos no dia anterior; e nenhuma alvorada nos encontra onde o crepúsculo nos deixou. Mesmo enquanto a terra dorme, nós viajamos.

Somos as sementes da planta tenaz, e é em nossa maturação e em nossa plenitude de coração que somos entregues ao vento que nos dispersa.

Breves foram meus dias entre vós, e mais breves ainda as palavras que proferi.

Mas, se a minha voz se calar em vossos ouvidos, e meu amor apagar-se de vossa memória, nesse dia eu voltarei; e com um coração mais rico e lábios mais submissos ao espírito, eu vos tornarei a falar.

Sim, eu voltarei com a maré, e embora a morte me possa esconder, e o maior silêncio me envolver, buscarei mais uma vez a vossa compreensão. E não hei de procurar em vão.

Se algo do que disse é verdade, essa verdade se revelará em uma voz mais clara, e em palavras mais familiares aos vossos pensamentos.

Eu vou com o vento, povo de Orfalés, mas não para o vazio; e se este dia não satisfez os vossos desejos e nem o meu amor, então que seja uma promessa para um outro dia.

As necessidades do homem mudam, mas não seu amor, nem o desejo de que esse amor satisfaça os vossos desejos.

Sabei, portanto, que do silêncio mais intenso retornarei.

A névoa que se afasta ao amanhecer, deixando apenas o orvalho nos campos, subirá para o céu e se congregará em uma nuvem, para depois descer à terra em forma de chuva.

E não é diferente da névoa o que tenho sido.

Na quietude da noite, caminhei em vossas ruas, e meu espírito entrou em vossos lares, e o palpitar dos vossos corações estava em meu coração, e vosso alento estava em meu rosto, e eu vos conheci a todos.

Sim, eu conheci vossa alegria e vossa dor, e, em vosso sono, vossos sonhos eram meus sonhos.

E, muitas vezes, eu era, entre vós, um lago entre as montanhas.

Eu refletia os vossos montes e os abismos escarpados, e mesmo os rebanhos passageiros de vossos pensamentos e desejos.

E ao meu silêncio veio o riso de vossos filhos como arroios, e o anseio de vossos jovens como ribeiros.

E quando eles chegavam às minhas profundezas, os arroios e os ribeiros não deixaram de cantar.

E, no entanto, algo mais terno do que o riso e maior que a saudade veio até mim.

Era o ilimitado que há em vós; o vasto homem do qual sois apenas células e tendões; Aquele, em cujo cantar, vossos cantares não são mais que um leve ruído.

É nesse vasto homem que sois imensos; e ao contemplá-lo, aprendi a vos contemplar e a vos amar.

Pois que distâncias pode o amor alcançar que não estejam nesta vasta esfera?

Que visões, que expectativas e que presunções podem superar este voo?

Como um carvalho gigante coberto de flores de macieira, é vasto o homem que habita em vós. Seu poder vos prende à terra, sua fragrância vos projeta no espaço, e em sua perenidade sois imortais.

Disseram-vos que, mesmo como correntes, sois tão fracos quanto seu elo mais frágil.

Isso é apenas meia verdade. Sois também tão fortes quanto o seu elo mais forte.

Medir-vos por vossas ações mais ínfimas é descrever o poder do oceano pela fragilidade de sua espuma.

Julgar-vos por vossos fracassos é como lançar a culpa sobre as estações do ano pela inconstância delas.

Sim, sois como um oceano. Da mesma forma pela qual os navios encalhados na costa devem aguardar a alta da maré, não podeis, como um oceano, apressar vossas marés.

E sois como as estações do ano. Embora em vosso inverno negueis a primavera, mesmo assim a primavera, repousando dentro de vós, sorri na sua sonolência e não se ofende.

Não penseis que vos digo essas coisas para que digais uns aos outros: "Ele muito nos elogiou. Viu em nós apenas o bem".

Só expresso em palavras aquilo que vós mesmos conheceis em pensamento.

E o que é conhecimento expresso em palavras, senão uma sombra do conhecimento mudo?

Vossos pensamentos e minhas palavras são as vagas de uma memória selada que mantém registro do nosso ontem, e dos dias antigos em que a terra nada sabia de nós e dela própria, e das noites em que a terra estava envolta em confusão.

Homens sábios vieram até vós para vos dar sua sabedoria. Eu vim para tomar a vossa sabedoria.

E eis que descobri algo que é maior do que a sabedoria:

Há um espírito ardente em vós, que cresce constantemente à custa de si mesmo, enquanto vós, alheios à sua expansão, lamentais o declínio de vossos dias.

É a vida em busca da vida, em corpos que temem a sepultura.

Aqui, não há sepulturas. Essas montanhas, essas planícies são um berço e um sendeiro.

Sempre que passardes pelo campo onde enterrastes vossos antepassados, olhai bem para ele, ali vereis a vós próprios e aos vossos filhos de mãos dadas.

Em verdade, costumais alegrar-vos sem sabê-lo.

Outros vieram até vós, a quem destes riquezas, poder e glória, a troco de promessas de ouro feitas à vossa fé.

Menos do que uma promessa eu vos fiz, e, no entanto, fostes generosos comigo.

Vós me destes a mais profunda sede de vida.

Certamente não há maior dom para o homem do que aquele que transforma todos os seus desejos em lábios ressecados e toda a vida em um manancial.

E nisto reside minha honra e minha recompensa: sempre que vou beber à fonte, encontro a água da vida sedenta; e ela me bebe enquanto eu a bebo.

Alguns de vós me consideram orgulhoso e tímido demais para receber presentes. Sou muito orgulhoso para receber salário, mas não presentes.

E embora eu tenha comido frutas silvestres nas colinas, quando gostaríeis de me servir à mesa; e tenha dormido no pórtico do templo, quando me teríeis abrigado; não foi o vosso cuidado gentil com meus dias e noites que me tornou a comida mais saborosa e povoou meu sonho de visões?

Eu vos abençoo por isso. Dais muito sem saber o que dais. A bondade que se olha no espelho transforma-se em pedra. E uma boa ação que se vanglória, torna-se uma fonte de maldição.

Alguns de vós me tiveram por distante e embriagado da própria solidão. E disseram: "Ele delibera com as árvores do bosque, mas não com os homens. Senta-se sozinho no topo da colina e contempla de cima a nossa cidade".

É verdade que escalei colinas e caminhei por lugares remotos.

Como vos poderia enxergar senão de uma grande altura ou de uma grande distância?

Como alguém pode estar perto, se não estiver distante?

Outros me chamaram sem palavras, dizendo:

"Estrangeiro, estrangeiro, amante dos montes inacessíveis, por que vives nas montanhas onde as aves fazem seus ninhos? Por que buscas o inatingível? Que tormentas espera apanhar em tua rede? Que aves vaporosas caças no céu? Vem, e sê um de nós. Desce e aplaque a tua fome com o nosso pão e mate a tua sede com o nosso vinho".

Na solidão de suas almas, disseram essas coisas; mas se a solidão deles fosse mais profunda, saberiam que busco apenas o segredo de vossa alegria e de vossa dor, e buscava apenas vosso Eu maior que caminha pelo céu.

Mas o caçador também era a caça.

Pois muitas das minhas flechas partiram do arco apenas para atingir meu próprio peito.

E o que voava também rastejou.

Pois quando minhas asas se abriam ao sol, a sombra delas sobre a terra era uma tartaruga.

E eu, o crente, também era o descrente. Pois, muitas vezes, pus o dedo em minha própria ferida, para que pudesse ter mais confiança em vós e conhecer-vos melhor.

E é com essa confiança e esse conhecimento, que vos digo: Não estais fechados dentro de vossos corpos, nem confinados a vossas casas ou a vossos campos.

Porque aquilo que sois mora nas montanhas e vagueia com o vento.

Não é algo que rasteja em direção ao sol em busca de calor, ou escava buracos na escuridão em busca de segurança.

Mas algo livre, um espírito que envolve a terra e se move no éter.

Se minhas palavras foram vagas, não busqueis esclarecê-las.

Vago e nebuloso é o começo de todas as coisas, mas não o fim, e gostaria que vós vos lembreis de mim como um começo.

A vida, e tudo o que vive, é concebida na névoa e não no cristal.

E quem sabe se um cristal não é névoa em decomposição?

Quando vos lembrardes de mim, gostaria que fosse desta maneira:

Que aquilo que parece frágil e confuso em vós é o mais forte e mais determinado.

Não foi o vosso alento o que ergueu e endureceu a estrutura dos vossos ossos?

E não foi um sonho que nenhum de vós vos lembrais de ter sonhado, o que construiu vossa cidade e tudo o que nela existe?

Se pudésseis ver apenas o fluir daquele alento, deixareis de ver todo o resto; e se pudésseis ouvir os murmúrios do sonho, não ouvireis mais nada.

Mas não vedes nem ouvis; e é bom que assim seja.

O véu que turva vossos olhos será rasgado pelas mãos que o teceram.

E a argila que obstrui vossos ouvidos será desfeita pelos mesmos dedos que a amassaram.

E, então, vereis. E, então, ouvireis.

Não vos arrependereis de ter conhecido essa cegueira, nem essa surdez.

Pois, nesse dia, descobrireis os propósitos ocultos que há em tudo.

E abençoareis tanto a escuridão como a luz.

Depois de dizer essas coisas, ele olhou ao redor e viu o piloto de seu barco de pé ao leme, olhando para as velas desfraldadas e para o horizonte.

E ele disse:

– Paciente, muito paciente é o capitão do meu barco. O vento sopra e as velas estão inquietas. Até mesmo o leme pede um curso.

No entanto, meu capitão, serenamente, aguarda o meu silêncio.

E estes marinheiros, que ouviram o grande coro do mar, também me escutaram pacientemente.

Não terão de esperar mais. Estou pronto.

O arroio chegou ao mar, e mais uma vez a grande mãe segura o filho contra o peito.

Passe bem, povo de Orfalés.

Este dia terminou. Está se fechando sobre nós assim como o lótus se fecha sobre seu próprio amanhã.

Devemos guardar o que nos foi dado aqui. E, se não bastar, deveremos novamente nos reunir e juntos estender as mãos ao doador.

Não vos esqueçais de que voltarei para vós.

Um pouco mais, e meu desejo juntará poeira e espuma para um novo corpo.

Um pouco mais, um momento mais de descanso sobre o vento, e outra mulher me conceberá.

Adeus a vós e à juventude que vive entre vós.

Foi ontem que nos conhecemos em um sonho. Cantastes para mim em minha solidão, e eu, com vossos anseios, construí uma torre no céu.

Mas agora nosso sono se foi, nosso sonho acabou e a aurora se vai.

O meio-dia está sobre nós, e nosso despertar tornou-se dia alto, e devemos partir.

Se, no ocaso da memória, nos encontrarmos, conversaremos de novo, e, mais uma vez, me cantareis vossa canção mais profunda.

E se nossas mãos se reencontrarem em outro sonho, ergueremos novamente outra torre para o céu.

Então, acenou para os marinheiros e eles recolheram a âncora, soltaram o barco e zarparam para o oriente.

E um clamor irrompeu do povo, como de um único coração, elevando-se através das sombras do crepúsculo e espalhando-se sobre o mar como um imenso clangor.

Apenas Almitra ficou em silêncio, vendo o barco desaparecer nas brumas.

E quando o povo se dispersou, ela ainda permaneceu no cais, lembrando em seu coração estas palavras ditas por ele: "Um pouco mais, um momento mais de descanso sobre o vento, e outra mulher me conceberá".

O errante

Suas parábolas e seus ditados

O errante

Encontrei-o na encruzilhada. Era um homem que tinha apenas um manto e um cajado e cobria o rosto com um véu. Nós nos cumprimentamos, e eu disse a ele:
– Eu lhe convido para a minha casa. Sê meu hóspede.
E ele foi.
Minha esposa e meus filhos nos esperavam à porta. Ele sorriu para eles, e estes apreciaram a vinda do homem.
Sentamo-nos todos juntos à mesa. Estávamos contentes com a presença dele. Era um homem quieto e misterioso.
Depois da ceia, reunimo-nos perto da lareira e perguntei-lhe de suas andanças.
Ele contou-nos diversas histórias naquela noite, e também no dia seguinte. Lembro-me das histórias acerca de suas amarguras, ainda que ele fosse um sujeito gentil. Esses relatos são de suas andanças pacientes pelas estradas empoeiradas.
Quando ele partiu, três dias depois, parecia que continuava conosco. Era como se um de nós ainda continuasse no jardim sem entrar em casa.

As roupas

Certo dia, a Beleza e a Feiura se encontraram numa praia. Uma disse à outra:
– Vamos tomar um banho de mar.
Elas se despiram e nadaram nas águas. Algum tempo depois, a Feiura voltou à praia, se vestiu com as roupas da Beleza e partiu.
A Beleza saiu da água e não encontrou suas roupas. Como ela tinha vergonha de sua nudez, vestiu-se com as roupas da Feiura e também partiu.
Desde esse dia, os homens e as mulheres confundem uma com a outra.
No entanto, há aqueles que contemplam o rosto da Beleza e a reconhecem, não importa o que ela vista. E há também aqueles que conhecem o rosto da Feiura, mas a roupa não a esconde dos olhos deles.

A águia e a andorinha

Uma andorinha e uma águia se encontraram numa rocha no alto de uma colina íngreme. Disse a andorinha:
– Bom dia, senhora.
– Bom dia – respondeu a águia.
E a andorinha disse:
– Espero que esteja tudo bem com a senhora.
– Sim – disse a águia. – Está tudo bem. Mas tu não sabes que somos as rainhas das aves e que não deves dirigir-te a nós a menos que falemos primeiro?
– Creio que somos da mesma família, disse a andorinha.
A águia olhou-a com desdém e falou:
– Quem te disse que tu e eu seríamos da mesma família?
A andorinha respondeu:
– Mas eu quero lembrar-te de que posso voar tão alto quanto tu e de que meu canto agrada outras criaturas desta terra. Tu, por outro lado, não proporcionas prazer nem contentamento.
A águia encheu-se de raiva e replicou:
– Prazer e contentamento, criatura presunçosa? Com uma simples bicada eu posso destruir-te. Não tens mais que o tamanho do meu pé.
Então a andorinha voou, pousou nas costas da águia e passou a bicar-lhe as penas. A águia, incomodada, voou alto e ligeiro para se livrar do incômodo

passarinho. Mas não conseguiu. Por fim, desceu e pousou naquela mesma rocha sobre a colina. Tinha ainda a andorinha a perturbá-la e amaldiçoava aquele destino.

Naquele instante, uma pequena tartaruga apareceu e começou a rir diante daquela cena. Riu-se com tanta força, que quase virou de pernas para o ar.

A águia olhou para a tartaruga e disse:

– De que ris, criatura lenta e insignificante, tu, que rastejas sobre a terra?

E a tartaruga disse:

– Porque vejo que te tornaste um cavalo, montado por um passarinho que é melhor ave que tu.

E a águia lhe disse:

– Vai cuidar da tua vida. Este é um negócio de família entre mim e minha irmã andorinha.

A canção de amor

Um poeta certa vez escreveu uma linda canção de amor. Fez várias cópias e as distribuiu entre amigos e conhecidos, tanto homens quanto mulheres. Enviou-as também a uma jovem que conhecera um dia e que vivia além das montanhas.

Um ou dois dias depois, chegou um mensageiro da jovem com uma carta. Na carta, a moça dizia: "Fiquei profundamente comovida pela canção de amor que escreveu para mim. Vem agora ver meu pai e minha mãe, para fazermos os preparativos para o nosso matrimônio".

E o poeta respondeu a carta, dizendo à moça: "Minha amiga, foi apenas uma canção de amor vinda do coração de um poeta, cantada por todo homem para toda mulher".

Ela escreveu novamente, dizendo-lhe: "Mentiroso e hipócrita. Por sua causa, de hoje até o dia da minha morte odiarei todos os poetas".

Lágrimas e risos

Ao anoitecer, sobre a barranca do Nilo, uma hiena encontrou um crocodilo. Eles pararam e se cumprimentaram.

– Como vai seu dia, senhor? – disse a hiena.

E o crocodilo respondeu:

– Mal. Às vezes choro de dor e sofrimento e as criaturas dizem: "Não passam de lágrimas de crocodilo". Isso me magoa profundamente.

Então a hiena disse:

– Você fala da sua dor e do seu sofrimento, mas pensa, um momento, no que se passa comigo. Eu vejo a beleza do mundo, suas maravilhas e seus milagres, e, ao expressar minha alegria, rio como ri o dia. Mas as pessoas da floresta dizem: "Isso não passa do riso de uma hiena".

Na feira

Veio à feira uma moça do campo, linda e muito atraente. Em seu rosto havia um lírio e uma rosa; nos cabelos, um crepúsculo; e a aurora sorria nos lábios dela.

Mal a bela moça apareceu, os jovens a viram e a cercaram. Um deles queria dançar com ela; outro queria cortar um bolo em homenagem a ela. E todos desejavam beijar-lhe o rosto. Afinal de contas, não estavam todos numa feira?

Mas a jovem ficou chocada e assustada, e pensou mal dos rapazes. Ela os censurou e deu um tapa no rosto de um ou dois deles. Depois, fugiu.

No caminho para sua casa naquela tarde, disse em seu coração: "Estou enojada. Esses rapazes não têm modos nem educação. Não se pode ter paciência com eles".

Durante um ano aquela jovem atraente ocupou bastante o pensamento com feiras e homens. Então, retornou à feira com o lírio e a rosa no rosto, o crepúsculo nos cabelos e o sorriso da aurora nos lábios.

Mas, dessa vez, os jovens, ao vê-la, viraram-lhe as costas. E durante todo o dia esteve só e ninguém a procurou.

Ao entardecer, quando tomava a estrada para casa, gritou em seu coração: "Estou enojada. Esses rapazes não têm modos nem educação. Não se pode ter paciência com eles".

As duas princesas

Na cidade de Savaque, vivia um príncipe amado por todos. Até mesmo os animais do campo o saudavam.

Mas toda gente dizia que a esposa do príncipe, a princesa, não o amava; chegava mesmo a odiá-lo.

Certo dia, a princesa de uma cidade vizinha veio visitar a princesa de Savaque. Elas se sentaram para conversar e a conversa acabou girando em torno dos maridos.

A princesa de Savaque disse, com paixão:

– Tenho inveja da tua felicidade com o príncipe, teu marido, visto que estão casados há muitos anos. Odeio meu marido. Ele não pertence só a mim e sou a mulher mais infeliz do mundo.

Então a princesa visitante olhou para ela e disse:

– Minha amiga, a verdade é que amas teu marido. O amor que sentes por ele não desapareceu; e isso é vida em uma mulher, como a primavera num jardim. Mas coitada de mim e de meu marido. Aprendemos a suportar um ao outro numa silenciosa paciência. E tu e os outros acreditam que isso seja felicidade.

O raio

Estava um bispo cristão em sua catedral num dia de chuva, quando uma mulher que não era cristã chegou, aproximou-se e disse:

– Eu não sou cristã. Há alguma possibilidade de eu me salvar do fogo do inferno?

O bispo olhou para a mulher e respondeu-lhe:

– Não. Só existe salvação para aqueles que foram batizados na água e no espírito.

Enquanto o bispo falava, um raio caiu do céu sobre a catedral, que se encheu de fogo. Os homens da cidade foram correndo até lá e salvaram a mulher, mas o bispo foi consumido como alimento do fogo.

O eremita e as bestas-feras

Era uma vez um eremita que vivia em meio às colinas verdejantes. Ele era puro de espírito e tinha um bom coração. Todos os animais da terra e as aves do ar iam até ele aos pares e ele conversava com todos. Juntavam-se ao redor dele, ouviam-no com alegria e só iam embora quando a noite caía. Ele os despedia, abençoando-os para que partissem seguros entre os ventos e as árvores.

Certa tarde, em que falava de amor, um leopardo levantou a cabeça e disse ao eremita:

– Fala-nos do amor. Dize-nos então, senhor: onde está a tua companheira?

– Não tenho companheira – disse o eremita.

Então uma grande surpresa abateu-se sobre as bestas-feras e as aves, que começaram a comentar entre si:

– Como ele pode falar-nos de amor e relacionamento quando ele próprio nada sabe disso?

E, em silêncio, e com desdém, deixaram-no só.

Naquela noite, o eremita deitou-se na sua esteira, desolado; ele chorava amargamente e batia as mãos contra o peito.

O profeta e a criança

Certo dia, o profeta Saria encontrou uma menina no jardim. A criança correu para ele e disse:

– Bom dia, senhor.

– Bom dia, senhora – repetiu o profeta. – Vejo que estás sozinha – disse em seguida.

E a criança disse, com prazer e alegria:

– Faz muito tempo que me perdi de minha governanta. Ela pensa que estou atrás daquelas sebes; mas o senhor não vê que eu estou aqui?

Então olhou para o profeta e tornou a falar:

– O senhor também está sozinho. O que aconteceu com a sua governanta?

O profeta respondeu:

– Ah, isso é diferente. Não costumo afastar-me dela com frequência. Mas, agora, quando cheguei a este jardim, percebi que ela me estava procurando atrás dessas sebes.

A criança bateu as mãos e gritou:

– Então o senhor é como eu! Não é gostoso estar perdido?

E continuou:

– Quem é o senhor?

E o homem respondeu:

– Chamam-me Profeta Saria. E tu, quem és?

– Eu sou apenas eu – disse a criança. – Minha governanta está procurando por mim e não sabe onde estou.

Então o profeta, olhando para o espaço, disse:

– Eu também escapei de minha governanta por um momento, mas ela vai encontrar-me.

– Eu sei que a minha vai encontrar-me também – disse a criança.

Naquele momento, ouviu-se a voz de uma mulher gritando o nome da criança.

– Não disse que ela acabaria me encontrando? – disse a criança.

E, no mesmo momento, ouve-se outra voz:

– Onde estás, Saria?

– Vês, minha filha? Acabaram me encontrando também, disse o profeta.

E, levantando a cabeça, Saria respondeu:

– Estou aqui.

A pérola

Uma ostra disse para outra ostra:
– Estou sentindo uma dor muito grande dentro de mim. É uma coisa pesada e redonda e causa muito sofrimento.

A outra ostra respondeu com convicção:
– Agradeço aos céus e ao mar por não ter nenhuma dor. Estou bem e inteira, tanto por dentro quanto por fora.

Naquele instante, um caranguejo estava passando por ali e ouvia o que diziam as duas ostras. Dirigiu-se, então, para aquela ostra que estava bem e inteira, tanto por dentro quanto por fora:
– Sim, estás bem e inteira, mas a dor que a tua amiga sente é uma pérola de beleza inigualável.

Corpo e alma

Um homem e uma mulher sentavam-se a uma janela que se abria para uma fonte. Sentavam-se bem perto um do outro. A mulher disse:

– Eu te amo. Tu és lindo, tu és rico e estás sempre bem arrumado.

E o homem disse:

– Eu te amo. És um lindo pensamento, algo muito especial para se ter nas mãos e uma canção em meu sonhar.

Então a mulher encheu-se de raiva e disse:

– Senhor, por favor, deixa-me agora. Eu não sou um pensamento nem uma coisa que se passa em teus sonhos. Sou uma mulher. Gostaria que me desejasses como esposa e mãe de filhos que ainda não nasceram.

E eles se separaram.

E o homem disse para consigo: "Mais um sonho que se desfaz em névoa".

E a mulher: "O que dizer de um homem que me transforma em névoa e sonho?".

O rei

O povo do reino de Sadique cercou o palácio do rei, gritando em rebelião contra o monarca. Ele desceu os degraus carregando sua coroa em uma das mãos e o cetro na outra. A majestade de sua presença silenciou a multidão. Ele postou-se diante dela e disse:

– Amigos, pois já não sois meus súditos, eu, aqui, deponho minha coroa e meu cetro diante de vós. Passo a ser um igual. Sou apenas um homem e, como homem, hei de trabalhar convosco a fim de que a nossa sorte mude para melhor. Um rei não é necessário. Iremos aos campos e vinhedos e trabalharemos com as mãos. Apenas vós podeis dizer em que campo ou vinhedo terei de trabalhar. Todos vós, agora, sois reis.

E o povo, maravilhado, continuava parado diante dele, pois o rei, que consideravam a fonte daquele descontentamento, naquele momento depunha a coroa e o cetro diante deles e se tornava alguém da mesma condição.

Então cada uma das pessoas que estava ali seguiu seu caminho e o rei foi com uma delas para o campo.

Mas o reino de Sadique não se deu melhor sem um rei, e um ar de insatisfação pairava sobre a terra. O povo gritava no mercado, dizendo que queria um rei para governá-lo. Anciãos e jovens exclamavam a uma só voz:

– Queremos de volta nosso rei.

Procuraram o rei e o encontraram arando o campo. Levaram-no de volta ao trono e entregaram-lhe o cetro e a coroa, dizendo:

– Governai-nos agora, com poder e com justiça.

E ele disse:

– De fato eu os governarei com poder, e os deuses do céu e da terra me ajudarão a governar com justiça.

Homens e mulheres foram até o rei e lhe falaram de um barão que os maltratava e para o qual eles não passavam de servos.

Imediatamente o rei trouxe o barão até a sua presença e lhe disse:

– A vida de um homem é um peso na balança de Deus assim como a vida de outro. E, porque não sabes pesar as vidas daqueles que trabalham em teus campos e vinhedos, tu serás banido e deverás deixar o reino para sempre.

No dia seguinte, outra comitiva se dirigiu ao rei reclamando da crueldade de uma condessa que vivia além das colinas e que os havia deixado na miséria. Imediatamente a condessa foi levada à presença do rei e ele a sentenciou também ao banimento, dizendo:

– Aqueles que aram nossos campos e cuidam de nossos vinhedos são mais nobres do que nós que comemos o pão que eles preparam e que bebemos o vinho que pisam. E, porque tu não sabes disso, deverás deixar esta terra e afastar-te deste reino.

Então chegaram um homem e uma mulher dizendo que o bispo os havia obrigado a levar pedras para a catedral e a cortá-las, sem que pagasse nada por aquilo, embora soubessem que os cofres do bispo estivessem cheios de ouro e de prata ao passo que eles passavam fome.

O rei chamou o bispo. Quando o bispo chegou, o rei lhe disse:

– Esta cruz que levas ao pescoço deveria significar dar vida a vida. Mas tu vens tirando vida da vida e não dás nada em troca. Por isso, deves deixar o reino e nunca mais voltar.

Assim, em cada dia de lua cheia, homens e mulheres iam até o rei para reclamar do peso que a eles era imposto. E, em cada dia de lua cheia, um opressor era exilado do reino.

O povo de Sadique ficou maravilhado e havia alegria em seu coração.

Certo dia, os anciãos e os jovens cercaram a torre do rei e o chamaram. Ele desceu levando a coroa em uma das mãos e o cetro na outra, e perguntou-lhes:

– Agora, o que fareis de mim? Vede, eu vos trago de volta aquilo que queríeis que eu segurasse.

Mas eles gritaram:

– Não, não, sois nosso rei por direito. Livrastes a terra das víboras e reduzistes os lobos a nada. Viemos para cantar para vós nossa ação de graças. A coroa é vossa em majestade e o cetro é vosso em glória.

Então o rei disse:

– Não, eu não. Vós sois reis. Quando me considerastes fraco e impotente, eram vós próprios fracos e impotentes. Agora, a terra prospera por causa da vossa vontade. Eu não passo de uma ideia na mente de todos vós, e existo apenas em vossas ações. Não existe aquela pessoa que governa. O que existe é o governado que governa a si próprio.

E o rei retornou para sua torre com a coroa e o cetro. Os anciãos e os jovens se dispersaram e estavam contentes.

Cada um deles considerou-se um rei com uma coroa em uma das mãos e um cetro na outra.

Sobre a areia

Um homem disse a outro:

– Na maré alta, muito tempo atrás, com a ponta do meu cajado, escrevi um verso na areia. As pessoas ainda param para lê-lo, e tomam cuidado para não o apagar.

Disse o outro homem:

– Eu também escrevi um verso na areia, mas a maré subiu e as ondas do vasto mar apagaram-no. Mas, dize-me, o que escreveste?

– "Eu sou aquele que sou", disse o primeiro homem. Mas, e tu, o que escreveste?

E o segundo homem respondeu:

– Foi isto que escrevi: "Eu sou apenas uma gota deste vasto oceano".

Os três presentes

Certa vez, na cidade de Becharre, vivia um príncipe piedoso que era amado e honrado por todos os seus súditos.

Mas havia um homem muito pobre que não gostava do príncipe e costumava falar mal dele, com uma língua amarga.

O príncipe sabia disso e tinha paciência.

Mas, por fim, considerou o caso. Durante uma noite fria, um serviçal do príncipe foi até a casa do homem pobre, levando um saco de farinha, uma barra de sabão e um cone de açúcar. E o serviçal disse:

– O príncipe envia estes presentes como lembrança.

O homem ficou exultante, pois pensou que os presentes eram uma homenagem do príncipe. Orgulhoso, foi até o bispo e contou a ele o que o príncipe havia feito, dizendo:

– Vês como o príncipe preza pelo meu bem-estar?

Mas o bispo respondeu:

– Que príncipe sábio ele é! E que homem de pouco entendimento tu és! O príncipe fala por meio de símbolos. Deu-te farinha porque és um morto de fome. Deu-te sabão porque cheiras mal. E deu-te o açúcar para adoçar tua língua amarga.

Daquele dia em diante, o homem tornou-se humilde, com vergonha de si próprio. Seu ódio contra o príncipe cresceu, mas ele odiava ainda mais o bispo por ter-lhe revelado as intenções do príncipe.

Mas, por fim, deu descanso à língua.

Paz e guerra

Três cachorros aqueciam-se ao sol e conversavam. O primeiro cão disse, sonhador:

– É deveras fabuloso viver nesta época em que reinam os cachorros. Vede como é fácil viajarmos sobre o mar, sobre a terra e mesmo pelos céus. Pensemos um instante nas invenções que foram feitas para o conforto dos cachorros, nossos olhos, orelhas e narizes.

O segundo cachorro tomou a palavra e disse:

– Já entendemos melhor as artes. Latimos para a lua com mais cadência do que nossos ancestrais. E, quando contemplamos nossos rostos nas águas, percebemos que são mais claros hoje do que ontem.

Então, o terceiro cachorro falou:

– Mas o que mais me interessa e me seduz a mente é o tranquilo entendimento entre os reinos dos cachorros.

Naquele instante, deram-se conta de que se aproximava a carrocinha.

Os três cachorros se levantaram e desceram correndo a rua. Enquanto corriam, o terceiro cachorro disse:

– Pelo amor de Deus, salve-se quem puder! A civilização está atrás de nós!

A *dançarina*

Era uma vez uma dançarina que chegou com seus músicos à corte do príncipe de Bircasca. Ao ser admitida ali, dançou diante do príncipe acompanhada da música do alaúde, da flauta e da cítara.

Ela executou a dança das chamas e a dança das espadas e das lanças. Dançou a dança das estrelas e a dança do espaço. Depois, a dança das flores ao vento.

Ao fim da dança, prostrou-se diante do trono do príncipe. O príncipe, então, pediu a ela que se aproximasse, e disse:

– Bela mulher, filha da graça e do prazer, de onde vem a tua dança? E como consegues comandar todos os elementos com teus ritmos e tuas rimas?

A dançarina baixou a cabeça diante do príncipe e respondeu:

– Ó príncipe poderoso e bondoso, não conheço a resposta para vossas perguntas. Tudo o que sei é isto: a alma do filósofo mora em sua cabeça; a alma do poeta, em seu coração; a alma do cantor move-se em sua garganta, mas a alma daquela que dança habita todo o seu corpo.

Os dois anjos da guarda

Certa noite, dois anjos encontraram-se à porta da cidade, cumprimentaram-se e conversaram.

Um dos anjos disse:

– O que andas fazendo e que trabalho te foi dado?

O outro anjo respondeu:

– Fui encarregado de ser o guardião de um homem caído que mora no vale, um grande pecador, o mais degradado. Eu te garanto que é uma tarefa importante, e trabalho arduamente nela.

O primeiro anjo caído disse:

– É uma missão simples. Conheci muitos pecadores, e muitas vezes fui anjo da guarda. Mas agora foi-me designado ser o anjo da guarda do bom santo que vive num abrigo lá fora. Eu asseguro-te que é um trabalho muito difícil e muito delicado.

– Isso é presunção – disse o outro anjo. – Como pode ser mais difícil olhar por um santo do que por um pecador?

O outro respondeu:

– Que impertinência chamar-me presunçoso! Eu disse apenas a verdade. Penso que o presunçoso és tu!

Depois os anjos se desentenderam e começaram a brigar; primeiro com palavras, e depois com punhos e asas.

Enquanto lutavam, um arcanjo apareceu, interrompeu a briga e disse:

– Por que lutais? Do que se trata tudo isso? Não sabeis que é algo bastante inconveniente anjos da guarda lutarem à porta da cidade? Qual é a vossa discordância?

Então os dois anjos falaram ao mesmo tempo, cada um afirmando que o trabalho que lhe fora dado era o mais difícil e que merecia o maior reconhecimento.

O arcanjo sacudiu a cabeça, pensou um pouco e disse:

– Meus amigos, não posso dizer-vos agora qual de vós merece maior honra e recompensa. Mas, uma vez que o poder me foi conferido, e em nome da paz e da concórdia, dou a cada um de vós a ocupação do outro, visto que um insiste que a tarefa do outro é a mais fácil. Agora, ide e sejais felizes no trabalho.

Os anjos atenderam à ordem e seguiram seus caminhos, mas olhavam para trás com ódio do arcanjo, dizendo em seus corações:

– Esses arcanjos! Cada dia tornam a vida mais e mais difícil para nós, anjos!

Mas o arcanjo parou e, mais uma vez, pensou um pouco, dizendo em seu coração: "Temos, de fato, de estar vigilantes e manter a guarda dos nossos anjos da guarda".

A estátua

Era uma vez um homem que vivia nas montanhas e tinha uma estátua que fora esculpida por um antigo mestre. Ela ficava encostada à porta, virada para o chão, e o homem não prestava atenção nela.

Um dia, um homem da cidade, homem da ciência, passava em frente à casa e, reparando na estátua, perguntou ao proprietário se não gostaria de vendê-la:

– Quem vai querer comprar uma estátua horrível e suja como esta? – respondeu o proprietário, rindo.

– Eu te dou esta peça de prata por ela, disse o homem da cidade.

O outro ficou surpreso e aceitou.

A estátua foi levada para a cidade nas costas de um elefante. Após várias luas, o homem das montanhas visitou a cidade e, enquanto caminhava, viu uma multidão em frente a uma loja e um homem que gritava:

– Aproximem-se e vejam a mais bela, a mais maravilhosa estátua de todo o mundo. Apenas duas peças de prata para admirar essa extraordinária obra-prima.

No mesmo instante, o homem das colinas pagou duas peças de prata e entrou na loja para ver a estátua que ele próprio tinha vendido por uma única peça de prata.

A troca

Certa vez, em uma encruzilhada, um poeta pobre encontrou-se com um rico estúpido. Eles conversaram. Tudo o que diziam revelava o descontentamento deles.

Então o Anjo do Caminho aproximou-se e colocou as mãos nos ombros de cada um. E, acreditem, ocorreu um milagre: um trocou de posição com o outro.

E se afastaram. Mas aconteceu algo estranho de relatar: o poeta olhou suas mãos e encontrou nelas apenas areia seca; o estúpido fechou os olhos e sentiu apenas nuvens no coração.

Amor e ódio

Uma mulher disse para um homem:
– Eu te amo.
E o homem disse:
– Está em meu coração ser digno de ti.
E a mulher disse:
– Tu não me amas?
O homem apenas olhou para ela e não disse nada. Então, a mulher gritou:
– Eu te odeio.
E o homem disse:
– Está também em meu coração ser digno do teu ódio.

Sonhos

Um homem teve um sonho e, quando acordou, foi até um adivinho e pediu-lhe que lhe decifrasse o sonho.

E o adivinho disse ao homem:

– Traz-me os sonhos que tiveres quando desperto e eu te direi o significado deles. Mas os sonhos que tens ao dormir não pertencem nem à minha sabedoria nem à tua imaginação.

O louco

Foi no jardim de um hospício onde conheci um jovem com um rosto pálido, amável e enigmático. Sentei-me ao lado dele num banco e disse:

– Por que estás aqui?

Ele olhou para mim espantado e disse:

– É uma pergunta inadequada, mas vou responder. Meu pai quis fazer de mim uma imagem dele, bem como meu tio. Minha mãe imaginava que a imagem de seu marido marinheiro seria algo perfeito para mim. Meu irmão, por outro lado, gostaria que eu fosse como ele, um excelente atleta. Meus mestres, também: o doutor de Filosofia, o mestre de capela, o lógico, todos eles estavam determinados a fazer de mim um reflexo deles próprios no espelho. Foi por isso que vim para este lugar. É mais sadio aqui. Pelo menos posso ser eu mesmo.

De repente, olhou para mim e disse:

– Mas e tu? Vieste a este lugar movido por educação ou por um bom conselho?

– Não, sou apenas um visitante – respondi.

– Entendo. És um daqueles que vivem no hospício que fica do outro lado da parede – replicou.

As rãs

Durante um verão, uma rã disse ao companheiro:

– Receio que aquelas pessoas que moram ali naquela casa da praia se incomodem com as nossas canções noturnas.

E o companheiro disse:

– Mas elas por acaso não nos incomodam durante o dia com suas conversas?

– Sim, mas não podemos nos esquecer de que cantamos muito durante a noite – disse a rã.

E o companheiro respondeu:

– E não nos esqueçamos de que elas falam muito e gritam durante todo o dia.

– E quanto ao sapo-boi que berra e grita demais durante o dia? – disse a rã.

E continuou:

– E quanto ao sapo-boi que perturba toda a vizinhança com aquele barulho dos infernos?

E o companheiro replicou:

– E o que dizer do político, do sacerdote e do cientista que vêm até este brejo e enchem o ar com sons barulhentos e sem ritmo?

– Sejamos melhores que os seres humanos. É melhor que fiquemos calados durante a noite e cantemos em nossos corações, mesmo que a lua solicite nosso ritmo e as estrelas nossas rimas. Fiquemos quietos pelo menos por uma ou duas noites, ou mesmo três noites.

E o companheiro:

– Muito bem, eu concordo. Veremos o que os nossos corações bondosos conseguem com isso.

Naquela noite as rãs ficaram em silêncio; permaneceram em silêncio na noite seguinte e, ainda, uma noite mais.

Algo estranho aconteceu. A mulher tagarela, que vivia ao lado do brejo, desceu para tomar o desjejum depois daqueles três dias, e gritou para o marido:

– Faz três noites que não durmo. Eu logo pegava no sono com o coaxar das rãs nos ouvidos. Alguma coisa aconteceu. Faz três noites que não cantam. Estou quase louca de insônia.

A rã ouviu a conversa, virou para o companheiro e disse, piscando um olho:

– E nós aqui quase enlouquecemos de silêncio, não é?

– Sim, o silêncio da noite foi pesado para nós. Agora entendo que não é preciso que deixemos de cantar para o conforto daqueles que precisam preencher o próprio vazio com barulho.

E naquela noite a lua solicitou o ritmo; as estrelas, as rimas, e foram atendidas.

Leis e juristas

Tempos atrás, havia um grande rei, e ele era sábio. Ele decidiu impor leis a seus súditos. Convocou, então, mil sábios de mil diferentes tribos para a capital, a fim de que escrevessem as leis.

E tudo se passou assim.

Mas quando as mil leis escritas em pergaminhos foram postas diante do rei e ele as leu, ficou amargurado e chorou, pois não sabia que havia mil formas diferentes de crimes em seu reino.

Chamou seu escriba e, com um sorriso nos lábios, ele próprio ditou as leis. E as leis foram sete apenas.

Os mil sábios partiram angustiados e voltaram para suas tribos com as leis que haviam escrito. Cada uma das tribos seguiu a lei do seu próprio sábio.

Tiveram eles, portanto, mil leis que vigem até os dias de hoje.

Este é um grande país, mas tem mil prisões; e essas prisões estão cheias de homens e mulheres, infratores das mil leis.

É de fato um grande país, mas o povo dele descende de mil juristas e de apenas um rei sábio.

Ontem, hoje e amanhã

Eu disse a meu amigo:
— Vês que ela anda de braços dados com aquele homem? Ainda ontem andava de braços dados comigo.
E meu amigo disse:
— E amanhã andará de braços dados comigo.
— Vês como ela se senta ao lado dele? Ainda ontem sentava-se ao meu lado – disse eu.
— Amanhã estará sentada ao meu lado – disse ele.
— Vês como ela bebe o vinho da taça dele? Ontem bebia da minha.
— Amanhã, da minha taça.
Então eu disse:
— Vês como ela olha para ele com amor e com olhos dóceis? Ontem olhava assim para mim.
E meu amigo disse:
— Serão para os meus olhos que ela olhará amanhã.
— Ouves como ela agora murmura cantos de amor aos ouvidos dele? Essas mesmas canções de amor eram, até ontem, murmuradas em meus ouvidos – disse eu.
E meu amigo disse:
— E amanhã murmurará aos meus.
Eu disse:
— Por que ela o abraça? Ainda ontem era a mim que ela abraçava.
E meu amigo disse:

– Ela me abraçará amanhã.
– Que mulher estranha – disse eu.
Mas ele respondeu:
– Ela é como a vida: tem todos os homens. É como a morte: conquista todos os homens. É como a eternidade: abraça todos os homens.

O filósofo e o sapateiro

Um filósofo dirigiu-se, com os sapatos gastos, a um sapateiro remendão. E o filósofo disse a ele:

– Eu gostaria que o senhor consertasse estes sapatos.

O sapateiro disse:

– Estou consertando os sapatos de outro homem agora e tenho que consertar outros ainda antes de chegar aos do senhor. Mas deixe aqui os seus sapatos e calce estes hoje. Volte amanhã para pegar os seus.

O filósofo, indignado, disse:

– Eu não calço sapatos que não são meus.

E o sapateiro retrucou:

– Entendo. O senhor é mesmo um filósofo e não pode envolver os pés nos sapatos de outro homem? Subindo esta mesma rua, há outro sapateiro que entende filósofos melhor do que eu. Peça a ele que conserte os sapatos do senhor.

Construtores de pontes

Na Antioquia, onde o rio Assi encontra o mar, foi construída uma ponte para aproximar as duas metades da cidade. Foi construída com pedras largas, trazidas das montanhas no lombo das mulas de Antioquia.

Quando a ponte foi terminada, em um pilar gravou-se a seguinte frase em aramaico: "Esta ponte foi construída pelo Rei Antíoco II".

E toda a gente passava pela boa ponte sobre o belo rio Assi.

Certa tarde, um jovem, a quem consideravam um pouco louco, desceu até o pilar onde se gravaram aquelas palavras, cobriu-as com carvão e, sobre elas, escreveu: "As pedras desta ponte foram trazidas das montanhas por mulas. Ao passar por esta ponte, andais no lombo das mulas de Antioquia".

Quando as pessoas liam o que o jovem havia escrito, algumas se riam e outras se admiravam. Diziam:

– Sim, sabemos quem fez isso. Não é um sujeito um tanto maluco?

Mas uma mula dizia, rindo-se, para outra mula:

– Não te lembras de que fomos nós que carregamos estas pedras? E hoje ainda dizem que esta ponte foi construída pelo rei Antíoco.

Os campos de Zaade

Na estrada de Zaade, um viandante encontrou um homem que morava numa aldeia próxima dali. O viandante apontou com a mão para um campo largo, perguntando ao homem:

– Aqui não era o campo de batalha em que o rei Aclã derrotou seus inimigos?

O homem respondeu-lhe com estas palavras:

– Isso aqui nunca foi um campo de batalha. Neste campo existiu um dia a grande cidade de Zaade, e ela foi reduzida a cinzas. Agora é um bom campo, não é?

E os dois se despediram.

Andando mais um pouco, o viandante encontrou outro homem e, apontando mais uma vez para o campo, disse:

– Então era aqui que ficava a grande cidade de Zaade?

E o homem disse:

– Nunca houve uma cidade neste lugar. Mas certa vez havia aqui um mosteiro que foi destruído pelo povo do Sul.

Pouco depois, na estrada de Zaade, o viandante encontrou um terceiro homem e, apontando de novo para o vasto campo, disse:

– Não é verdade que este é o lugar onde antes havia um grande mosteiro?

Mas o homem respondeu:

– Nunca houve mosteiro algum nessas vizinhanças, mas nossos pais e avós nos diziam que um dia um enorme meteorito caiu neste campo.

Então o viandante seguiu seu caminho, pensativo. Logo encontrou um ancião e, cumprimentando-o, disse:

– Senhor, nesta mesma estrada encontrei três homens que vivem nos arredores e perguntei a cada um deles sobre este campo; cada um negou o que o anterior havia dito e contou-me algo novo.

Então o ancião ergueu a cabeça e respondeu:

– Meu amigo, cada um desses homens lhe disse o que de fato houve. Mas poucos de nós são capazes de acrescentar fato a fatos diferentes e extrair a verdade disso.

O cinto de ouro

Uma vez, dois homens que se encontraram na estrada caminhavam juntos em direção a Salamina, a Cidade das Colunas. No meio da tarde, chegaram a um largo rio, mas não havia ponte para atravessá-lo. Tinham de nadar, ou procurar outra estrada que não conheciam.

E disseram um ao outro:

– Vamos nadar. Afinal de contas, o rio não é muito largo.

E atiraram-se à água e se puseram a nadar.

O homem que conhecia bem os rios e as correntezas começou a perder-se no meio do rio e a deixar-se levar pelas águas. Enquanto isso, o outro, que nunca havia nadado antes, atravessou o rio em linha reta e chegou à margem oposta. Ao ver o companheiro lutando contra as águas, atirou-se novamente ao rio e levou-o também em segurança para a margem.

O homem que tinha sido arrastado pela corrente disse:

– Mas tu me disseste que não sabias nadar. Como conseguiste atravessar o rio com tanta segurança?

E o segundo homem respondeu:

– Meu amigo, vês este cinto que trago em torno do quadril? Está cheio de moedas de ouro, moedas que ganhei para levar para minha mulher e meus filhos. Um ano inteiro de trabalho. O peso deste cinto de ouro foi o que me carregou através do rio, até minha mulher e meus filhos. Minha mulher e meus filhos estavam sobre os meus ombros enquanto eu nadava.

E os dois homens seguiram juntos para Salamina.

A terra vermelha

Uma árvore disse a um homem:
– Minhas raízes estão fundas na terra vermelha e eu te darei meu fruto.
E o homem disse para a árvore:
– Como somos parecidos! Minhas raízes também são fundas na terra. A terra vermelha dá a ti poder para conceder-me o teu fruto, e a terra vermelha me ensina a aceitá-lo como uma ação de graças.

A lua cheia

A lua cheia pairava gloriosa sobre a cidade, e os cachorros daquela cidade começaram a latir para a lua.

Um dos cachorros não latiu, e disse aos outros com voz grave:

– Não vamos acordá-la do seu repouso. Não façam com que a lua desça sobre a terra com os vossos latidos.

E todos os cachorros pararam de latir e ficaram totalmente em silêncio. Mas o cachorro que os havia calado continuou a latir em silêncio pelo resto da noite.

O profeta eremita

Uma vez, viveu um profeta eremita. A cada três luas ele descia até a cidade e, na praça pública, pregava ao povo sobre dar e repartir. Ele era eloquente e sua fama se estendia por toda a terra.

Certa tarde, três homens dirigiram-se ao reduto dele e o saudaram. Disseram:

– O senhor vem pregando o dar e o repartir e ensinando os que têm muito a dar àqueles que têm pouco, e não duvidamos de que a sua fama lhe trouxe riquezas. Então, dê-nos um pouco de sua riqueza, pois somos necessitados.

E o eremita respondeu:

– Amigos, nada tenho além deste catre, desta esteira e deste jarro de água. Levem-no se forem do seu desejo. Não possuo ouro nem prata.

Então olharam com desdém para o eremita e deram-lhe as costas. Um último homem, porém, deteve-se à porta por um momento e disse:

– O senhor é um farsante. Ensina aos outros aquilo que o senhor mesmo não pratica.

O velho, velho vinho

Certa vez viveu um homem rico que se orgulhava com justiça da sua cava e do vinho que guardava nela. Nela ele escondia um jarro de vinho de uma safra antiga para determinadas ocasiões.

Quando recebeu a visita do governador do Estado, pensou: "Aquele jarro não deve ser aberto para um simples governador".

Quando recebeu a visita do bispo da diocese, pensou: "Não vou abrir aquele jarro. O bispo não reconhecerá o valor, e o aroma do vinho não lhe chegará às narinas".

Quando o príncipe do reino foi cear com ele, o homem pensou: "É um vinho muito majestoso para um mero príncipe".

Mesmo no dia em que seu sobrinho se casou, ele disse para consigo: "Não. Esse jarro não deve ser trazido para esses convidados".

Os anos se passaram. O velho morreu e foi enterrado como qualquer semente ou bolota.

Um dia depois do funeral, o vinho velho foi retirado da cava, com outros vinhos, e distribuído entre os camponeses. Nenhum deles sabia da safra. Para eles, tudo o que cai em uma taça é apenas vinho.

Os dois poemas

Muitos séculos atrás, numa estrada para Atenas, dois poetas se encontraram e ficaram felizes em se ver. Um deles perguntou ao outro:
– O que tens composto ultimamente e como vai a tua lira?
O outro poeta respondeu com orgulho:
– Acabei de terminar meu poema mais grandioso, talvez o maior já escrito em grego. É uma invocação a Zeus Supremo.
Em seguida, retirou de seu manto um pergaminho, dizendo:
– Aqui, vede, tenho-o comigo e terei o prazer de lê-lo para ti. Vem, sentemo-nos à sombra daquele cipreste branco.
E o poeta leu seu poema.
E era um longo poema.
O outro poeta disse, educado:
– É um grande poema. Viverá ao longo das eras e tu serás glorificado.
E o primeiro poeta disse, com calma:
– E tu, o que tens escrito ultimamente?
– Tenho escrito apenas um pouco. Oito linhas sobre uma criança brincando no jardim.
E recitou as linhas.
– Não é ruim, não é ruim – disse o primeiro poeta.
E se despediram.

Hoje, depois de dois mil anos, as oito linhas daquele poeta são lidas em todas as línguas, sendo admiradas e apreciadas.

Ainda que o outro poema tenha de fato atravessado as eras em bibliotecas e nos porões da academia, e seja de fato lembrado, não é nem lido, nem apreciado.

A senhora Rute

Três homens viram de longe, certa vez, uma casa branca que ficava isolada numa colina verde. Um deles disse:

– Aquela é a casa da senhora Rute, uma bruxa velha.

O segundo homem disse:

– Estás enganado. A senhora Rute é uma bela mulher que vive ali dedicada aos próprios sonhos.

O terceiro homem disse:

– Estais ambos errados. A senhora Rute é a detentora desta vasta terra, e ela tira sangue dos seus servos.

E continuaram a discutir sobre a senhora Rute. Depois, ao chegarem a uma encruzilhada, encontraram um velho, e um dos homens perguntou a este:

– O senhor poderia, por favor, falar-nos da Senhora Rute, que vive naquela casa branca sobre a colina?

O velho ergueu a cabeça, sorriu e disse:

– Tenho noventa anos e lembro-me da senhora Rute do tempo em que eu era ainda menino. Mas a senhora Rute morreu há oitenta anos e agora a casa está vazia. As corujas piam ali, por vezes, e as pessoas dizem que o lugar é assombrado.

O rato e o gato

Uma noite, um poeta conheceu um camponês. O poeta era esquivo e o camponês era tímido, mas conversaram.

– Deixa-me contar-te uma pequena história que ouvi ultimamente – disse o camponês. – Um rato foi apanhado numa armadilha. Enquanto ele comia alegremente o queijo que lá estava, um gato parou ao lado dele. O rato tremeu por um momento, mas sabia que estava a salvo dentro da armadilha. "Estás a comer a tua última refeição, meu amigo?", disse o gato. "Sim", respondeu o rato, e continuou: "Tenho uma só vida e, portanto, uma só morte. Mas e tu? Disseram-me que tens nove vidas. Isso não significa que tens nove mortes?".

Então, o camponês olhou para o poeta e disse:

– Não é uma história estranha?

O poeta não respondeu, mas foi-se embora dizendo dentro de si mesmo: "Certamente temos nove vidas, nove vidas certamente. E morreremos nove vezes, e nove vezes morreremos. Talvez fosse melhor ter apenas uma só vida, presa numa armadilha: a vida de um camponês com um pedaço de queijo como última refeição. Pois não somos da extirpe dos leões do deserto e da selva?

A maldição

Um velho homem do mar me disse certa vez:

– Faz trinta anos que um marinheiro fugiu com minha filha. Amaldiçoei os dois, pois a coisa que mais amo no mundo é a minha filha. Não muito tempo depois, o jovem marinheiro foi levado para o fundo do mar com seu navio; ao seu lado estava a minha filha, que se perdeu do meu caminho. Agora, pesam sobre mim as mortes de um jovem e de uma moça. Foi minha maldição que os destruiu. Ao ir para o túmulo, peço a Deus que me perdoe.

Foi isso que me disse aquele velho senhor. Mas havia certa petulância nas palavras, e me parece que ainda se orgulhava do poder de sua maldição.

As romãs

Era uma vez um homem que tinha muitas romãzeiras em seu pomar. Quando chegava o outono, ele punha romãs em bandejas de prata do lado de fora de sua casa e colocava um aviso nelas, escrito por ele: "Peguem uma de graça. Sirvam-se".

Mas as pessoas passavam por ali e ninguém pegava o fruto.

O homem ponderou sobre aquilo e, num outono, não colocou as romãs em bandejas de prata do lado de fora de sua casa, mas escreveu, em letras grandes: "Aqui temos as melhores romãs da terra, e as vendemos por mais prata do que quaisquer outras romãs".

Todas as pessoas da vizinhança foram correndo comprar as romãs.

Deus e muitos deuses

Na cidade de Qilafis, um sofista parou nos degraus do Templo e predicou sobre vários deuses. E o povo disse em seus corações:

– Já sabemos disso. Por acaso não vivem conosco e nos seguem aonde quer que vamos?

Pouco tempo depois, outro homem esteve no mercado e falou ao povo:

– Não existe deus algum.

E muitos dos que o ouviram ficaram contentes com a nova, pois temiam os deuses.

Outro dia, chegou um homem de grande eloquência e disse:

– Há apenas um único deus.

E o povo ficou consternado, pois temia o juízo de um só Deus mais do que o de muitos deuses.

Naquela mesma estação, veio ainda outro homem, e disse ao povo:

– Existem três deuses, e eles habitam sobre o vento como um só, e têm uma mãe vasta e graciosa que é também sua companheira e sua irmã.

Então todos ficaram consolados, pois diziam em segredo: "Três deuses num só podem desaprovar as nossas falhas, mas sua agraciada mãe certamente intercederá por nós, pobres e fracos".

No entanto, ainda hoje existem na cidade de Qilafis aqueles que brigam e discutem sobre muitos deuses e nenhum deus, sobre um deus e três deuses em um, e certa mãe agraciada dos deuses.

A esposa surda

Certa vez, viveu um homem rico que tinha uma jovem esposa, surda como pedra.

Numa manhã em que tomavam o desjejum, ela lhe disse:

– Ontem fui ao mercado e lá estavam expostos vestidos de seda de Damasco, lenços da Índia, colares da Pérsia e pulseiras de Iamã. Parece que as caravanas tinham acabado de trazer essas coisas para a nossa cidade. Agora, olha para mim, em trapos, mesmo sendo esposa de um homem rico. Eu quero algumas dessas coisas bonitas.

O marido, ainda ocupado com seu desjejum, disse à mulher:

– Minha querida, não há razão para não ires à rua e comprares tudo o que o teu coração desejar.

Mas a esposa, que era surda, disse:

– Não? Tu sempre dizes: "Não, não". E eu tenho que aparecer em farrapos aos nossos amigos para envergonhar a tua riqueza e o meu povo?

– Eu não disse "não". Podes ir ao mercado quando quiseres e comprar as mais belas roupas e as mais belas joias que chegaram à nossa cidade.

Mas, outra vez, a esposa entendeu mal as palavras do marido, e respondeu:

– De todos os homens ricos, és o mais avarento. Tu me negas tudo o que é belo e fino, enquanto outras mulheres da minha idade passeiam pelos jardins vestidas com as roupas mais delicadas – disse ela, e começou a chorar.

Enquanto as lágrimas lhe caíam sobre o peito, ela continuava a gritar:

– Tu sempre me dizes "Não, não" quando eu desejo um vestido ou uma joia.

O marido ficou comovido, levantou-se, tirou da bolsa um punhado de ouro e colocou-o diante dela, dizendo com uma voz gentil:

– Desce ao mercado, minha querida, e compra tudo o que quiseres.

A partir desse dia, sempre que a jovem esposa surda desejava algo, aparecia diante do marido com uma lágrima perolada no olho, e ele, em silêncio, tirava um punhado de ouro da bolsa e dava a ela.

Aconteceu, porém, que a jovem mulher se apaixonou por um jovem que costumava fazer longas viagens. E, quando ele partia, ela sentava-se e se punha a chorar.

Quando o marido a encontrava chorando, dizia em seu coração:

– Deve haver uma caravana nova e algumas peças de roupa de seda e joias raras na rua.

Ele tirava um punhado de ouro da bolsa e dava a ela.

A procura

Mil anos atrás, dois filósofos se encontraram na costa do Líbano. Um deles disse ao outro:
– Aonde vais?
– Estou procurando a fonte da juventude que está nessas colinas – respondeu. – Encontrei escritos que falam da fonte que floresce na direção do sol. E tu, o que procuras?
– Procuro o mistério da morte – respondeu o primeiro.
Então cada um deles pensou que o outro estivesse sem muita coisa na cabeça. Começaram, por fim, a acusar-se de cegueira espiritual.
Enquanto os filósofos discutiam ao vento, um estrangeiro, que era considerado estúpido em sua própria cidade, passava por ali e viu os dois homens debatendo ardentemente. Ele parou para escutar o argumento de cada um.
Então, aproximou-se e disse-lhes:
– Meus bons amigos, percebo que os dois pertencem à mesma escola filosófica e falam da mesma coisa, mas usam palavras diferentes. Um de vós busca a fonte da juventude; o outro, o mistério da morte. São apenas uma só coisa e, como uma, vivem ambas dentro de vós.
E se afastou, dizendo:
– Até mais.

Ao afastar-se, ria-se copiosamente.

Os dois filósofos se olharam em silêncio por um momento e logo também começaram a rir. Um deles disse:

– Muito bem, por que não caminhamos e procuramos juntos?

O cetro

Disse um rei à esposa:
– Madame, tu não és uma verdadeira rainha. És vulgar e pouco graciosa para ser minha rainha.
– Senhor, tu te consideras um rei, mas és de fato um pobre presunçoso.
Essas palavras acabaram por irritar o rei. Ele pegou seu cetro dourado e, com ele, golpeou a rainha na testa.
Naquele momento, o camareiro, que entrava na câmara, disse:
– Muito bem, muito bem, Majestade. Esse cetro foi confeccionado pelo maior artista da terra. Um dia, vós e a rainha serão esquecidos, mas esse cetro será lembrado de geração em geração como um objeto de beleza. Agora que tiraste sangue da testa da rainha, senhor, o cetro será ainda mais apreciado e lembrado.

O caminho

Viviam entre as colinas uma mulher e o filho; ele era seu primogênito e único filho.

Um dia, o menino morreu de uma febre na presença do médico.

A mulher estava arrasada pelo sofrimento e gritou para o médico, suplicando:

– Por que, por quê? O que calou sua respiração e silenciou sua canção?

– Foi a febre – disse o médico.

E a mãe respondeu:

– O que é a febre?

E o médico replicou:

– Eu não posso explicar isso. É algo infinitamente pequeno que visita o corpo, e os olhos humanos não conseguem ver.

O médico foi embora e ela continuou a repetir para si mesma: "Algo infinitamente pequeno. Os olhos humanos não conseguem ver".

Ao anoitecer, um padre foi consolá-la. E ela chorou e gritou, dizendo:

– Oh! Por que perdi meu filho, meu único filho, meu primeiro filho?

E o padre respondeu:

– Filha, é a vontade de Deus.

E a mulher disse:

– O que é Deus e onde Deus está? Se eu visse Deus, abriria meu peito diante dele e derramaria o sangue de meu coração a seus pés. Dize-me, padre, onde posso encontrá-lo?

E o padre respondeu:

– Deus é infinitamente grande. Ele não pode ser visto por olhos humanos.

Então a mulher gritou:

– Aquilo que é infinitamente pequeno matou meu filho por meio da vontade daquele que é infinitamente grande. Então, o que somos nós? O que somos nós?

Naquele momento, a mãe da mulher entrou na sala com a mortalha para o corpo do menino e pôde ouvir as palavras do padre e os lamentos da filha. Então, ela abaixou a mortalha, pegou nas mãos da filha e disse:

– Minha filha, nós todos somos o infinitamente pequeno e o infinitamente grande. Somos o caminho entre os dois.

A baleia e a borboleta

Certa vez, ao entardecer, um homem e uma mulher se encontraram em uma diligência. Eles já se conheciam.

O homem era um poeta; enquanto esteve sentado ao lado da mulher, procurou distraí-la com histórias, algumas de seu próprio punho; outras, não.

Enquanto falava, a moça pegou no sono. De repente, a carruagem balançou e a moça acordou. Ela disse:

– Admirei tua interpretação da história de Jonas e a baleia.

E o poeta respondeu:

– Mas, Madame, eu lhe contava uma de minhas histórias sobre uma borboleta e uma rosa branca, e como elas se comportavam uma com a outra.

A sombra

Num dia de junho, a grama disse para a sombra de um olmeiro:
– Tu te moves de um lado para outro e perturbas a minha paz.
A sombra respondeu, dizendo:
– Não, eu não. Olha para o céu. Há ali uma árvore que se move no vento de leste para oeste, entre o Sol e a Terra.
A grama olhou para cima e, pela primeira vez, contemplou a árvore. Ela disse em seu coração: "Por que existe uma grama mais alta do que eu?".
E se calou.

A paz contagiosa

Um ramo de flor disse ao ramo vizinho:
– Que dia chato e vazio!
– Sim, é um dia chato e vazio – concordou o outro ramo.
Naquele momento, um pardal desceu sobre um dos ramos e, depois, outro pousou próximo. Um dos pardais gorjeou, dizendo:
– Minha companheira me deixou.
E o outro pardal gritou:
– Minha companheira também me deixou e não vai mais voltar. O que me importa?
Os dois pássaros começaram a piar e a ralhar, e logo estavam brigando e fazendo muito barulho.
De repente, dois outros pardais chegaram descendo do céu e se sentaram tranquilamente ao lado dos dois que brigavam. E houve calma, e houve paz. Os quatro saíram voando juntos aos pares.
O primeiro ramo disse ao ramo vizinho:
– Que barulheira!
E o outro ramo respondeu:
– Chama isso como quiseres; agora existe paz e existe espaço. Se o ar de cima é capaz de pacificar, creio que os de baixo também podem fazê-lo. Não podes balançar-te com o vento um pouco mais perto de mim?
E o primeiro ramo disse:
– Oh! Talvez, em nome da paz. Antes que a primavera acabe.
E ele deixou-se embalar pelo vento forte e abraçou o outro ramo.

Setenta

O jovem poeta disse à princesa:

– Eu te amo.

E a princesa respondeu:

– Eu também te amo, meu filho.

– Mas eu não sou teu filho. Eu sou um homem, e eu te amo.

E ela disse:

– Sou a mãe de filhos e filhas, e eles são pais e mães de filhos e filhas; e um dos filhos de meus filhos é mais velho do que tu.

E o jovem poeta disse:

– Mas eu te amo.

Não muito tempo depois, a princesa morreu. Mas, antes que seu último suspiro fosse recebido novamente pelo grande alento da terra, ela disse dentro de sua alma: "Meu amado, meu único filho, meu jovem poeta, pode ser que algum dia nos encontremos de novo e que eu não tenha setenta anos".

Ao encontro de Deus

Dois homens passeavam pelo vale. Um deles apontou o dedo em direção à montanha e disse:

– Vês aquele eremitério? Ali vive um homem que há muito divorciou-se do mundo. Ele anda apenas à procura de Deus e de nada mais sobre esta terra.

E o outro homem disse:

– Ele não encontrará Deus a menos que deixe aquele eremitério e a solidão de seu abrigo e volte para o mundo para compartilhar de nossa alegria e de nossa dor, para dançar com nossas dançarinas nas festas de casamento e para chorar com aqueles que choram ao lado do túmulo dos mortos.

Isso convenceu o outro homem, mas, apesar da convicção, ele perguntou:

– Concordo com tudo o que disseste; no entanto, acredito que aquele ermitão seja um bom homem. Não seria possível que um bom homem, pela sua ausência, não lograsse maior bem que a aparente bondade de tantos outros?

O rio

No vale de Qadixa, por onde corre o majestoso rio, dois pequenos arroios se encontraram e conversaram. Um deles disse ao outro:

– Como chegaste aqui, amigo, e como foi o teu caminho?

E o outro respondeu:

– O caminho foi duro. A roda do moinho estava quebrada, e o granjeiro que me conduzia do meu canal até suas plantações morreu. Tive que lutar infiltrando-me na imundície daqueles que nada fazem além de curtir sua preguiça ao sol. E como foi o teu caminho, caro irmão?

– Meu caminho foi diferente – respondeu o outro arroio. – Desci as colinas entre as flores perfumadas e os tímidos salgueiros. Homens e mulheres beberam das minhas águas em taças de prata, e as criancinhas, sentadas nas minhas margens, balançavam seus pés rosados na água; e havia risos por toda parte e doces canções. Que pena que teu caminho não tenha sido tão feliz.

Naquele momento, o rio falou com uma voz estrondosa:

– Venham, venham já! Estamos indo para o mar! Venham, venham e parem de falar! Estejam comigo agora! Vamos para o mar! Venham, venham, pois em mim se esquecerão de suas andanças, alegres ou tristes. Venham, venham! E vocês e eu nos esqueceremos de todos os nossos caminhos quando alcançarmos o coração de nossa mãe, o mar.

Os dois caçadores

Certo dia do mês de maio, a Alegria e a Tristeza se encontraram à beira de um lago. Cumprimentaram-se e sentaram-se perto das águas plácidas. Conversaram.

A Alegria falava da beleza que cobre a terra, da maravilha diária da vida na floresta e nos montes, e das canções que se ouvem ao amanhecer e ao entardecer.

Em seguida, falou a Tristeza, concordando com tudo que a Alegria havia dito. A Tristeza conhecia a magia das horas e a beleza disso; e era eloquente ao falar da primavera nos campos e nos montes.

A Alegria e a Tristeza conversaram longamente e concordaram sobre todas as coisas que conheciam.

Enquanto isso, dois caçadores passavam pelo outro lado do lago. Ao olharem para a margem oposta, um deles disse:

– Fico imaginando quem sejam essas duas pessoas.

E o outro disse:

– Disseste duas? Vejo apenas uma.

– Mas são duas – replicou o primeiro caçador.

E o segundo disse:

– Consigo ver apenas uma, e o reflexo na água é apenas um.

– Não, não, são duas – disse o primeiro caçador –, e o reflexo na água parada é de duas pessoas.

Mas o segundo homem tornou a dizer:

– Só vejo uma.

E o outro, mais uma vez:

– Mas vejo duas tão claramente!

Até os dias de hoje, um dos caçadores afirma que o outro vê dobrado, enquanto o outro diz que seu amigo é um tanto cego.

O outro errante

Uma vez, encontrei um homem no caminho. Ele era um pouco louco, e me falou assim:

– Sou um errante. Muitas vezes parece-me que caminho pela terra entre pigmeus. E, pelo fato de minha cabeça estar setenta cúbitos mais longe da terra do que a deles, tenho pensamentos mais elevados e livres. Mas, em verdade, caminho entre os homens e acima deles, e tudo o que conseguem ver são minhas pegadas em seus campos. Muitas vezes escuto-os discutir e discordar sobre a forma de minhas pegadas. Há alguns que dizem: "São passos de um mamute que vagou pela terra num passado distante". E outros dizem: "Não, são traços de meteoritos que caíram de estrelas distantes". Mas, meu amigo, tu sabes muito bem que são apenas as pegadas de um errante.

Espíritos rebeldes

Warda al-Hani

I

Miserável do homem que ama uma mulher e a toma por esposa, entregando-lhe o suor da pele, o sangue do corpo e a vida do coração; e colocando nas mãos dela o fruto da labuta e o rendimento da diligência. Mas, depois de um lento despertar, descobre que o coração que ele se esforçou para comprar, foi dado livremente e com sinceridade a outro homem para o prazer dos segredos íntimos e do amor mais profundo desse coração.

Miserável da mulher que desperta da distração e da inquietação da juventude, e se encontra na casa de um homem que a cobre de ouro e dádivas preciosas, e concede a ela toda distinção e elegância do luxo, mas é incapaz de satisfazer-lhe a alma com o vinho celestial que Deus derrama dos olhos de um homem no coração de uma mulher.

Conheci Raxid Baca Namã quando eu era novo; ele era libanês, nascido e criado na cidade de Beirute. Ele vinha de uma família antiga e rica que preservara a tradição e a glória de seus ancestrais, e gostava em especial de mencionar casos que tratavam da nobreza de seus antepassados. Na vida diária, seguia as crenças e os costumes da família – costumes que, naquela época, predominavam no Oriente Médio.

Raxid Baca Namã era generoso e tinha um bom coração; mas, como muitos dos sírios, enxergava apenas a superfície das coisas em vez da realidade. Ele não dava ouvidos aos ditames do coração, mas se apressava em obedecer às vozes do ambiente. Distraía-se com o brilho de objetos que lhe cegavam os olhos e o coração para os segredos da vida; sua alma desviava-se do caminho do entendimento para o do prazer imediato. Raxid era um daqueles homens que se apressam em confessar seu amor ou repugnância pelo povo, para depois se arrepender desses arroubos quando já é tarde, pagando o preço da vergonha e do ridículo, em lugar do perdão ou do castigo.

Essas eram as peculiaridades que levaram Raxid Baca Namã a se casar com Warda al-Hani, muito antes que a alma dela abraçasse a dele na sombra daquele verdadeiro amor que faz da união um paraíso.

Depois de alguns anos ausente, retornei a Beirute. Quando fui visitar Raxid Baca Namã, encontrei-o pálido e magro. Seu rosto revelava o espectro de uma amarga decepção; seus olhos tristes evidenciavam um coração destroçado e uma alma abatida. Fiquei curioso para descobrir a causa daquela miséria. Não demorei, então, a pedir explicações e disse:

– O que houve contigo, Raxid? Onde está aquele sorriso radiante e o rosto feliz que te acompanhava desde pequeno? Morreu alguém querido? Ou as noites escuras roubaram de ti o ouro que acumulaste nos dias claros? Em nome da nossa amizade, o que te entristece o coração e te enfraquece o corpo?

Ele olhava para mim com pesar, como se eu tivesse reavivado lembranças isoladas de dias felizes. Com voz angustiada e titubeante, respondeu:

– Quando alguém perde um amigo, consola-se com outros amigos que tem. Se perde o ouro, medita durante algum tempo e livra a mente da desgraça, sobretudo quando se é saudável e ainda cheio de ambição. Mas quando um homem perde a tranquilidade do coração, onde achará consolo, e o que a poderá substituir? Que força de espírito poderá lidar com isso? Quando a morte se aproxima, nós sofremos. Mas com o passar do dia e da noite, sentimos o toque suave dos dedos macios da Vida e voltamos a sorrir e a nos alegrar. O destino chega de repente, trazendo preocupação; ele nos olha com olhos terríveis e nos agarra pela garganta; joga-nos ao chão e nos pisoteia com pés de chumbo; então, ri-se de nós e se afasta. Mais tarde, porém, arrepende-se e nos pede que o perdoe. Ele nos estende a mão de seda, eleva-nos e canta para nós a Canção da Esperança, o que nos distrai e faz com que deixemos de ter cuidados. Ele faz reviver em nós o gosto pela confiança e pela ambição. Se nosso quinhão na vida é um lindo pássaro do qual gostamos muito, logo o alimentamos com as sementes de nossa alma, e fazemos do coração uma gaiola para ele, e da alma, um ninho. Mas enquanto o admiramos com afeto e o olhamos com os olhos do amor, ele escapa de nossas mãos e voa longe, até encontrar outra gaiola e nunca mais retornar. O que podemos fazer? Onde encontrar paciência e consolo? Como reavivar as esperanças e os sonhos? Como acalmar o coração agitado?

Tendo dito essas palavras com voz embargada e sofrimento, Raxid Baca Namã tremia como vara verde entre o vento norte e sul. Estendeu suas mãos como se agarrasse algo com os dedos dobrados e o destroçasse. Seu rosto enrugado ficou lívido, seus olhos cresciam enquanto olhava fixamente, e parecia que um demônio vinha da inexistência para levá-lo embora. Então, fixou os olhos nos meus e sua aparência subitamente mudou; a raiva converteu-se em sofrimento e angústia, e ele clamou dizendo:

– É a mulher que eu resgatei das garras da pobreza. Abri meus cofres para ela, e fiz com que fosse invejada por todas as outras mulheres. Dei-lhe lindos vestidos, joias preciosas e magníficas carruagens puxadas por cavalos vigorosos; a mulher a quem meu coração amou e a cujos pés depus minha afeição; a mulher de quem eu era amigo de verdade, companheiro sincero e marido fiel; a mulher que me traiu e me deixou por outro homem para dividir com ele a miséria e comer o pão do mal, amassado com vergonha e misturado com desgraça. A mulher que eu amava, o belo pássaro que alimentei, que abriguei na gaiola do meu coração e no ninho de minha alma, escapou de minhas mãos e entrou em outra gaiola. Aquele anjo puro, que vivia no paraíso de meu afeto e do meu amor, agora me parece um demônio terrível, que caiu na escuridão para sofrer pelos seus pecados e fazer-me sofrer na Terra por seus crimes.

Ele cobriu o rosto com as mãos, como se quisesse proteger-se de si próprio, e ficou um instante em silêncio. Então, suspirou e disse:

– É tudo o que posso dizer; por favor, não perguntes mais nada. Não chores pela minha calamidade; faz dela uma desgraça muda. Talvez ela cresça em silêncio e me mate, para que eu possa finalmente descansar em paz.

Levantei-me com lágrimas nos olhos e misericórdia no coração, e silenciosamente me despedi dele. Minhas palavras não tinham o poder de consolar aquele coração ferido, e minha sabedoria não tinha luz suficiente para iluminar a sombra que o cobria.

II

Alguns dias depois, encontrei Warda al-Hani pela primeira vez, em um casebre pobre, rodeado de flores e de árvores. Ela ouviu falar de mim por Raxid Baca Namã, o homem cujo coração ela havia esmagado, pisoteado e abandonando sob os terríveis cascos da Vida. Ao ver aqueles olhos brilhantes e ouvir aquela voz sincera, disse para comigo: É esta a mulher sórdida? Como este rosto lívido poderia esconder uma alma feia e um coração criminoso? É ela a esposa infiel? É esta a mulher a quem eu acusava, e imaginava ser uma serpente disfarçada na forma de um belo pássaro?

Então, continuei, em pensamento: Foi este belo rosto que desgraçou Raxid Baca Namã? Não dizem que a beleza clara é a causa de muitas angústias ocultas e de sofrimento profundo? A lua que inspira os poetas não é a mesma lua que enfurece o silêncio do mar com um terrível rugido?

Warda al-Hani parecia ter lido meus pensamentos e não queria prolongar minhas dúvidas. Encostou a cabeça nas mãos e, com uma voz mais doce do que o som da lira, disse:

– Eu não conhecia o senhor, mas aquilo que pensa e imagina de mim deve ser o mesmo que ouvi do povo. Sei que o senhor é misericordioso e entende a mulher oprimida, seus sentimentos e paixões. Permita-me mostrar-lhe o que se passa no meu coração, para que saiba que Warda al-Hani nunca foi uma mulher indigna. Eu tinha apenas dezoito anos quando o destino me levou até Raxid Baca Namã, que estava então com quarenta anos. Ele se apaixonou por mim, segundo dizem. Tomou-me como esposa, colocou-me em sua casa magnífica e me deu ricas roupas e pedras preciosas. Ele me exibia como uma raridade exótica na casa dos amigos e da família. Sorria triunfante quando percebia que me olhavam com respeito e admiração. Erguia a cabeça com orgulho quando ouvia as senhoras me elogiarem e falarem de mim com afeição. Mas, nunca chegou a ouvir o que toda a gente sussurrava: "Essa daí é a mulher ou a filha de criação de Raxid Baca Namã?". Ou quando comentavam: "Se ele tivesse se casado na idade certa, seu primeiro filho seria mais velho do que Warda al-Hani".

– Tudo isso se passou antes que eu despertasse da ignorância da juventude, antes que Deus inflamasse meu coração com a chama do amor, e antes que as sementes dos afetos brotassem dentro de mim. Sim, tudo isso aconteceu durante o tempo em que eu acreditava que a verdadeira felicidade consistia em belas roupas e mansões magníficas. Quando despertei do sono da infância, senti as chamas do fogo sagrado ardendo em meu coração e uma fome espiritual que roía minh'alma, machucando-a. Quando abri os olhos, senti minhas asas baterem, buscando elevar-me para o amplo firmamento do amor, mas elas tremiam e vacilavam sob o golpe das correntes das leis que amarraram meu corpo a um homem antes que eu conhecesse o verdadeiro significado dessa lei. Sentia todas essas coisas e sabia que a felicidade de uma mulher não vem da glória e da honra do homem, nem da generosidade e do afeto dele, mas do amor que une os corações e os afetos, tornando-os um membro do corpo da vida e uma palavra dos lábios de Deus. Quando enxerguei a Verdade, senti-me como uma prisioneira na mansão de Raxid Baca Namã; como uma ladra que roubava o pão dele e buscava abrigo nos cantos escuros da noite. Eu sabia que cada hora passada com ele era uma enorme mentira escrita na minha testa com letras de fogo, diante do céu e da Terra. Eu não podia dar a ele amor e carinho em troca de generosidade e sinceridade. Tentei em vão amá-lo, mas o coração não tem poder sobre o amor. Pelo contrário: é o amor que tem poder sobre os nossos corações. Muitas vezes rezei no silêncio da noite diante de Deus, para criar no fundo do meu coração um laço espiritual que me levasse para mais perto do homem que me fora escolhido como o companheiro da minha vida.

– Minhas preces não foram atendidas, pois o Amor desce sobre nossas almas pela vontade de Deus, e não pela vontade ou apelo do indivíduo. Assim, fiquei dois anos na casa daquele homem, com inveja da liberdade das aves do campo, ao mesmo tempo que meus amigos tinham inveja das minhas dolorosas correntes de ouro. Eu me sentia como uma mulher despojada de um filho; com um coração sofrido, que existe mas não se apega; como uma vítima inocente da crueldade da lei humana. Eu estava perto da morte por causa da sede e da fome do espírito.

– Mas, num daqueles dias sombrios, de nuvens carregadas, vi uma luz suave saindo dos olhos de um homem que andava desamparado no caminho da vida; fechei os olhos para não enxergar aquela luz, e disse a mim mesma: "Alma minha, a escuridão do túmulo é o teu destino, a luz não é para ti". Então, ouvi uma linda melodia celestial, tão pura que reanimou meu coração ferido, mas tapei os ouvidos e disse: "Alma minha, o grito do abismo é o teu destino, as canções não são para ti". Fechei novamente os olhos para não poder ver, e tapei os ouvidos para não ouvir, mas meus olhos fechados ainda enxergavam aquela luz suave; meus ouvidos tapados ainda ouviam aquela canção. Primeiro, fiquei assustada e me senti como o mendigo que encontra uma joia perto do palácio do Emir: o medo o impede de pegá-la, ao mesmo tempo em que a pobreza o impede de deixá-la. Gritei, como uma alma sedenta que se vê diante de um riacho cercado de animais selvagens, e cai no chão desesperada e com medo.

Então, ela desviou os olhos de mim como se tivesse vergonha do passado, mas prosseguiu:

– Aqueles que retornam para a eternidade sem provar a doçura da vida real são incapazes de entender o significado da dor de uma mulher. Sobretudo quando ela entrega a alma a um homem que ama pela vontade de Deus, mas entrega o corpo a outro por imposição da lei humana. É uma tragédia escrita com sangue e lágrimas da mulher, com a qual o homem se diverte porque não consegue entender; e, quando entende, seu riso se transforma em desprezo e insultos, que são como fogo sobre o coração dela. É um drama encenado nas noites escuras, tendo como palco a alma da mulher, cujo corpo está preso a um homem, que se torna seu marido antes que ela entenda o significado divino do casamento, enquanto seu coração se prende a um outro homem que ela ama com toda a alma, e com um amor puro e sincero. É uma agonia terrível, que tem início com a atribuição da fraqueza à mulher e da força ao homem, e só terminará quando a escravidão e superioridade dos fortes sobre os fracos for abolida. É uma luta terrível entre a lei hipócrita dos homens e os afetos e propósitos sagrados do coração. Eu me encontrava, ontem, nesse campo de batalha; mas reuni as forças que me restavam, rompi minhas correntes de covardia, fortaleci minhas asas e me alcei ao vasto céu do amor e da liberdade.

– Hoje, eu e esse homem que amo somos um só; ele e eu somos uma chama que brotou da mão de Deus no início dos tempos. Não há poder sob o sol que possa tirar essa felicidade de mim, porque ela emanou de dois espíritos unidos, abraçados pela compreensão, irradiados pelo Amor, e protegidos pelo Céu.

Ela me olhou como se quisesse penetrar meu coração com os olhos, tentando adivinhar a impressão que suas palavras tiveram sobre mim, e ouvir dentro de mim o eco de sua voz; mas eu permaneci em silêncio, e ela continuou. Sua voz transmitia a amargura das lembranças e a doçura da sinceridade e da libertação:

– O povo lhe dirá que Warda al-Hani é uma mulher herege e infiel, que seguiu seus desejos deixando o homem que a enalteceu e fez dela uma senhora. Dirão que é uma mulher adúltera, uma cortesã, que destruiu com mãos imundas o véu de um matrimônio sagrado e o substituiu por um laço imundo, tecido com os espinhos do inferno. Ela tirou o manto da virtude e vestiu o manto do pecado e da desgraça. E dirão algo pior, pois o pensamento de seus pais ainda vive neles. Eles são como as cavernas desertas das montanhas que ecoam vozes incompreensíveis. Não entendem a lei de Deus, nem o propósito da verdadeira religião; sequer distinguem um pecador de um inocente. Enxergam somente a superfície das coisas, sem ver o que está por trás delas. Julgam com ignorância e cegueira, igualando o criminoso e o inocente, o bom e o mau. Malditos sejam os que julgam e condenam.

– Aos olhos de Deus, fui infiel e adúltera somente enquanto estive na casa de Raxid Baca Namã, porque me tornei sua esposa segundo os costumes e as tradições, por força da pressa, antes que o céu fizesse esse laço pela lei espiritual do Amor e da Afeição. Eu era uma pecadora aos olhos de Deus, e aos meus também, por comer do pão que ele me dava e lhe dar meu corpo em troca de sua generosidade. Agora, estou purificada e limpa, porque a lei do Amor me libertou e me tornou honesta e fiel. Deixei de trocar meu corpo por abrigo e meus dias por requinte. Sim, eu era uma adúltera e criminosa, e o povo me via como honesta e fiel; hoje, sou pura e nobre de espírito, mas me consideram imunda, pois julgam a alma pelo corpo e medem o espírito pela matéria.

Então, ela olhou pela janela e apontou para a cidade com a mão direita, como se tivesse visto o fantasma da corrupção e a sombra da vergonha entre seus magníficos edifícios. E, com pena, disse:

– Vê essas majestosas mansões e esses palácios sublimes, onde reside a hipocrisia? Entre suas paredes lindamente decoradas, residem a traição e a podridão; sob o teto folheado a ouro, vivem a falsidade e a mentira. Repara naquelas casas maravilhosas que representam a felicidade, a glória e a riqueza; não passam de cavernas de miséria e humilhação. São túmulos em que a traição da mulher fraca se esconde atrás da pintura de seus olhos e do vermelho de seus lábios; em cada canto, existe apenas o egoísmo e a bestialidade do homem com suas regras supremas de ouro e prata.

– Se aqueles edifícios altos e inexpugnáveis perfumassem a porta do ódio, do engano e da corrupção, já teriam rachado e caído. O camponês pobre olha para essas residências com os olhos cheios de lágrimas; mas quando ele descobre que aquele amor puro que existe no coração da esposa e preenche seu lar está ausente naqueles edifícios, ele sorri e retorna contente para os campos.

Então, ela pegou minha mão e me levou até à janela, e disse:

– Vem, vou mostrar-te os segredos que me contaram aquelas pessoas cujo caminho recusei seguir. Vê aquele palácio com colunas gigantes? Ali, vive um homem rico que herdou a fortuna do pai. Depois de ter levado uma vida suja e podre, casou-se com uma mulher da qual nada sabia, exceto que o pai era um dos dignitários do Sultão. Assim que a viagem de núpcias terminou, ele se cansou dela e começou a sair com mulheres que vendem o corpo por moedas de prata. A esposa foi deixada sozinha naquele palácio, como se fosse uma garrafa vazia deixada por um bêbado. No começo, ela chorava e sofria; depois, percebeu que suas lágrimas valiam mais que o marido degenerado. Agora, ela dedica seu amor e afeição a um jovem com quem passa horas de alegria, e a quem cobre de carinho com o ouro do marido.

– Olhemos agora para aquela linda casa rodeada de lindos jardins. É o lar de um homem que vem de uma família nobre que governou o país por muitas gerações, mas cujos padrões, riqueza e prestígio declinaram devido a seu esbanjamento e indolência. Há alguns anos, esse homem casou-se com uma mulher feia, porém rica. Depois de ter adquirido a fortuna dela, passou a ignorá-la e começou a devotar-se a uma jovem atraente. Sua esposa, hoje, passa o tempo cacheando os cabelos, pintando os lábios e se perfumando. Ela veste roupas caras e espera que algum jovem venha a sorrir para ela e passe a visitá-la; mas é inútil, pois tudo o que ela pode conseguir é um sorriso de sua feia imagem no espelho.

– Observe aquela mansão, cercada de estátuas de mármore. Ali, mora uma bela mulher de estranho caráter. Quando seu primeiro marido morreu, ela herdou todo o dinheiro e os bens dele; então, escolheu um homem fraco e sem caráter com quem casou-se para se proteger das más línguas e tê-lo como escudo contra as abominações dela. Agora, ela vai de um admirador para outro como uma abelha a escolher as flores mais doces do bosque.

– A casa bonita ao lado foi construída pelo maior arquiteto da província; ela pertence a um homem diligente e ambicioso que dedica o tempo a acumular ouro e maltratar os pobres. Ele tem uma esposa de uma beleza incomum, tanto de corpo como de espírito; mas ela é, como as demais, vítima do casamento precoce. O pai dela cometeu um crime ao entregá-la a um homem antes que ela atingisse a idade da razão, colocando sobre a filha o pesado jugo do casamento corrupto. Ela emagreceu, tornou-se pálida e não consegue encontrar uma maneira de libertar sua paixão. Vai afundando lentamente e anseia que a morte venha libertá-la da malha da escravidão desse homem, que passa a vida juntando ouro e amaldiçoando a hora em que se casou com uma mulher estéril que não pode dar-lhe um filho para manter o nome dele e herdar o seu dinheiro.

– Naquele outro lar, entre os pomares, vive um grande poeta; ele se casou com uma mulher ignorante que ridiculariza suas obras porque não consegue entendê-las, e ri-se do trabalho dele, porque não consegue se ajustar ao modo de vida do marido. Esse poeta livrou-se do desespero ao dedicar-se a uma mulher casada que sabe apreciar a inteligência dele e, por meio do encanto e da beleza, faz arder em seu coração a chama da paixão, inspirando-lhe versos belos e imortais.

O silêncio predominou por alguns momentos. Warda sentou-se num sofá junto à janela, como se sua alma estivesse cansada de vagar por aquelas mansões. Então, ela prosseguiu devagar:

– São esses os palácios nos quais me recusei a viver; as sepulturas nas quais eu me via espiritualmente enterrada. Essas pessoas das quais me libertei são as que se sentem atraídas pelo corpo e repelidas pelo espírito, e que não sabem nada acerca do Amor e da Beleza. Não há nada que possam interpor diante de Deus a não ser a ignorância de Suas leis. Não posso julgar, pois eu era igual, mas sinto pena delas do fundo do coração. Não as odeio, mas abomino o fato de se renderem à fraqueza e à falsidade. Disse tudo isso para mostrar ao senhor a realidade do povo do qual me livrei. Tento explicar-te como é a vida das pessoas que falam mal de mim; perdi a amizade delas, mas ganhei respeito próprio. Saí daquelas masmorras escuras e olhei para a luz onde predominam a sinceridade, a verdade e a justiça. Expulsaram-me daquela sociedade, mas estou satisfeita, pois os homens apenas expulsam aqueles que se revoltam contra o despotismo e a opressão. Aquele que prefere a escravidão ao exílio não é livre, seja qual for o conceito de liberdade, verdade e dever.

– Ontem, eu era como uma bandeja que continha todo tipo de alimentos saborosos, e Raxid Baca Namã só se aproximava de mim quando tinha necessidade desses alimentos. Nossas almas, no entanto, estavam tão distantes de nós como as de dois servos humildes e fiéis. Busquei reconciliar-me com o infortúnio, mas meu espírito se recusava a passar a vida curvado diante de um ídolo horrendo, erigido na idade das trevas e chamado de Lei. Mantive minhas correntes até o dia em que ouvi o Amor chamar-me e meu espírito se preparando para segui-lo. Então, quebrei essas correntes e deixei a casa de Raxid Baca Namã como um pássaro que foge da gaiola, deixando para trás todas as joias, roupas e serviçais. Vim viver com meu amado, pois sabia que era o correto a se fazer. O céu não quer que eu chore e sofra. Muitas vezes, à noite, eu rezava para que amanhecesse; e, quando amanhecia, rezava para que o dia terminasse. Deus não quer que eu tenha uma vida miserável, pois colocou no meu coração um desejo de felicidade; Sua glória repousa na felicidade do meu coração.

– Essa é a minha história e meu protesto perante o céu e a terra; é o que eu insisto em dizer enquanto as pessoas tapam os ouvidos, pois temem deixar-se levar pela revolta de seus espíritos, o que desmoronaria os alicerces de sua sociedade em crise.

– Esse foi o duro caminho que trilhei até chegar ao cume da felicidade. Agora, se a morte chegar, estarei disposta a me oferecer diante do Trono Supremo do Céu sem medo nem vergonha. Estou pronta para o dia do juízo, e meu coração está purificado. Obedeci a vontade de Deus em tudo o que fiz, e segui o chamado do meu coração enquanto ouvia a voz angelical do céu. Este, que é o meu drama, o povo de Beirute chama de "uma maldição nos lábios da vida" e de "uma doença no corpo da sociedade". Mas um dia o amor despertará no coração deles como os raios de sol que dão vida às flores, mesmo em terra contaminada. Um dia, os caminhantes passarão por minha sepultura e saudarão a terra que envolve meu corpo e dirão: "Aqui jaz Warda al-Hani, que se libertou da escravidão da lei dos homens decadentes para cumprir a lei do amor puro de Deus. Foi aquela que virou o rosto em direção ao sol para não ver a sombra de seu corpo entre crânios e espinhos".

A porta se abriu e um homem entrou. Tinha um brilho mágico nos olhos e um sorriso bondoso. Warda al-Hani levantou-se, tomou o jovem pelo braço e o apresentou a mim, dizendo-lhe meu nome e me elogiando. Eu sabia que ele era o jovem por quem ela negara o mundo inteiro e violara todas as leis e costumes mundanos.

Ficamos ali, sentados, medindo o silêncio. Cada um de nós estava absorto em pensamentos profundos. Depois de um minuto, olhei para o casal sentado lado a lado. Vi algo que nunca havia visto, e percebi de imediato o sentido da história de Warda al-Hani. Compreendi o segredo de seu protesto contra essa sociedade que persegue os que se rebelam contra as leis e os costumes engessados antes mesmo de determinar a causa da rebelião. Eu tinha diante de mim um espírito celestial, formado por duas pessoas belas e unidas, no meio das quais o deus do Amor estendera as asas para protegê-las das línguas ferinas. Encontrei uma compreensão total emanando de dois rostos sorridentes, iluminados pela sinceridade e envoltos pela virtude. Pela primeira vez na vida, encontrei o espectro da felicidade entre um homem e uma mulher, amaldiçoado pela religião e combatido pela lei. Levantei-me e me despedi. Deixei aquele casebre, que a força da afeição havia transformado num altar em homenagem ao Amor e à Compreensão. Passei pelos edifícios que Warda al-Hani havia me indicado.

Ao chegar ao final daquelas ruas, lembrei-me de Raxid Baca Namã, ponderei sobre sua miserável situação e disse a mim mesmo: Ele se sente oprimido. Será que o céu o escutará se reclamar de Warda al-Hani? Será que aquela mulher fez mal quando o deixou e seguiu a liberdade de seu coração? Ou ele cometeu de fato algum crime ao subjugar o coração dela? Qual dos dois é o oprimido, e qual é o opressor? Quem é culpado, e quem é inocente?

Após alguns momentos de profunda reflexão, continuei: Muitas vezes, o engano faz a mulher deixar o marido e seguir a riqueza, porque o gosto pelas riquezas e pelos belos vestidos a cega e a leva à vergonha. Warda al-Hani se teria enganado ao deixar a mansão do marido rico pelo casebre de um homem pobre? Muitas vezes, a ignorância destrói a honra de uma mulher e desperta suas paixões; ela se cansa e abandona o marido, motivada pelos desejos, e segue um homem ao qual ela se rebaixa. Warda al-Hani poderia ser considerada uma mulher ignorante por seguir seus desejos físicos, ao declarar publicamente sua independência e se unir ao jovem que ela ama? Ela poderia ter-se contentado em tê-lo como amante enquanto continuava na casa do marido, pois muitos homens estavam dispostos a serem escravos de sua beleza e mártires de seu amor. Warda al-Hani era uma mulher infeliz. Buscava apenas a felicidade: quando a encontrou, abraçou-a. Essa é a verdade nua e crua que a sociedade tanto despreza. Então, murmurei estas palavras ao vento e perguntei a mim próprio: É permitido a uma mulher comprar sua felicidade com a miséria do marido? E minha alma acrescentou: É lícito para um homem escravizar o afeto de sua esposa quando ele percebe que nunca o possuirá?

Continuei caminhando, e a voz de Warda al-Hani ainda ressoava em meus ouvidos quando cheguei ao extremo da cidade. O sol estava se pondo; o silêncio dominava os campos e as pradarias; e os pássaros começavam a cantar a prece do anoitecer. Eu continuava a meditar, e, então, suspirei e proferi:

– Diante do trono da Liberdade, as árvores se alegram com o carinho da brisa e aproveitam os raios do sol e o brilho do luar. Ao ouvido da Liberdade, os pássaros sussurram, e, em torno dela, eles se agitam ao som da música dos riachos. Por todo o céu da Liberdade, as flores transpiram sua fragrância; e, diante dos olhos da Liberdade, elas sorriem ao raiar do dia.

– Tudo o que vive na Terra tem suas próprias leis, e essas leis são, em essência, um hino à liberdade e à felicidade. Os homens, por outro lado, são privados dessa graça porque impuseram a si uma lei humana mundana que limita suas almas de natureza divina. Submeteram o corpo e a alma a uma mesma lei antinatural. Erigiram para seus desejos e sentimentos uma prisão estreita e terrível, e enterraram seus corações numa cova profunda. Quem quer que siga os ditames de sua alma estará sozinho contra a sociedade e sua lei; será considerado um rebelde perigoso que merece o exílio, um canalha sem lei que merece a morte. Mas os homens continuarão escravos de suas leis hipócritas até o fim dos tempos, ou acabarão por se libertar para viver no Espírito para o Espírito? Insistirão em voltar os olhos sempre para a terra, ou voltarão os olhos para o sol para não verem a sombra de seus corpos em meio a crânios e espinhos?

O grito dos túmulos

I

O Emir entrou na corte e tomou seu lugar na cadeira principal, enquanto à sua direita e à sua esquerda estavam os homens mais importantes da nação. Os guardas, armados com lanças e espadas, permaneciam atentos, e aqueles que vieram testemunhar o julgamento se levantaram e se curvaram cerimoniosamente diante do Emir, cujos olhos irradiavam um tal poder, que imprimia horror no espírito e medo no coração daqueles que ali estavam. Quando a ordem foi restaurada na corte e a hora do julgamento chegou, o Emir ergueu a mão e ordenou:

– Façam entrar os criminosos um a um e me digam que crimes cometeram.

A porta da prisão se abriu como a boca de um animal feroz e bocejante. Nos cantos escuros da masmorra, podia-se ouvir o guizalhar dos grilos em uníssono com os gemidos e lamentos dos prisioneiros. Os espectadores estavam ansiosos para ver as presas da Morte emergindo das profundezas daquele inferno. Pouco depois, dois soldados entraram, carregando um jovem com as mãos atadas às costas. O rosto dele era austero e mostrava nobreza de espírito e força de coração. Eles o levaram ao centro da corte e os soldados recuaram alguns passos para o fundo da sala. O Emir olhou para ele fixamente e disse com insistência:

– Que crime cometeu esse homem que orgulhosa e triunfantemente se coloca diante de mim?

Um dos juízes respondeu:

– É um assassino. Ontem, matou um dos oficiais do Emir que estava em uma missão importante em uma das aldeias vizinhas. Ele ainda segurava a espada manchada de sangue quando foi preso.

O Emir respondeu com raiva:

– Ponham-no de volta na prisão e prendam-no com correntes pesadas. Ao amanhecer, será decapitado com a própria espada; e seu corpo será deixado na floresta para que os animais se alimentem de sua carne e o ar carregue seu cheiro para as narinas de seus amigos e parentes.

O jovem foi devolvido à prisão enquanto os presentes olhavam com tristeza, pois era um jovem na plenitude da vida.

Os soldados voltaram mais uma vez da prisão, dessa vez carregando uma jovem mulher de delicada beleza natural. Seu rosto pálido apresentava as marcas da opressão e do sofrimento. Seus olhos estavam cheios de lágrimas e a cabeça curvada sob o peso da dor. Depois de olhar para ela de forma penetrante, o Emir exclamou:

– E essa mulher emaciada, de pé diante de mim como uma sombra de si própria, o que ela fez?

Um dos soldados respondeu:

– Ela é adúltera; o marido a descobriu na noite passada nos braços de outro homem. Depois que o amante fugiu, o marido a entregou à justiça.

O Emir a observou enquanto ela abaixava o rosto por vergonha, e ordenou:

– Ponham-na de volta na cela escura e façam-na deitar-se sobre uma cama de espinhos, para que se lembre do leito que corrompeu. Deem-lhe vinagre misturado com fel para beber, para que se lembre do sabor daqueles beijos doces. Arrastem seu corpo nu para fora da cidade ao amanhecer e a apedrejem. Que os lobos se alegrem com a carne tenra de seu corpo e os vermes roam-lhe os ossos.

Enquanto a mulher regressava para a cela escura, as pessoas a olhavam com piedade e surpresa. A justiça do Emir as havia atordoado e elas choravam pelo destino da pobre mulher. Os soldados reapareceram trazendo consigo um homem que tremia feito um broto tenro soprado por um vento norte. Parecia desamparado, fraco e assustado, e era pobre e miserável. O Emir o examinou com repugnância e perguntou:

– E esse homem imundo, que parece um morto entre os vivos, o que ele fez?

Um dos guardas respondeu:

– É um ladrão. Entrou no mosteiro e roubou o cálice sagrado, que foi encontrado pelos padres nas roupas dele quando o prenderam.

O Emir olhou para ele como uma águia faminta olha para um pássaro de asas quebradas, e disse:

– Levem-no de volta para a cela e o acorrentem. Pela manhã, pendurem-no numa árvore alta, entre o céu e a terra, para que suas mãos pecadoras caiam como as folhas da árvore, e os membros de seu corpo se desgastem e sejam espalhados pelo vento.

Enquanto o ladrão era colocado de volta na prisão, as pessoas começaram a sussurrar entre si, dizendo:

– Como um homem tão fraco e herege ousa roubar o cálice sagrado do mosteiro?

Naquele momento a sessão foi interrompida; e o Emir, escoltado pelos soldados, deixou o salão acompanhado dos dignitários, enquanto a multidão se dispersava. O salão estava vazio, exceto pelos gemidos e lamentos dos prisioneiros.

Tudo isso aconteceu enquanto eu permanecia de pé como um espelho no qual eu refletia a passagem dos fantasmas. Eu meditava sobre as leis feitas pelo homem para o homem, contemplando o que as pessoas chamam de "justiça", e me absorvia em perguntas profundas sobre os segredos da vida. Eu buscava entender o significado do universo. Confuso, achava-me perdido como se o horizonte estivesse se desvanecendo além das nuvens. Ao deixar o lugar, disse para mim mesmo: A erva é alimentada pelos elementos da terra, a ovelha come a erva, o lobo devora a ovelha, o touro mata o lobo e o leão devora o touro. Mas a morte reclama o leão. Existe algum poder que supere a morte e faça justiça eterna a essas brutalidades? Existe alguma força que transforme essas coisas horríveis em algo belo? Existe algum poder supremo que agarre com as mãos todos os elementos da vida e os envolva em alegria, já que o mar absorve com alegria as águas de todos os ribeiros? Existe algum poder que arraste o assassino e o assassinado, o adúltero e a adúltera, o ladrão e o assaltado, e os leve perante um tribunal mais elevado e supremo do que o tribunal do Emir?

II

No dia seguinte, deixei a cidade e fui para o campo, onde o silêncio tem a capacidade de revelar à alma o que ela deseja, e onde céus puros eliminam os germes do desespero que a cidade nutre com suas ruas estreitas e becos escuros. Chegando ao vale, avistei uma revoada de corvos e abutres, que grasnavam e silvavam e farfalhavam suas asas. Enquanto caminhava, deparei-me com o corpo de um homem pendurado no alto de uma árvore, o de uma mulher morta deitada nua sobre um monte de pedras, e o cadáver de um jovem decapitado, envolto em uma mistura de sangue e terra. Foi uma visão horrível que me cegou os olhos e os cobriu com um véu grosso e escuro de tristeza. Olhei em todas as direções, mas não vi nada além do espectro da Morte diante daqueles horríveis restos mortais. Nada se ouvia, a não ser o gemido do inexistente misturado ao grasnar dos corvos pairando sobre as vítimas da lei dos homens. Três seres humanos, ontem no colo da Vida, hoje vítimas da Morte, por violarem as regras da sociedade. Quando um homem mata outro homem, as pessoas dizem que ele é um assassino; mas quando é o Emir quem mata, o Emir é justo. Quando um homem rouba um mosteiro, as pessoas dizem que ele é um ladrão; mas quando o Emir rouba a vida, o Emir é um homem honrado. Quando uma mulher trai o marido, dizem que é adúltera; mas quando o Emir a faz andar nua pelas ruas e depois a manda lapidar, o Emir é um homem nobre. O derramamento de sangue é proibido, mas... quem fez disso um ato legal para o Emir? Roubar o dinheiro de outra pessoa é um crime, mas roubar sua vida é um ato nobre. Enganar um marido pode ser um ato cruel, mas almas vivas apedrejadas se tornam um espetáculo maravilhoso. Devemos juntar o mal com o mal e dizer que isso é a Lei? Devemos combater a mais vil corrupção e dizer que isso é a Regra? Devemos superar o crime com mais crime e dizer que isso é Justiça? Não teria o Emir matado um inimigo no passado? Não teria ele tirado o dinheiro e as propriedades de seus súditos? Não teria ele mesmo cometido adultério? Seria ele um homem sem culpa quando matou o assassino, enforcou o ladrão e apedrejou a adúltera? Quem são aqueles que enforcaram o ladrão na árvore? São anjos do céu, ou são homens que saqueiam e usurpam? Quem decapitou o assassino? São profetas divinos, ou soldados que derramam sangue onde quer que vão? Quem apedrejou aquela adúltera? Seriam eremitas virtuosos, vindos de seus mosteiros, ou seres que gostam de cometer atrocidades, sob a proteção de uma Lei retrógrada? O que é a Lei? Quem a viu descer como o sol do imenso céu? Quem viu o coração de Deus e descobriu Seu propósito e vontade? Em que século os anjos pregaram entre o povo, dizendo-lhes: "Proíbam os fracos de gozar a vida, matem os ímpios com o fio da espada e esmaguem os pecadores sob pés de ferro?".

Enquanto esses pensamentos me assediavam, ouvi o barulho de passos na grama. Fiquei atento, e vi uma jovem se aproximando em meio às árvores; ela olhou cuidadosamente para um lado e outro, antes de se aproximar dos três cadáveres ali deitados. Os olhos dela se voltaram imediatamente para a cabeça do jovem decapitado. Ela gritou horrorizada, ajoelhou-se e envolveu os braços trêmulos em torno dela; depois, começou a chorar e a acariciar os cabelos enrolados e cobertos de sangue com seus dedos macios, chorando com uma voz que emanava das profundezas de um coração despedaçado. Ela não podia mais suportar o que os olhos viam. Arrastou o corpo para uma cova e posicionou a cabeça dele entre os ombros; cobriu-o todo com terra, e cravou sobre o sepulcro a espada com que o jovem fora decapitado.

Enquanto ela se afastava, caminhei em sua direção. Ela estremeceu ao me ver; tinha os olhos velados de lágrimas. Ela suspirou e disse:

– Leve-me até o Emir se quiser; prefiro morrer e acompanhar aquele que me salvou das garras da desgraça a deixar este corpo servir de alimento para as feras.

– Não tenha medo de mim – respondi –, pobre criatura, pois já chorei o jovem antes de você. Mas diga-me, de que forma ele a salvou das garras da desgraça?

– Um dos oficiais do Emir veio à nossa fazenda cobrar impostos – ela respondeu com uma voz lânguida e sufocada. – E quando ele me viu, olhou-me como um lobo para uma ovelha. Impôs a meu pai um tributo tão pesado que nem mesmo um homem rico poderia pagar. Ele me prendeu para me levar ao Emir como refém, em troca do ouro que meu pai não podia lhe pagar. Implorei-lhe que me libertasse, mas ele ignorou meus pedidos, pois era um homem impiedoso. Então clamei por alguém que me ajudasse, e este jovem, que agora está morto, veio em meu socorro, salvando-me de uma morte em vida. O oficial tentou matá-lo, mas o jovem pegou uma velha espada pendurada na parede de nossa casa e o matou. Ele não fugiu como um criminoso, mas permaneceu junto ao corpo do oficial até que a justiça chegasse para prendê-lo.

Tendo dito essas palavras, que teriam feito qualquer coração humano sangrar de tristeza, a jovem virou o rosto e partiu.

Pouco depois, vi um jovem chegando com o rosto escondido num manto.

Ao se aproximar do cadáver da adúltera, ele cobriu o corpo nu da mulher com um pano. Em seguida, tirou uma adaga que trazia sob o manto e fez uma cova, na qual colocou o corpo da jovem morta de forma terna e delicada, cobrindo-o com terra e derramando lágrimas. Depois de ter feito isso, arrancou algumas flores e as colocou respeitosamente sobre a cova. Ele se preparava para partir, quando o parei e perguntei:

– O que o fez arriscar a vida vindo aqui para proteger das feras este corpo nu?

Ele me olhava fixamente, e seus olhos refletiam uma imensa infelicidade. Então, ele disse:

– Sou eu o homem infeliz por cujo amor esta mulher foi apedrejada: desde crianças, eu a amei e ela me amou. Crescemos juntos; o amor, a quem servimos e veneramos, era o amor de nossos corações. O amor nos uniu e cercou nossas almas. Um dia, eu estava fora da cidade e, quando voltei, descobri que o pai dela a havia forçado a se casar com um homem que ela não amava. Minha vida se tornou uma luta contínua, e todos os meus dias se transformaram numa noite longa e escura. Tentei apaziguar meu coração, mas ele resistiu. Por fim, passei a vê-la às escondidas, e meu único objetivo era vislumbrar seus belos olhos e ouvir o doce som de sua voz. Chegando a sua casa, encontrei-a lamentando, na solidão, seu destino infeliz. Sentei-me ao lado dela; o silêncio predominava, e a virtude nos acompanhava. Uma hora tranquila se passou, até que o marido dela entrou. Procurei fazer com que ele se acalmasse, mas ele a agarrou com as mãos, levou-a até a rua e gritou: "Venham todos; venham e vejam a adúltera e seu amante!". Toda a vizinhança correu para o local. Pouco depois, a justiça veio para levá-la diante do Emir, mas os soldados não me tocaram. A lei da ignorância e a rigidez dos costumes puniram uma mulher pelo erro de seu pai, mas perdoaram o homem.

Depois de dizer essas coisas, o homem partiu em direção à cidade, enquanto eu contemplava o corpo do ladrão suspenso no alto daquela árvore, balançando ligeiramente a cada vez que o vento sacudia os galhos; era como se esperasse que alguém o derrubasse e o estendesse no seio da terra, ao lado do Defensor da Honra e do Mártir do Amor. Uma hora depois, apareceu uma mulher de aparência frágil e miserável chorando. Ela parou diante do homem enforcado e rezou com reverência. Depois, subiu na árvore com dificuldade e roeu a corda com os dentes até cortá-la. O corpo mole caiu ao chão como se fosse um enorme trapo molhado. Ela desceu da árvore, cavou um buraco e enterrou o ladrão junto às outras duas vítimas. Depois de cobri-lo com terra, pegou dois pedaços de madeira, fez uma cruz e colocou-a sobre a cabeça do homem morto. Quando virou o rosto para caminhar em direção à cidade, eu a detive e questionei:

– Por que a senhora veio enterrar este ladrão?

A desafortunada olhou para mim e respondeu:

– Ele era meu fiel esposo e companheiro; é o pai de meus filhos: cinco crianças que não têm o que comer; o mais velho tem oito anos, e o mais novo é apenas um bebê. Meu esposo não era um ladrão, mas um camponês que trabalhava nas terras do mosteiro. Nós só comíamos um pouco de comida que os monges e os padres davam para ele e que ele trazia para casa de noite. Ele trabalhou para eles desde pequeno, e quando não podia mais trabalhar, o mandaram embora, dizendo que mandasse os filhos no lugar dele. Ele implorou, em nome de Jesus e dos anjos do céu, mas eles ignoraram. Não tiveram pena dele nem dos filhos que passavam fome, que choravam por comida. Ele foi até à cidade atrás de trabalho, mas os ricos dali só dão serviço para homens fortes e com saúde. Então, ele se sentou na rua poeirenta e estendeu a mão para todos que passavam, implorando e repetindo a canção miserável do fracasso, sofrendo de fome e humilhação. Mas ninguém ajudava. Diziam que quem tem preguiça não merece esmola. Uma noite, a fome começou a atormentar nossos filhos, e os mais novos tentavam mamar nos seios já secos. A expressão de meu marido mudou, e ele saiu de casa sob o manto da noite. Foi ao celeiro do mosteiro e pegou um saco de trigo. Quando saía, os monges, que estavam acordando, o pegaram e o chicotearam sem dó. De manhã, ele foi levado até ao Emir e acusado de ter entrado no mosteiro para roubar o cálice de ouro do altar; foi preso e enforcado no dia seguinte. Ele só tentava encher a barriga dos filhos com o trigo que ele mesmo havia semeado, mas o Emir o matou e usou sua carne para encher a barriga dos pássaros e das feras.

Depois de falar daquela maneira, ela se afastou, deixando-me sozinho e pesaroso.

III

Eu estava diante dos túmulos como um orador afônico, tentando dizer palavras de louvor. Eu não podia falar, mas as lágrimas substituíram minhas palavras e falaram pela minha alma. Meu espírito se revelou quando tentei meditar por um segundo, pois minh'alma é como uma flor que se fecha ao anoitecer e não exala seu perfume quando a noite é povoada por espectros. Era como se a terra que envolvia as vítimas da opressão naquele lugar solitário enchesse meus ouvidos com as melodias tristes das almas aflitas, e me impedisse de falar. Agarrei-me ao silêncio; mas se as pessoas entendessem o que o silêncio lhes revela, estariam tão próximas de Deus quanto as flores do vale. Se as chamas de minh'alma suspirante tivessem chegado às árvores, elas sairiam do lugar e marchariam com seus ramos como um poderoso exército contra o Emir, e derrubariam o mosteiro sobre as cabeças daqueles monges e sacerdotes. Eu fiquei ali, olhando os sepulcros frescos, enquanto uma agradável sensação de compaixão e uma tristeza amarga brotavam do meu coração: o túmulo de um jovem que sacrificou a vida em defesa de uma donzela frágil, cuja vida e honra ele havia resgatado das garras e das presas de um depravado; um jovem que fora decapitado como recompensa pela sua coragem, cuja espada fora fincada sobre seu túmulo pela jovem que ele havia salvo como símbolo de heroísmo diante do sol que estendia o brilho sobre o império da estupidez e da corrupção. O sepulcro de uma jovem mulher, cujo coração fora inflamado pelo amor antes que seu corpo fosse arrancado pela ganância, usurpado pela luxúria e apedrejado pela tirania... Ela permaneceu fiel até a morte; o amado colocou flores em seu sepulcro para falar, por alguns minutos, daquelas almas abençoadas e escolhidas pelo Amor entre aquelas que as coisas do mundo cegaram e a ignorância transformou. E o último era o túmulo de um homem miserável, sobrecarregado pela labuta nas terras do mosteiro; alguém que clamou por comida para apaziguar a fome de seus pequenos, mas lhe foi negada. Ele recorreu à mendicância, mas as pessoas não lhe deram ajuda alguma. Quando sua alma o levou a recuperar uma pequena porção do que ele mesmo havia cultivado e colhido, foi preso e açoitado até à morte. Sua infeliz viúva pregou uma cruz sobre a cabeça do marido morto, como uma testemunha que, no silêncio da noite, está diante das estrelas do céu para acusar aqueles sacerdotes que transformaram os gentis ensinamentos de Cristo em espadas afiadas, com as quais decapitaram e dilaceraram os corpos dos fracos.

O sol se punha atrás do horizonte como se estivesse cansado dos problemas do mundo e cansado da submissão do povo. Naquele momento, o crepúsculo começou a desenrolar um véu delicado das profundezas do silêncio e a espalhar-se sobre o corpo da Natureza. Estendi a mão apontando os símbolos dos túmulos, levantei os olhos para o céu e chorei:

– Ó Heroísmo, esta é a Tua espada: agora, debaixo da terra! Ó Amor, esta é a Tua flor: consumida pelo fogo! Ó Senhor Jesus, esta é a Tua cruz, afundada na escuridão da noite!

O leito de núpcias

Os noivos deixaram a igreja seguidos pelas lâmpadas e tochas e dos convidados. Fazendo-lhes cortejo, caminhavam os jovens esposos cantando canções de alegria.

A procissão chegou até à casa dos noivos, a qual estava enfeitada de tapetes caros e vasos reluzentes, além do doce perfume das plantas de mirra. O noivo e a noiva montaram um balcão, onde se sentaram os convidados sobre tapetes de seda e cadeiras forradas de veludo. Logo, o espaçoso aposento encheu-se de homens e mulheres. Os serviçais iam de um lado para o outro servindo vinho, e o tilintar de taça contra taça parecia preencher o ar junto aos cumprimentos e felicitações. Em seguida, os músicos entraram e tomaram seus lugares. Tocavam árias que faziam os embriagados e os ouvintes repetirem refrões e encherem os pulmões com as melodias acompanhadas pelas cordas do alaúde, pelo suspiro dos homens e pelo bater dos tambores.

As moças se levantaram e dançaram. Rodavam de um lado para outro acompanhando o ritmo das músicas, como se fossem ramos finos balançando ao sabor da brisa. As dobras de seus vestidos ondulavam e reluziam como as nuvens ao toque do luar. Parecia que todos os olhares se voltavam para elas. Os jovens imaginavam que as abraçavam, e os velhos se esqueciam de suas amarguras diante da beleza daquelas moças. Todos bebiam vinho e afogavam nele seus desejos. O movimento crescia vivamente, as pessoas falavam mais alto e a liberdade reinava suprema. A sobriedade ia sumindo, e as mentes ficavam confusas;

os espíritos se inflamavam, e os corações se animavam. A casa, onde harmonia e dissonância se misturavam, ressoava como uma harpa de cordas quebradas, tocada freneticamente por uma fada invisível, tirando sons ao mesmo tempo dissonantes e harmoniosos.

Aqui, um jovem revela seu amor oculto por uma jovem que se orgulha muito da sua beleza; enquanto outro se prepara para uma conversa galante, tentando lembrar-se das palavras mais amáveis e lisonjeiras. Ali, um homem de meia-idade bebe copo atrás de copo, pedindo com insistência aos cantores a melodia que o faz lembrar da juventude. Noutro canto, uma mulher pisca para um homem que está ocupado a olhar para outra. Acolá, uma mulher de cabelos grisalhos observa as moças com afeto, imaginando escolher alguma delas para esposa de seu filho único. E perto de uma janela, outra mulher aproveita-se do fato de o seu marido estar bêbado para se aproximar do amante. Estando todos intoxicados pelo vinho e pelo amor, deixam-se levar pela euforia e alegria e não querem pensar no ontem nem no amanhã, mas apenas desfrutar o momento.

Ao longo de todos esses acontecimentos, a noiva formosa olhava com tristeza para aquele espetáculo, como um prisioneiro sem esperança a olhar para as paredes sombrias de sua cela. De vez em quando, ela virava-se para um canto da sala onde um rapaz de aproximadamente vinte anos estava sentado sozinho, longe da euforia, como um pássaro ferido separado dos de sua espécie. Seus braços estavam cruzados sobre o peito como se buscasse conter o coração, e seus olhos se fixavam em algo invisível na sala. Era como se a sua mente estivesse separada do corpo, em busca dos fantasmas da escuridão.

À meia-noite, a alegria estava no auge e não dava sinais de que terminaria tão cedo. Os espíritos estavam intoxicados pelo vapor do vinho, e a fala das pessoas ia-se tornando pastosa e incompreensível. O noivo logo se levantou. Era um homem de meia-idade e de aparência grosseira. Sob o efeito da embriaguez, movia-se entre os convidados dispensando-lhes sorrisos e gentilezas.

Nesse mesmo momento, a noiva acenou para uma moça na multidão, chamando-a. Ela, então, se aproximou e sentou-se ao lado dela. A noiva, que parecia ansiosa e impaciente para divulgar um segredo terrível, inclinou-se para a moça e, com uma voz trêmula, sussurrou-lhe ao ouvido estas palavras:

– Eu te imploro, querida amiga, pelo carinho que temos uma pela outra desde a infância, por tudo o que te é mais sagrado e por tudo o que guardas em teu coração. Suplico-te pelo amor que acaricia os nossos espíritos e os ilumina, pela alegria que há no teu coração e pela agonia que há no meu. Rogo-te que vás agora até Salim, e digas a ele que desça ao jardim em segredo e que me espere sob os salgueiros. Suplica por mim, Susana, até que ele concorde com isso. Chama à sua memória os dias passados; implora-lhe em nome do amor; diz-lhe que a sua amada é uma mulher tola e infeliz; diz-lhe que ela está perto da morte e quer abrir-lhe o coração antes que a escuridão chegue; que ela já está perdida e desesperada, e que quer ver a luz dos seus olhos antes que os fogos do inferno a consumam. Diga-lhe que ela pecou e que vai confessar sua culpa e implorar o perdão dele. Corre agora até ele. Fala por mim e não te incomodes com o olhar desses porcos, pois o vinho tapou-lhes os ouvidos e cegou-lhes os olhos.

Susana levantou-se e foi sentar-se ao lado de Salim, que se encontrava triste e só. Ela sussurrou-lhe aos ouvidos as palavras de sua amiga, procurando a piedade dele. O amor e a sinceridade iluminavam a feição da moça. Ele inclinou a cabeça para ouvi-la, mas não respondeu a nenhuma palavra. Quando ela parou de falar, ele a olhou como um homem sedento que via uma taça no alto do céu. Depois, com uma voz tão baixa que poderia ter vindo das entranhas da terra, disse:

– Vou esperá-la no jardim, entre os salgueiros.

Dizendo isso, levantou-se e saiu para o jardim.

Após alguns minutos, a noiva também se levantou e o seguiu. Ela tomou caminho entre homens seduzidos pela filha da videira e mulheres dispostas a fazer amor com os jovens ali presentes. Ao chegar ao jardim, camuflada pela noite, apertou o passo. Corria como uma gazela que fugia dos lobos, para chegar até aos salgueiros onde a juventude a esperava. Ela atirou-se sobre o homem e abraçou-o pelo pescoço. Olhou para os olhos dele e falou-lhe. As palavras jorravam dos seus lábios junto às lágrimas:

– Escuta-me, meu amado, escuta-me. Lamento minha insensatez e minha pressa. Lamento, Salim, e o remorso me esmaga o coração. Amo-te, amo apenas a ti e a nenhum outro, e amar-te-ei até ao fim dos meus dias. Disseram-me que tinhas esquecido de mim e que me abandonara por amor a outra. Envenenaram o meu coração com intrigas, e encheram a minha alma com mentiras. Najiba disse que tu me havias esquecido, que me odiavas e que amavas apenas a ela. Ela perseguiu-me, aquela mulher má, e jogou com os meus sentimentos para que eu me casasse com o parente dela; e foi assim. Mas para mim não há noivo senão tu, Salim.

– Mas agora compreendi tudo e eu vim ter contigo. Saí daquela casa e a ela não voltarei. Vim para te tomar nos braços, e não há poder neste mundo que me possa mandar de volta para o homem com quem me casei por desespero. Deixei o noivo que as mentiras e o engano escolheram para mim, tal como o pai que o destino me impôs como guardião. Deixei para trás as flores que o padre trançou numa coroa para a noiva, e as leis que os costumes nos impõem como algemas. Deixei tudo numa casa cheia de embriaguez e vício e vim para te seguir até uma terra distante; até aos confins da terra; até mesmo onde os gênios se escondem; até às garras da própria Morte. Vem, Salim, apressemo-nos a deixar este lugar sob a coberta da noite. Desçamos até à costa e tomemos um barco que nos leve para uma terra distante e desconhecida. Vem, vamos; não esperemos chegar a aurora, quando já estaremos longe das mãos do inimigo. Olha, vês estes adornos de ouro e estes anéis, e colares preciosos e joias? Eles nos trarão segurança contra o futuro; viveremos como príncipes... Por que não falas, Salim? Por que não olhas para mim? Por que não me beijas? Não ouves o grito do meu coração e o trabalho do meu espírito? Não acreditas que abandonei o meu marido, o meu pai e a minha mãe e vim com o meu vestido de noiva para fugir contigo? Fala tu, Salim, ou apressemo-nos agora; pois estes minutos são mais preciosos que o diamante, e o seu valor está acima das coroas dos reis.

Assim falou a noiva. Sua voz era mais doce do que o murmúrio da vida, e mais amarga do que o uivo da morte; mais leve do que o bater das asas, e mais profunda do que o suspiro das ondas. Uma melodia, cujo ritmo pairava entre a esperança e o desespero, o prazer e a dor, a alegria e a tristeza. Essa melodia continha todos os desejos e anseios que existem no peito de uma mulher.

O jovem permanecia quieto e escutava; dentro dele, digladiavam-se o amor e a honra. O amor, que faz a vida parecer brilhante numa selva escura; a honra, que se põe diante do espírito, para desviá-lo de seus anseios e desejos; o amor, que Deus revela ao coração; e a honra, com que as tradições sujeitam a mente dos homens.

Após um silêncio eterno e aterrador, como a idade das trevas em que as nações cambaleiam entre o nascimento e a senilidade, o jovem levantou a cabeça. A honra lhe havia sujeitado o espírito. Ele afastou o olhar da moça assustada, que esperava dele uma resposta, e disse em voz baixa:

– Volta para o teu marido, mulher. Tudo acabou. O despertar apaga a imagem dos sonhos. Vai, volta depressa para a alegria, para que os olhos curiosos não te vejam e as pessoas digam que traíste o seu marido na noite de núpcias como traíste teu amante em dias passados.

A noiva estremeceu diante daquelas palavras como uma flor murcha ao sabor do vento. Desesperada, gritou:

– Não voltarei a esta casa, mesmo que esteja no meu último suspiro de vida. Deixei-a para sempre; deixei-a e tudo que há dentro dela, como um cativo deixa a terra do seu exílio. Não me expulses de ti, nem me digas que sou infiel; pois a mão do amor, que fez de nossas almas uma só, é mais poderosa do que a mão do padre que entregou o meu corpo à vontade do noivo. Nenhuma força soltará estes braços que envolvem o teu pescoço. O meu espírito aproximou-se do vosso espírito, e a morte não os separará.

O jovem tentou livrar-se do abraço. Seu rosto indicava aversão e repulsa. Disse, então:

– Afasta-te, mulher. Eu já te esqueci; agora amo outra. As pessoas não falam nada mais que a verdade. Estás a ouvir o que digo? Bani-te da minha mente e da minha existência. Odeio-te tanto que já não suporto a tua presença. Vai, e deixa-me trilhar o meu caminho. Volta para o teu marido e sê fiel a ele.

Tomada pela tristeza, ela disse:

– Não, não; não acredito nisso, pois tu me amas. Vi o significado do amor nos teus olhos e senti isso enquanto acariciava o teu corpo. Tu me amas, sim, tal como eu te amo. Só deixarei este lugar contigo; não entrarei nesta casa enquanto ainda houver forças dentro de mim. Para onde quer que tu vás, eu irei, até ao fim do mundo. Caso contrário, mate-me então.

O jovem levantou novamente a voz e disse:

– Deixa-me, mulher; e que eu não fale mais alto para que os convidados desta festa não venham ver o que se passa neste jardim. Deixa-me, a menos que desejes que eu lhes mostre a tua vergonha, e faça de ti motivo de falatório e aversão; a não ser que queiras que eu chame Najiba, minha amada, para zombar de ti.

Assim dizendo, agarrou os braços dela para afastá-la. A expressão dela mudou e uma luz entrou-lhe nos olhos; sua postura passou de súplica e dor para raiva e dureza. Ela parecia uma leoa que havia perdido as crias; um mar agitado desde as profundezas pela tempestade.

– Quem desfrutará do teu amor depois de mim? – disse ela. – Que coração irá beber dos beijos da tua vida, a não ser o meu coração?

Tendo dito aquelas palavras, tirou da roupa uma adaga e enterrou-a no coração dele com a velocidade de um raio. Ele cambaleou, depois caiu no chão como um ramo arrancado pela tempestade. Ela caiu de joelhos e inclinou-se sobre ele segurando a faca ainda ensanguentada. Ele abriu os olhos, sobre os quais a morte desenhava uma sombra; os lábios dele tremiam; e, com a respiração fraca, proferiu estas palavras:

– Aproxima-te de mim, minha amada, aproxima-te de mim, Laila, e não me abandones. A morte é mais forte que a vida, mas o amor é mais forte que a morte. Escuta, escuta o riso e a alegria dos convidados na vossa festa de casamento. Escuta, meu amor, o som do cálice contra o cálice. Tu me livraste, Laila, da dureza dessa discórdia e da amargura dessas taças. Deixai-me beijar a mão que rompeu os meus laços. Beija os meus lábios; estes lábios que guardavam mentiras e escondiam os segredos do meu coração. Fecha estas pálpebras murchas com os vossos dedos banhados no meu sangue. Depois que o meu espírito voar para o espaço, põe a faca na minha mão direita e diga-lhes que eu me matei por inveja e desespero. Amei-te, Laila, acima de todas as outras; mas vi no sacrifício do meu coração, da minha felicidade e da minha vida uma coisa mais digna do que fugir contigo na tua noite de núpcias. Beija-me, amada do meu espírito, antes que as pessoas olhem para o meu cadáver. Beija-me, Laila.

O jovem ferido colocou a mão sobre o coração trespassado; a sua cabeça caiu para o lado, e o seu espírito partiu.

A noiva levantou a cabeça e olhou para a casa, gritando com uma voz terrível:

– Aproximai-vos todos; eis aqui o casamento e eis aqui o noivo. Vinde para que eu vos mostre o leito de núpcias. Despertai, dorminhocos; levantai-vos, beberrões; apressai-vos, porque revelaremos a todos vós os segredos do amor, da morte e da vida.

O grito da noiva ressoou em cada canto daquela casa, e levou suas palavras até aos ouvidos dos convidados que se divertiam, enchendo suas almas de receio. Eles ficaram escutando durante alguns segundos, como se a lucidez estivesse tomando o lugar da intoxicação. Depois, correram para fora da casa, tropeçando, olhando para a direita e para a esquerda, até que se depararam com um morto e a noiva ajoelhada ao lado dele. Eles recuaram aterrorizados, e ninguém ousou investigar o assunto, pois era como se a visão do sangue que escorria do peito do homem morto, assim como o brilho da lâmina na mão da noiva, tivessem travado a língua deles e congelado a vida nos seus corpos.

A noiva virou-se e olhou para eles com o rosto triste e imponente. Ela gritou-lhes:

– Aproximai-vos, covardes! Não temais o espectro da morte, pois ela é nobre e está longe da vossa insignificância. Aproximai-vos, não temais esta adaga; ela é sagrada, não pode tocar os vossos corpos impuros e os vossos corações atrozes. Olhai para este jovem bonito com os adornos do matrimônio. Ele é meu amado, e eu matei-o porque o amo; ele é meu marido, e eu sou sua esposa. Não encontramos um leito digno do nosso amor neste mundo sufocado pelas vossas tradições, obscurecido pela vossa ignorância e corrompido pela vossa ganância; preferimos ir para além das nuvens. Aproximai-vos, fracos e temerosos, e olhai; porventura enxergareis o rosto de Deus refletido nos nossos rostos e ouçais a Sua voz em nossos corações? Onde está aquela mulher ciumenta que me enganou e falou mal do meu amado? Ela fez-me acreditar que ele estava apaixonado por ela e já não me amava mais. Ela pensava que havia triunfado quando o padre abençoou o casamento entre mim e o parente dela. Onde está Najiba? Onde está aquela traidora, aquela víbora do inferno? Chamai-a, para que veja que o matrimônio celebrado foi entre mim e aquele que amo, e não entre mim e aquele que ela escolheu para mim. Vejo que não podem compreender as minhas palavras, porque aqueles que só sabem gritar continuam surdos ao canto das estrelas. Mas, um dia, contareis aos vossos filhos a história da mulher que matou o seu amado na noite do seu casamento, e falareis de mim e amaldiçoar-me-eis com as vossas bocas escarnecedoras; mas os filhos de vossos filhos abençoar-me-ão, porque a verdade e o espírito permanecerão vivos. E tu, homem tolo, que usaste de artimanhas, dinheiro e traição para fazeres de mim tua esposa, és símbolo de um povo sem esperanças que busca a luz na escuridão; que espera que das pedras brote a água e do solo pedregoso nasça a rosa. És um símbolo desta terra entregue à própria loucura, como um homem cego nas mãos de um chefe cego. És um símbolo da falsa virilidade, que cortaria um pulso para obter uma pulseira e um pescoço para ter um colar. Eu te perdoo pela tua pequenez, pois o espírito que parte feliz deve perdoar os pecados do mundo.

Naquele instante, a noiva levantou a adaga para o céu e, como um homem sedento que olha para uma taça, mergulhou a faca em seu peito e caiu ao lado do seu amante, como um lírio cuja copa é cortada pela foice. As mulheres gritaram de medo e de dor e desmaiaram, caindo umas sobre as outras. Os gritos e a confusão dos homens levantaram-se de todos os lados enquanto se reuniam em torno das duas vítimas com medo e pavor.

A noiva moribunda olhou para eles enquanto o sangue jorrava de seu peito, e disse:

– Não vos aproximeis de nós, vós que nos censuram! Não nos separeis! Se o fizerdes, um poder do além que paira sobre as vossas cabeças vos estrangulará. Deixai que esta terra faminta consuma nossos corpos de uma só vez. Deixai a terra esconder nossos corpos e proteger-nos dentro do seu coração, assim como protege as sementes da neve do inverno até à chegada da primavera.

Então, a noiva abraçou o corpo do amante e tocou-lhe os lábios frios com os seus, e, com seu último suspiro, vieram estas palavras quebradas:

– Olha, meu amado; olha, noivo da minh'alma, vês de que forma a inveja se mantém sobre o nosso leito de núpcias? Vês como olham para nós e como rangem os dentes e como tremem os ossos? Esperaste muito tempo por mim, Salim. Contempla-me aqui. Quebrei os laços e soltei as correntes. Apressemo-nos em direção ao sol, pois a nossa permanência nas sombras tem sido longa. Todas as coisas se apagaram e se esconderam, e nunca mais olharei para nada senão para ti, meu amor. Contempla os meus lábios, o meu último suspiro se aproxima. Vem, Salim, vamos embora, pois o Amor levantou as asas e sobe à nossa frente para o círculo da luz.

A noiva caiu então sobre o peito do amante, e o sangue dela misturou-se ao dele. Deitou a cabeça sobre o colo do amado, enquanto seus olhos pareciam se encontrar.

O povo permaneceu em silêncio por algum tempo, com rostos pálidos e os joelhos fracos como se a majestade da morte lhes tivesse tirado as forças e o movimento.

Naquele momento apareceu o padre, o mesmo que tinha celebrado o casamento. Ele acenou com a mão direita para o casal morto e, olhando para as pessoas assustadas, falou-lhes com dureza, dizendo:

– Malditas sejam as mãos que tocarem esses dois corpos contaminados pelo sangue da vergonha e da culpa. Malditos sejam os olhos que derramarem lágrimas de dor por esses dois malditos cujas almas são levadas para o inferno pelo Diabo. Que os corpos desse filho de Sodoma e dessa filha de Gomorra permaneçam abandonados neste solo manchado pelo sangue deles, até que os cães tenham dividido entre si a sua carne e os ventos tenham espalhado os seus ossos. Voltai agora para os vossos lares e livrai-vos do cheiro de decadência desses dois corações, que o pecado dominou e a corrupção destruiu. Segui os vossos caminhos, todos vós que estais ao lado desses dois cadáveres imundos. Apressai-vos, antes que as línguas do inferno comecem a vos lamber. Aquele que aqui permanecer será rejeitado e expulso e não entrará mais na igreja em que os fiéis se ajoelharem, nem participará das orações e ofertas dos cristãos.

Foi então que Susana, a moça a quem a noiva enviara como emissária até Salim, apresentou-se perante o sacerdote, olhou para ele com os olhos cheios de lágrimas e falou com coragem:

– Tu não és um verdadeiro crente, e teu pensamento é estreito. Ficarei aqui e velarei por eles até ao amanhecer; cavarei para eles uma sepultura ao abrigo desses ramos. Se me negarem isso, rasgarei a terra com os meus próprios dedos. Se me atarem as mãos, escavarei com os dentes. Ide embora depressa: este lugar cheira a fumo de incenso. Perfumes delicados não são feitos para os porcos, e os ladrões temem o dono da casa e a chegada da manhã. Regressai para as vossas casas sombrias, pois os cantos celestiais que voam sobre estes mártires do amor não alcançam ouvidos tapados com terra.

O povo dispersou-se e afastou-se do rosto severo do padre. Mas a moça permaneceu junto aos corpos imóveis como uma mãe que, no silêncio da noite, olha pelos filhos. Quando o povo se afastou daquele lugar, ela entregou-se ao pranto e ao lamento.

Calil, o herege

I

O Xeque Abás vivia como um príncipe entre os moradores de uma aldeia solitária no norte do Líbano. Sua mansão, situada em meio às pobres cabanas dos aldeões, parecia um colosso cheio de vida em meio a anões esquálidos. O Xeque vivia cercado de luxo, enquanto seus vizinhos suportavam uma existência deplorável. Eles o obedeciam e se curvavam perante ele de forma respeitosa quando falava. Parecia que suas palavras tinham a força da razão. Quando ficava com raiva, eles tremiam de medo e desapareciam como folhas varridas pelo vento forte de outono. Se alguém era esbofeteado por ele, ficava paralisado de medo, como se fosse uma heresia levantar o rosto ou questionar tal agressão. Quando sorria para alguém, os aldeões consideravam essa pessoa honrada e afortunada. O medo e a submissão do povo não vinham da fraqueza, mas eram a pobreza e a necessidade que provocavam aquele estado de humilhação perpétua. Até mesmo as cabanas onde viviam e os campos que cultivavam pertenciam ao Xeque Abás, que os herdara de seus antepassados.

A lavoura do solo, a semeadura e a colheita dos grãos eram todas feitas sob a supervisão do Xeque; em troca do esforço dos camponeses, ele os recompensava com uma pequena porção de trigo, o que mal os impedia de morrerem de fome.

Muitas vezes, alguns deles precisavam de pão antes do final da colheita e iam até o Xeque com lágrimas nos olhos para pedir-lhe que lhes adiantasse algumas piastras ou um pouco de trigo; o Xeque concordava de bom grado, pois sabia que eles pagariam suas dívidas na totalidade quando chegasse o momento da colheita. Assim, esses homens ficavam endividados por toda a vida, e deixavam um legado de dívidas para os filhos; submetiam-se também a seu mestre, cuja ira temiam e cuja amizade e estima buscavam conquistar, mas nunca conseguiam.

II

O inverno chegou, e com ele a neve pesada e o vento cruel; os vales e campos estavam nus, exceto pelas árvores sem folhas, que se erguiam como espectros sobre as planícies desertas.

Depois de abarrotar os celeiros do Xeque com os produtos da terra, e de ter enchido as taças dele com o vinho dos vinhedos, os aldeões se retiravam para as cabanas para passar uma parte da vida descansando diante do fogo, onde relembravam a glória dos tempos antigos e contavam histórias do passado.

O ano velho tinha dado o último suspiro no céu cinzento. Era a noite em que o Ano Novo deveria ser coroado e colocado no trono do Universo. Começou a nevar muito, e os ventos uivantes desciam das montanhas levando a neve que se acumulava nos vales.

As árvores balançavam por causa da força da tempestade, e os campos e colinas ficaram cobertos por um manto branco sobre o qual a Morte desenhava riscos que logo se apagavam. A queda da neve parecia separar as aldeias dispersas ao longo dos vales. A luz cintilante das lâmpadas daquelas cabanas miseráveis, mal discerníveis através das janelas, desvanecia-se atrás do véu espesso da natureza enfurecida.

O medo tomava conta dos felás, e o gado se recolhia aos estábulos, enquanto os cães se escondiam nos cantos. Podia-se ouvir o uivo dos ventos e os trovões das tempestades a soprar no fundo dos vales. Parecia que a Natureza estava enfurecida com a morte do ano velho, e tentava se vingar daquelas almas gentis pelo frio e pelo gelo.

Naquela noite, um jovem caminhava sob os céus furiosos da estrada sinuosa que se estendia entre as aldeias de Quzahayyâ e a aldeia do Xeque Abás. Os membros do caminhante estavam dormentes, e a dor e a fome lhe haviam tirado as forças. Sua roupa escura estava esbranquiçada pela neve que caía, e ele parecia amortalhado antes mesmo da hora da morte. Ele lutava contra o vento. Era difícil avançar, pois cada grande esforço rendia-lhes uns apenas poucos passos. Ele gritava por ajuda, mas depois permaneceu em silêncio, aterrorizado pelo frio da noite. Quase sem esperanças, o jovem consumia suas forças sob o peso do desânimo e da fadiga. Era como um pássaro com asas quebradas, preso aos redemoinhos de um fluxo de água que o arrastava para o fundo.

O jovem continuou, cambaleando e caindo, até que o seu sangue parou de circular, e finalmente desmaiou. Ele soltou um grito de horror. Era a voz de uma alma de frente para o rosto vazio da Morte. Era a voz da juventude moribunda, enfraquecida pela fome e dominada pela natureza: a voz do amor à vida no abismo do nada.

III

No norte da aldeia, em meio aos campos devastados pelos ventos, ficava a cabana solitária de uma mulher chamada Raquel e de sua filha Miriam, que ainda não tinha dezoito anos. Raquel era viúva de Samaã al-Râmî, o qual morrera seis anos antes. A justiça humana nunca encontrara o culpado.

Como todas as viúvas libanesas, Raquel se sustentava com o pouco que seu trabalho exaustivo e duro lhe rendia. Na época da colheita, procurava as espigas de trigo abandonadas nos campos e, no outono, coletava os restos de frutos esquecidos nas árvores. No inverno, ela fiava e costurava roupas a troco de umas poucas piastras ou de um saco de trigo. Miriam, a filha, era uma linda donzela e dividia o trabalho com a mãe.

Naquela noite amarga, as duas mulheres estavam sentadas ao fogo atenuado pela geada, cuja brasa estava quase toda enterrada sob as cinzas. Ao lado delas, a luz trêmula de uma lâmpada projetava um reflexo mortiço no coração das trevas, como uma oração que transmite esperanças vãs aos corações dos aflitos.

Era quase meia-noite e o vento sussurrava lá fora. De vez em quando, Miriam se levantava e abria a pequena janela para olhar para o céu nublado; depois, preocupada e assustada com a fúria dos elementos, voltava para seu lugar. De repente, Miriam estremeceu como se algo a tivesse tirado de sua letargia profunda. Ela olhou ansiosamente para a mãe e disse:

– Ouviste, mãe? Ouviste uma voz pedindo ajuda?

A mãe prestou atenção por um momento e disse:

– Não escuto nada; só o vento gemendo, minha filha.

Em seguida, Miriam exclamou:

– Ouvi um grito mais profundo que a trovoada, e mais triste que a tempestade.

Depois de proferir essa frase, ela se levantou, abriu a porta, apurou os ouvidos por um instante, e disse:

– Ouvi de novo, mãe!

Raquel rapidamente caminhou até a porta frágil, e, depois de hesitar por um certo tempo, disse:

– Agora estou ouvindo também. Vamos ver.

A mãe cobriu-se com um manto comprido, abriu mais a porta e saiu com cautela, enquanto Miriam permaneceu no umbral, de frente para o vento que esvoaçava seus longos cabelos.

Depois de andar um trecho abrindo passo na neve, Raquel parou e gritou:

– Quem está chamando? Onde estás?

Não houve resposta. Ela repetiu as mesmas palavras várias vezes, mas nada mais se ouvia além dos trovões. Ela deu um passo à frente com coragem, olhando para os lados. Havia andado alguns passos quando viu algumas pegadas fundas na neve. Ela, então, seguiu as pegadas com receio e, pouco depois, encontrou um corpo caído na neve, como se fosse um remendo num vestido branco. Quando se aproximou e reclinou a cabeça do jovem, pôde sentir o pulso que refletia as batidas fracas de um coração trêmulo e quase sem salvação. Ela virou a cabeça para a cabana e gritou:

– Vem, Miriam, vem ajudar. Encontrei!

Miriam correu pelo rastro da sua mãe na neve, aterrorizada e tremendo de medo. Quando chegou ao local onde estava o corpo inerte, gritou de dor. A sua mãe colocou as mãos sob os braços do jovem, acalmou a filha e disse:

– Ele ainda está vivo; segure nas pontas do manto dele, e me ajude a levá-lo para casa.

Enfrentando o vento forte e a neve pesada, as duas mulheres carregaram o jovem até a cabana. Quando chegaram ao abrigo, colocaram o rapaz perto do fogo. Raquel começou a esfregar-lhe as mãos dormentes, enquanto Miriam secava os cabelos dele com a bainha do vestido. Logo, o jovem começou a se mexer. Pestanejou e suspirou profundamente, levando esperança aos corações daquelas mulheres piedosas. Tiraram-lhe os sapatos e o manto preto. Miriam olhou para a mãe e disse:

– Olha as roupas dele, mãe. Ele usa o hábito dos monges.

Depois de alimentar o fogo com um punhado de galhos secos, Raquel olhou perplexa para a filha e disse:

– Os monges não saem do convento numa noite como esta.

– Ele não tem barba – disse Miriam –; monges usam barbas.

A mãe examinou o moço com olhos cheios de misericórdia e de amor materno. Então, ela se virou para a filha e disse:

– Não importa se ele é um monge ou um criminoso – disse. – Seca bem os pés dele, minha filha.

Raquel abriu um armário, tirou um jarro de vinho e despejou um pouco num pote de barro. Miriam segurou a cabeça do rapaz, enquanto a mãe lhe dava um pouco de vinho para estimular o coração dele. Enquanto bebia o vinho, o jovem abriu os olhos pela primeira vez e deu a suas salvadoras um olhar de gratidão: o olhar de um homem que sente novamente a carícia gentil da vida, depois de ter caído nas garras afiadas da morte; um olhar de esperança, depois de ter visto a esperança morrer. Depois, inclinou a cabeça, e com lábios trêmulos, disse:

– Que Deus vos abençoe!

Raquel descansou a mão no ombro do rapaz e respondeu:

– Acalma-te, irmão. Não te agites para falar. Espera até recuperares as forças.

E Miriam acrescentou:

– Apoia a cabeça nesta almofada, irmão. Vamos levar-te para mais perto do fogo.

Raquel colocou mais vinho no pote e deu-o para ele. Ela, então, olhou para a filha e disse:

– Pendura as roupas dele junto ao fogo para secar.

Tendo cumprido a ordem da mãe, a menina retornou para o lado do jovem e começou a olhá-lo com simpatia, como se quisesse ajudá-lo, transmitindo-lhe todo o calor do seu coração. Raquel trouxe dois pedaços de pão com algumas conservas e frutas secas; e, sentada ao lado dele, começou a alimentá-lo com pequenos pedaços, como uma mãe faz com o filho pequeno. Depois disso, o jovem sentiu-se mais forte; sentou-se no pequeno tapete ao pé da lareira, enquanto as chamas avermelhadas do fogo se refletiam em seu rosto aflito. Os olhos dele iluminaram-se e ele abanou lentamente a cabeça, dizendo:

– A piedade e a crueldade travam uma luta no coração humano como os elementos do céu o fazem nesta noite terrível; mas a piedade vencerá a crueldade, porque é divina, e o terror que domina esta noite morrerá na solidão, ao romper do dia.

O silêncio reinou por um minuto, e então, ele acrescentou com uma voz sussurrante:

– Uma mão humana atirou-me ao desespero, e uma mão humana salvou-me; como é severo, e como é misericordioso o homem!

– Como te atreveste, irmão, a sair do convento numa noite tão terrível, quando nem os animais se atrevem a dar um passo? – perguntou Raquel.

O jovem fechou os olhos como para represar as lágrimas no fundo do coração.

– Os animais vivem nas covas e as aves nos ninhos – ele respondeu –, mas o filho do homem não tem onde pousar a cabeça.

– Isso foi o que Jesus disse sobre si próprio – retrucou Raquel.

O jovem prosseguiu:

– Essa é a resposta para todo homem que deseja seguir o Espírito e a Verdade nesta era de falsidade, hipocrisia e corrupção.

Depois de um momento de reflexão, Raquel disse:

– Mas há muitas celas confortáveis no convento, e os cofres estão cheios de ouro e de todo tipo de provisões. Os galpões do convento transbordam de vitelos e ovelhas... O que te levou a deixar esse paraíso numa noite de morte?

O jovem respirou profundamente e respondeu:

– Deixei aquele lugar porque o odiava.

– Um monge num convento é como um soldado no campo de batalha – respondeu Raquel. – Deve obedecer às ordens dos seus superiores, independentemente da natureza delas. Sei que um homem não pode tornar-se monge sem antes despojar-se dos seus bens, pensamentos, desejos e tudo o que pertence à carne. Mas um bom sacerdote superior não pede a seus monges que façam coisas que não sejam razoáveis. Como poderia o superior de Deir Qijaya pedir a alguém que oferecesse a sua vida à tempestade e à neve?

– Na opinião do superior – disse ele –, um homem não pode tornar-se monge a menos que seja cego e ignorante, surdo e insensível. Deixei o convento porque sou um homem sensível, capaz de ver, sentir e ouvir.

Miriam e Raquel o olharam como se tivessem acabado de descobrir um segredo oculto em seu rosto. Depois de meditar por um segundo, a mãe disse:

– Um homem capaz de ver e ouvir sairia numa noite que cega os olhos e ensurdece os ouvidos?

O jovem declarou com serenidade:

– Fui expulso do convento.

– Expulso! – exclamou Raquel, e Miriam repetiu em uníssono a palavra junto com a mãe.

Ele ergueu o rosto, lamentando as próprias palavras, pois temia que o amor e a bondade que elas haviam demonstrado se transformassem em ódio e desprezo; mas quando olhou para elas, viu que seus olhos ainda emanavam brilhos de misericórdia, e que seus corpos tremiam de ansiedade para entenderem tudo o que se passara. E ele continuou, com uma voz sufocada:

– Sim, fui expulso do convento porque não fui capaz de cavar a minha sepultura com minhas próprias mãos; meu coração estava exausto de mentiras. Fui expulso do convento porque a minha alma se recusou a aproveitar-se do espólio de um povo que se rendeu à ignorância. Fui expulso porque não consegui encontrar paz nas celas confortáveis, erguidas com o dinheiro dos pobres felás. Meu estômago não podia tolerar o pão amassado com as lágrimas dos órfãos. Meus lábios não conseguiam proferir as orações vendidas por ouro e comida às pessoas simples e honestas. Fui expulso do convento como um leproso asqueroso, por tentar lembrar aos monges das regras que os qualificaram para aquela condição.

O silêncio tomou conta do aposento, enquanto Miriam e Raquel repensavam as palavras com os olhos fixos no jovem. Por fim, perguntaram:

– Teus pais ainda vivem?

E ele respondeu:

– Não tenho pai nem mãe, nem lugar para ficar.

Raquel respirou profundamente, e Miriam virou o rosto para a parede para esconder as lágrimas caridosas e piedosas. Como uma flor murcha é trazida à vida pelas gotas de orvalho da aurora nas suas pétalas sedentas, assim o coração ansioso do jovem foi revitalizado pelo afeto e bondade das suas benfeitoras. Olhou para elas como um soldado olha para aqueles que o vêm resgatar das garras do inimigo, e prosseguiu:

– Perdi meus pais antes dos sete anos de idade. O padre da aldeia levou-me a Deir Qijaya e deixou-me ao cuidado dos monges, que estavam felizes por me receber; e ordenaram-me que cuidasse do gado e do rebanho, e que os levasse a pastar todos os dias. No meu aniversário de quinze anos, vestiram-me com este manto preto e levaram-me ao altar, onde o superior se dirigiu a mim com estas palavras: "Juras em nome de Deus e de todos os santos, e prometes levar uma vida virtuosa de pobreza e obediência?". Repeti as palavras até compreender o significado delas e saber o que eles queriam dizer com pobreza, virtude e obediência.

– Meu nome é Calil, e desde então os monges chamavam-me Irmão Bobaarak, embora nunca me tratassem como um irmão. Comiam os pratos mais requintados e bebiam os melhores vinhos, enquanto eu era alimentado com vegetais secos e água, misturados com lágrimas. Descansavam em camas macias, enquanto eu dormia sobre uma prancha num quarto frio e escuro junto ao celeiro. Muitas vezes me perguntava: Quando me tornarei monge e partilharei a prosperidade daqueles afortunados? Quando deixará o meu coração de desejar os pratos que eles provam e o vinho que bebem? Quando deixarei de tremer de medo do meu superior? Mas todas as minhas esperanças eram vãs, pois fui mantido na mesma situação; e além de cuidar do gado, era obrigado a carregar pedras pesadas nos ombros e a cavar covas e valetas. Eu mantinha-me de pé pelos escassos pedaços de pão recebidos em pagamento pelo meu trabalho. Não sabia para qual lado virar-me, e os padres do convento tinham-me induzido a abominar tudo o que eles faziam. Eles tinham envenenado a minha mente até eu começar a pensar que o mundo inteiro era um mar de sofrimentos e miséria, e que o convento era o único porto de salvação. Mas quando descobri a fonte da sua comida e do seu ouro, fiquei contente por não partilhar daquilo.

Calil se recompôs e olhou em volta, como se algo de belo lhe fora revelado naquela cabana miserável. Raquel e Miriam permaneciam em silêncio, e o jovem continuou:

– Deus, que me tirou o pai e me exilou no convento como órfão, não queria que eu desperdiçasse a vida a caminhar cegamente por uma floresta perigosa; nem queria que eu fosse um escravo miserável pelo resto da vida. Deus abriu-me os olhos, apurou-me os ouvidos e desvelou a luz divina que me fez escutar a Verdade quando a Verdade falou.

Raquel pensou em voz alta:

– Há alguma luz, além da luz do sol, que brilhe nas pessoas? Os seres humanos são capazes de entender a Verdade?

– A verdadeira luz é a que emana do homem – começou Calil – e que revela à alma os segredos do coração, tornando-a feliz e satisfeita com a vida. A verdade é como as estrelas: surge apenas da escuridão da noite. A verdade é como todas as coisas belas deste mundo: não revela seus desejos a não ser àqueles que primeiro sentem a influência da falsidade. A verdade é uma senhora generosa, que nos ensina a contentarmo-nos com a nossa vida diária e a partilhar da felicidade com os nossos semelhantes.

– Muitos são aqueles que vivem segundo a bondade – respondeu Raquel –, e muitos são os que acreditam que a compaixão é a sombra da Lei Divina revelada ao homem; no entanto, não desfrutam da vida, pois permanecem infelizes até à morte.

Calil replicou:

– Vãs são as crenças e doutrinas que tornam o homem miserável, e falsa é a bondade que o leva ao sofrimento e ao desespero; pois é destino do homem ser feliz nesta terra, encontrar o caminho da felicidade e pregar a verdade para onde quer que vá. Quem não encontra o reino dos céus nesta vida nunca o encontrará na vida futura. Não somos exilados nesta terra; somos criaturas inocentes de Deus, dispostos a aprender a adorar o Espírito Eterno e Santo, e a descobrir na beleza da vida os segredos que se escondem dentro de nós. Essa é a verdade que aprendi com os ensinamentos do Nazareno. Essa é a luz que surgiu no meu ser mais íntimo e iluminou os cantos escuros do convento que assustavam a minha vida. Esse é o segredo oculto que os campos e vales maravilhosos me revelaram quando tinha fome, sozinho a chorar à sombra das árvores.

– Essa é a religião que o convento deveria difundir, como Deus quis, como Jesus a ensinou. Um dia, quando a minha alma se assegurou das belezas celestiais da Verdade, apresentei-me corajosamente diante dos monges reunidos no jardim e critiquei o comportamento deles, dizendo-lhes: "Por que passais os dias neste lugar e vos contentais com o estado dos pobres, provando o pão que eles amassaram com o suor do rosto e as lágrimas do coração? Por que viveis à sombra do parasitismo, afastados daqueles que precisam de instrução? Por que privais a nação da vossa ajuda? Jesus enviou-vos para serdes cordeiros entre os lobos: o que vos fez lobos entre os cordeiros? Fugis da humanidade e do Deus que vos criou? Se, de fato, sois melhores que aqueles que trilham o caminho da vida, deveis aproximar-vos deles e melhorar suas vidas; mas se pensais que são melhores que vós, deveríeis estar ansiosos por aprender com eles. Por que fazeis votos de pobreza, e depois esqueceis do que prometestes e viveis no luxo? Por que jurais obedecer a Deus, e depois vos revoltais contra tudo o que a religião significa? Por que adotais a virtude como mandamento, quando vossos corações se enchem de pecado? Fingis martirizar os vossos corpos, quando na realidade martirizai as vossas almas. Comprometestes-vos a abjurar das coisas terrenas, mas os vossos corações exalam a ganância. Fazeis vossos semelhantes acreditarem em vós porque vos consideram seus mestres religiosos. Em verdade, sois como o gado que se esquece de aprender, para pastar nos verdes e belos prados. Devolvamos aos necessitados as vastas terras do convento, e devolvamos-lhes a prata e o ouro que lhes roubamos. Abandonemos a nossa reclusão, e sirvamos aos fracos que nos concederam força, e purifiquemos a nação que habitamos. Ensinemos esta miserável nação a sorrir e a desfrutar dos privilégios celestiais, da liberdade e da glória de viver. As lágrimas dos nossos semelhantes são mais belas e mais próximas de Deus do que a paz e tranquilidade a que se habituou neste lugar. A compaixão que toca o coração dos nossos semelhantes é superior à virtude que se esconde nos recantos mais íntimos do convento. Uma palavra de compaixão para o criminoso fraco ou para a prostituta é mais nobre que as orações fúteis e intermináveis que se repetem automaticamente todos os dias no templo".

Nesse ponto da história, Calil suspirou profundamente. Depois, levantou os olhos para Raquel e Miriam e disse:

– Enquanto eu dizia aquelas coisas para os monges, eles me ouviam com perplexidade, como se não pudessem acreditar que um jovem se atreveria a proferir palavras tão ousadas. Quando terminei, um dos monges aproximou-se e me disse com raiva: "Como te atreves a falar assim na nossa presença?". E outro riu-se e acrescentou: "Aprendeste isso com as vacas e os porcos que apascentas nos campos?". E um terceiro levantou-se e ameaçou-me, dizendo: "Vais ser castigado, herege!". Depois dispersaram-se como se estivessem a fugir de um leproso. Alguns queixaram-se ao superior, que me mandou chamar à noite. Os monges alegraram-se antecipadamente com o meu sofrimento, e a alegria brilhou em suas faces quando ordenaram que eu fosse chicoteado e encarcerado durante quarenta dias e quarenta noites. Levaram-me para uma cela escura, onde passei os dias numa cova que não me permitia ver a luz. Não conseguia distinguir o fim da noite do início do dia; não conseguia perceber nada, exceto os insetos que rastejavam debaixo dos meus pés. Não conseguia ouvir nada, a não ser o som dos passos, quando me traziam, depois de longos intervalos, uma crosta de pão e um pouco de água misturada com vinagre.

– Quando saí da prisão, estava fraco e doente, e os monges pensavam que me tinham curado o pensamento e eliminado o desejo de minha alma. Pensavam que a fome e a sede tinham abafado a bondade que Deus havia posto em meu coração. Durante aqueles quarenta dias de solidão, esforcei-me por encontrar um método que ajudasse os monges a ver a luz e a ouvir a verdadeira melodia da vida; mas todas as minhas reflexões foram inúteis, pois o véu espesso que os séculos tinham tecido em seus olhos não poderia ser rasgado em tão pouco tempo; e a argamassa com que a ignorância tinha ensurdecido os seus ouvidos era demasiado sólida, e não poderia ser quebrada pelo toque de dedos suaves.

Houve silêncio por um momento, e depois Miriam olhou para a sua mãe, como se pedisse permissão para falar. Então, ela disse:

– Tu deverias ter falado novamente com os monges, uma vez que eles escolheram uma noite tão terrível para bani-lo do convento. Devem aprender a ser amáveis mesmo para com os inimigos.

– Esta noite – respondeu Calil – enquanto a tempestade trovejante e os elementos ferozes batalhavam no céu, deixei os monges reunidos junto ao fogo, a contar histórias e contos de humor. Ao me verem só, começaram a divertir-se à minha custa. Eu lia os Evangelhos e meditava sobre as belas palavras de Jesus, que me faziam esquecer por um momento da ira da natureza e dos elementos em guerra no céu, quando se aproximaram de mim com a intenção de me ridicularizar. Ignorei-os, tentando ocupar meu pensamento e olhar pela janela; mas eles ficaram furiosos, pois o meu silêncio calou o riso nos seus corações e o sarcasmo nos seus lábios. Um deles disse: "O que lês, ó Grande Reformador?".

Em resposta àquela pergunta, abri o livro e li em voz alta a seguinte passagem:

– "Vendo ele, porém, que muitos fariseus e saduceus vinham ao batismo, disse-lhes: Raça de víboras, quem vos induziu a fugir da ira vindoura? Produzi, pois, frutos dignos de arrependimento; e não comeceis a dizer entre vós mesmos: Temos por pai a Abraão; porque eu vos afirmo que destas pedras Deus pode suscitar filhos a Abraão. Já está posto o machado à raiz das árvores; toda árvore, pois, que não produz bom fruto é cortada e lançada ao fogo." Quando li as frases de João Batista, os monges calaram-se como se uma mão invisível estrangulasse os seus espíritos. No entanto, investiram-se de uma falsa coragem e começaram a rir. Um deles disse: "Lemos essas frases muitas vezes, e não precisamos de um pastor para nos lembrar delas". Então, protestei: "Se tivessem lido essas frases e compreendido o que dizem, os pobres aldeões não morreriam de fome e de frio". Ao dizer isso, um dos monges esbofeteou-me como se eu os tivesse amaldiçoado; outro deu-me um pontapé; um terceiro tirou-me o livro, e um quarto chamou o superior que acorreu apressado, tremendo de raiva. Ele gritou: "Agarrem esse rebelde e lancem-no fora deste lugar sagrado. Deixem que a fúria da tempestade lhe ensine obediência. Expulsem-no daqui, e que a natureza seja um instrumento da vontade Divina. Depois purifiquem as mãos dos germes venenosos da heresia que infectam as suas vestes. E se ele voltar e gritar por perdão, não lhe abram os portões, pois a víbora que foi presa nunca se torna uma pomba, e o arbusto não viceja se plantado numa vinha". A ordem foi prontamente cumprida. Arrastaram-me para fora do convento, enquanto os monges gargalhavam. Antes de fecharem a porta atrás de mim, ouvi um deles dizer: "Ontem eras o rei das vacas e dos porcos; hoje, foste destronado, ó Grande Reformador. Vai agora e firma-te como rei dos lobos, e ensina-lhes a viver nas tocas".

Calil suspirou profundamente, depois virou o rosto para as chamas do fogo. Com voz doce e agradável e um semblante pálido, disse:

— Foi assim que fui expulso do convento, e foi assim que os monges me deixaram nas garras da Morte. Lutei cegamente ao longo da noite escura; o vento forte rasgou meu hábito; a neve acumulada aprisionou os meus pés e continuou a empurrar-me, até que finalmente caí, gritando em desespero. Pensei que ninguém me teria ouvido a não ser a Morte, mas um Poder sábio e misericordioso tinha ouvido o meu chamamento. Esse Poder não queria que eu morresse sem antes saber o que restava dos segredos da vida. Foi esse Poder que vos enviou para salvar minha vida das profundezas do abismo e do nada.

Raquel e Miriam sentiram como se os seus espíritos compreendessem o mistério da alma do jovem, partilhassem os seus sentimentos e o compreendessem. Já não sendo capaz de se conter, Raquel inclinou-se e tocou ternamente a mão do jovem, enquanto as lágrimas dela lhe rolavam pelo rosto. Ela disse:

— Aquele que foi escolhido pelos céus como defensor da Verdade não perecerá nas mãos das tempestades e da neve dos próprios céus.

— A tempestade e a neve podem matar as flores, mas não matam as sementes, pois a neve as protege da geada assassina — acrescentou Miriam.

O rosto de Calil iluminou-se com aquelas palavras de alento.

— Vejo que não me consideram rebelde e herege — disse então. — A injustiça a que fui sujeito no convento é a mesma que sofre uma nação oprimida que ainda não atingiu a maturidade. E esta noite, quando estava à beira da morte, foi como a revolução que antecede a justiça. Do coração de uma mulher sensível, vem a felicidade da humanidade, e da bondade de seu nobre espírito, o afeto que deve reinar entre os homens.

Ele fechou os olhos e deitou-se na almofada; as duas mulheres não o incomodaram mais com a conversa, pois sabiam que a longa exposição aos elementos havia deixado o jovem esgotado. Calil dormiu como uma criança perdida que finalmente encontrara proteção nos braços de sua mãe.

Raquel e a filha dirigiram-se lentamente para a cama, sentaram-se ali e ficaram a observá-lo, como se tivessem encontrado naquele rosto atormentado uma atração que ligava os seus corações ao dele.

— Os olhos dele têm um poder curioso que fala em silêncio e aviva os desejos da alma — sussurrou a mãe.

— As mãos dele são como as de Cristo no templo, mãe — disse Miriam.

— Em seu rosto, se misturam a ternura de uma mulher e a audácia de um homem — respondeu a mãe.

As asas do sono acabaram por levar as mulheres para o mundo dos sonhos.

O fogo reduziu-se a cinzas, e a luz da lâmpada de óleo diminuiu até desaparecer. A tempestade continuava furiosa, e os céus sombrios proviam a neve que o vento espalhava por todos os lados.

IV

Cinco dias se passaram e a neve ainda descia do céu, cobrindo incessantemente montanhas e prados. Calil tentou por três vezes continuar sua viagem até à planície, mas Raquel o deteve em cada uma delas, dizendo:

– Não ofereças tua vida aos elementos cegos, irmão. Fica aqui; o pão que dá para dois também dá para três, e o fogo que ardia antes da tua chegada continuará a arder após a tua partida. Somos pobres, irmão, mas, como o resto da humanidade, vivemos as nossas vidas de frente para o sol, e Deus dá-nos o pão de cada dia.

Miriam suplicava com olhar terno e suspiros profundos, pois desde que o jovem entrara na cabana, sentia na própria alma a presença de um poder divino que enchia seu coração de luz, despertando sentimentos renovados no santuário do seu espírito. Pela primeira vez, experimentou uma sensação que transformou o seu coração numa rosa imaculada que bebe as gotas de orvalho da manhã e exala sua fragrância no vasto firmamento.

Não há afeição mais pura e gentil pelo espírito do que aquela que se oculta no coração de uma donzela, que desperta subitamente com o espírito transbordante da melodia celeste, que transforma os seus dias em sonhos poéticos e enche as suas noites de profecias. Não há segredo mais belo e potente no mistério da vida do que aquele laço que transforma o espírito silencioso de uma virgem na perpétua vigília que nos faz esquecer o passado, pois desperta em nossos corações uma confiança doce e prodigiosa sobre o porvir.

É a simplicidade que distingue as mulheres libanesas das mulheres de qualquer outra nação. As características de sua formação limitam seu progresso educacional e dificultam o seu futuro. É por essa razão, no entanto, que elas se surpreendem amiúde ao explorar as inclinações e mistérios do coração. A jovem libanesa é como uma nascente que se eleva do coração da terra e segue o seu curso através de depressões sinuosas; mas, quando não encontra saída para o mar, transforma-se num lago de águas calmas que refletem na superfície as estrelas cintilantes.

Calil sentiu as vibrações do coração de Miriam ligando-se silenciosamente à alma dele, e sabia que a chama divina que tinha iluminado seu coração também tinha tocado o dela. Pela primeira vez, encheu-se de alegria. Era como um riacho seco que se alegra com a chuva. Mas logo censurou a própria pressa, pensando que aquela realização espiritual desapareceria como uma nuvem quando ele deixasse a aldeia. Ele repetia para si: Que mistério é este que domina uma parte tão importante das nossas vidas? Que Lei é esta que nos atira para um caminho pedregoso e nos detém mesmo antes de chegarmos ao topo da montanha, sorridentes e sublimes, para depois despejar-nos entre dores e gemidos nas profundezas do vale? Que vida é esta que nos abraça hoje como amante e amanhã nos trata como inimigo? Não fui perseguido ontem? Não sobrevivi à fome, à sede, ao sofrimento e ao escárnio por causa da Verdade que os céus revelaram ao meu coração? Não disse aos monges que a felicidade alcançada pelo conhecimento da Verdade é o que revela a vontade e o propósito de Deus? Então, por que este medo? E por que fecho os olhos à luz que emana daquela mulher? Eu sou exilado, e ela é pobre. Mas vive o homem só de pão? Não estamos entre a escassez e a abundância, como as árvores entre o inverno e o verão? O que diria Raquel se soubesse que o meu coração e o coração de sua filha se entendem em silêncio, e se aproximam do círculo da Luz Suprema? O que diria ela se descobrisse que o jovem que ela salvou anseia por adorar a sua filha? O que diriam os simples aldeões se soubessem que um jovem expulso de um convento veio à sua aldeia por necessidade e desejou viver com uma bela donzela? Será que me ouviriam se lhes dissesse que aquele que deixa o convento para viver com eles é como o pássaro que rompe os sórdidos arames da gaiola e foge para a luz da liberdade? O que diria o Xeque Abás se ouvisse a minha história? E o que diriam os padres da aldeia se soubessem a causa do meu banimento?

Assim Calil falava consigo próprio, sentado junto ao fogo e olhando para as chamas, o símbolo do seu amor. E Miriam olhava para ele de vez em quando, lendo o fluxo dos pensamentos do jovem e sentindo a intensidade do amor, mesmo na ausência da palavra.

Uma noite, quando Calil estava próximo à pequena janela que dava para o vale onde as árvores e as rochas pareciam cobertas de mortalhas brancas, Miriam achegou-se e ficou ao lado dele, olhando para o céu. Quando os olhos deles se encontraram, o jovem suspirou profundamente e fechou os olhos, como se a sua alma estivesse a navegar pelo vasto firmamento em busca de uma palavra. Ele descobriu que as palavras eram supérfluas, pois o silêncio falava por elas. Miriam decidiu falar:

– Aonde irás, quando a neve se transformar em riachos e os caminhos secarem?

Ele abriu os olhos, olhando para além da linha do horizonte, e explicou:

– Seguirei o meu caminho para onde quer que me levem o destino e a minha devoção à Verdade.

Miriam suspirou com tristeza.

– Por que não fica aqui e vive conosco? – disse. – És obrigado a ir para outro lugar?

Ele deixou-se levar por essas palavras amáveis e ternas, mas reagiu:

– Os aldeões não aceitariam um monge exilado como eu, e não me permitiriam respirar o ar que respiram, pois pensariam que cada inimigo do convento é um infiel, amaldiçoado por Deus e pelos santos.

Miriam permaneceu em silêncio, pois a verdade que a atormentava impediu-a de falar mais. Depois Calil virou-se e explicou:

– Os que têm autoridade, Miriam, ensinam a esses aldeões a odiar todos os que têm pensamentos próprios; são instruídos a permanecerem afastados daqueles cujas mentes voam livres. Deus não deseja ser louvado pelo imitador ignorante dos outros; se eu ficasse nesta aldeia e pedisse aos seus habitantes para louvar quem quer que seja, diriam de mim que sou um infiel, que ignora a autoridade com que Deus investiu o sacerdote. Se lhes pedisse para ouvirem a voz de seus corações e se comportassem de acordo com os ditames de suas próprias almas, diriam que sou um homem perverso, cujo único propósito é afastá-los do clero que Deus colocou entre o céu e a terra.

Calil olhou fixamente para Miriam e, numa voz que soava como cordas de prata, disse:

– Mas, Miriam, há nesta aldeia um poder mágico que me capturou e tomou conta da minha alma; um poder divino que me fez esquecer das minhas mágoas. Nesta aldeia, vi a face da Morte cara a cara, e neste lugar minh'alma abraçou o espírito de Deus. Há nesta aldeia uma bela flor nascida do solo estéril; a sua beleza atrai o meu coração, e a sua fragrância me domina. Devo abandonar essa flor inestimável e sair para pregar as ideias que causaram a minha expulsão do convento? Ou devo ficar ao lado dessa flor, cavar uma cova e enterrar os meus pensamentos e crenças entre os espinhos ao redor? O que devo fazer, Miriam?

Ao ouvir aquelas palavras, Miriam tremeu como um lírio à brisa do amanhecer. O brilho do coração da jovem fluía através de seus olhos, ao balbuciar:

– Estamos os dois nas mãos de uma força misteriosa e impiedosa. Que seja feita a vontade dela.

Naquele momento, os dois corações se uniram e, pouco depois, seus espíritos fundiram-se numa tocha ardente que iluminava a vida de ambos.

V

Desde o início da criação até aos dias de hoje, certos clãs de riqueza hereditária, em cumplicidade com o clero, constituíram-se como administradores do povo. É uma ferida antiga e profunda no coração da sociedade, que não terá cura enquanto predominar a ignorância.

Aquele que adquire a riqueza por herança, constrói sua mansão com o minguado dinheiro dos pobres. O clérigo ergue seu templo sobre as sepulturas e os ossos de paroquianos devotos. O príncipe algema o camponês, enquanto o sacerdote lhe esvazia os bolsos; o governante vê os filhos dos campos com o cenho franzido, e o bispo conforta-os com um sorriso. E, entre o tigre carrancudo e o lobo sorridente, o rebanho perece. O governante estabelece-se como o mestre das leis, e os sacerdotes como ministros de Deus; e entre eles os corpos são despedaçados, e as almas desaparecem no nada.

No Líbano – essa montanha rica de luz e pobre de conhecimento –, a nobreza e o clero uniram forças para explorar o trabalhador que arava a terra e colhia o trigo, para se proteger da espada do governante e do castigo do padre. O rico libanês tinha orgulho de seu palácio e chamava a multidão para lhes dizer: "O Sultão nomeou-me vosso senhor". E o padre, em pé diante do altar, dizia: "Deus escolheu-me como o guia das vossas almas". Mas os libaneses permaneciam em silêncio, porque os mortos não falam.

O Xeque Abás era amigo dos sacerdotes, pois eram seus aliados na supressão da sabedoria do povo e no reavivamento do espírito de obediência cega entre os camponeses.

Naquela noite, quando Calil e Miriam se aproximaram do trono do Amor, diante dos olhos afetuosos de Raquel, o padre Elias informou ao Xeque Abás que o superior do convento tinha expulsado um jovem rebelde, que encontrara refúgio na casa de Raquel, a viúva de Samaã Rami. O Bispo, insatisfeito com a escassa informação que tinha fornecido ao Xeque, comentou:

– O demônio que expulsamos do convento não poderá tornar-se um anjo nesta aldeia, tal como a árvore cortada e atirada ao fogo não dá frutos enquanto arde. Se quisermos banir os animais e os indesejáveis da aldeia, devemos expulsá-lo, como fizeram os monges.

– Estás certo de que o jovem é má influência para o nosso povo? Não seria melhor mantê-lo e obrigá-lo a trabalhar nas vinhas? Precisamos de homens fortes.

O rosto do padre revelava descontentamento. Ao acariciar a barba com os dedos, disse sorrateiramente:

– Se fosse apto para o trabalho, não teria sido expulso do convento. Um estudante que trabalhava no convento, e que, por acaso, foi meu hóspede ontem à noite, informou-me que esse jovem tinha violado as ordens do superior ao pregar ideias perigosas entre os monges. Ele teria dito a eles: "Devolve aos pobres os campos, e as vinhas, e as riquezas do convento, e espalha-os aos quatro ventos; e ajuda aqueles que não têm instrução. Se o fizeres, farás a vontade do Pai que está no Céu".

Ao ouvir essas palavras, o Xeque Abás levantou-se violentamente e, como um tigre a perseguir a sua vítima, foi à porta e chamou os criados, ordenando-lhes que viessem imediatamente. Apareceram três homens, a quem o Xeque falou:

– Na casa de Raquel, a viúva de Samaã Rami, há um jovem que usa o hábito de monge. Apreendam-no e tragam-no aqui. Se a mulher resistir, agarrem-na pelos cabelos, arrastem-na pela neve e, juntamente com o jovem, tragam-na aqui. Quem ajuda o mal é o próprio mal.

Os homens curvaram-se respeitosamente e apressaram-se em direção à casa de Raquel, enquanto o Xeque e o padre discutiam que tipo de castigo imporiam a Calil e a Raquel.

VI

O dia havia fugido e a noite caiu, cobrindo com sombras as cabanas miseráveis na mata nevada. Por fim, as estrelas povoaram o céu como a esperança na eternidade futura povoa nossa existência depois de termos provado a agonia da morte. As portas e janelas estavam fechadas, mas, no interior, as lâmpadas estavam acesas. Os moradores estavam ao lado do fogo que aquecia seus corpos. Raquel, Miriam e Calil estavam sentados à mesa rústica de madeira, tomando o jantar, quando ouviram uma batida à porta, e três homens entraram. Raquel e Miriam ficaram assustadas, mas Calil permaneceu calmo, como se a chegada dos homens não o tivesse surpreendido. Um dos criados do Xeque caminhou até Calil, colocou as mãos sobre os ombros dele e perguntou:

– És tu o que foi expulso do convento?

– Sou eu sim. O que quereis?

– Temos ordens de prender-te e levar-te diante do Xeque Abás. Se resistires, serás levado arrastado – respondeu o homem.

Raquel ficou pálida e exclamou:

– Que crime ele cometeu, e por que o querem levar atado?

E Miriam, entristecida, interpelou:

– Ele é um só, enquanto vós sois três. É próprio de covardes fazer os outros sofrerem.

O homem se enfezou e gritou:

– Existe alguma mulher nesta aldeia que se oponha às ordens do Xeque?

Dito isso, ele tirou uma corda e começou a atar as mãos de Calil, que ergueu o rosto com um certo orgulho enquanto um sorriso pesaroso parecia desenhar-se em seus lábios, e disse:

– Tenho pena, pois sois um instrumento cego e poderoso nas mãos de um homem que oprime os fracos com a força de vossos braços. Sois escravos da ignorância. Ontem, eu era como vós, e amanhã vós sereis livres como sou agora. Entre nós, existe um abismo profundo que vos torna surdos à minha voz e cegos à minha realidade. Isso vos impede de ver e ouvir. Aqui me tendes; atai minhas mãos e fazei o que vos aprouver.

Os três ficaram movidos por aquelas palavras, que pareciam despertar neles um novo espírito; mas a voz do Xeque Abás ainda ressoava em seus ouvidos, instando-os a completar sua missão. Amarraram as mãos de Calil e, silenciosamente, levaram-no para fora, sentindo peso na consciência. Raquel e Miriam os acompanharam até ao palácio do Xeque, da mesma forma que as filhas de Jerusalém acompanharam Cristo ao Calvário.

VII

As notícias, importantes ou não, espalham-se rapidamente entre os habitantes das pequenas aldeias, pois a distância da sociedade torna-os ansiosos por discutir entre si os acontecimentos dos seus limitados domínios. No Inverno, quando os campos se cobrem de neve e a vida humana se refugia e se abriga junto ao fogo, os aldeões sentem uma necessidade imperiosa de ouvir as últimas notícias para se manterem ocupados.

Pouco depois de Calil ter sido preso, a notícia espalhou-se entre os aldeões como uma epidemia. Deixaram suas cabanas como um exército, vindos de todas as direções para se dirigirem ao palácio do Xeque Abás. Quando Calil entrou no palácio, o lugar já estava cheio de homens, mulheres e crianças ansiosos por espiarem o infiel que fora expulso do convento. Também estavam ansiosos para ver Raquel e a filha, que o tinham ajudado a espalhar a praga diabólica da heresia pelo céu imaculado da aldeia.

O Xeque tomou o lugar principal, e ao seu lado sentou-se o Padre Elias, enquanto a multidão olhava o jovem manietado que se plantava corajosamente diante de seus olhos. Atrás de Calil, estavam Raquel e Miriam, assustadas. Mas que mal pode o medo fazer ao coração de uma mulher que encontrou a Verdade e seguiu-lhe os passos? Que mal pode o desprezo da multidão fazer à alma de uma donzela que foi surpreendida pelo Amor? O Xeque Abás olhou para o jovem e interrogou-o com voz trovejante:

– Como te chamas, homem?

– Meu nome é Calil – respondeu o jovem.

– Quem são teus pais e familiares, e onde nasceste? – perguntou o Xeque.

Calil voltou-se para os felás que o olhavam cheios de ódio, e disse:

– Os pobres e oprimidos são meu clã e minha família. Nasci nesta vasta nação.

O Xeque Abás falou, com um ar de zombaria:

– Aqueles a quem chamas de parentes pedem que sejas castigado; e a nação que proclamaste como tua terra natal opõe-se a que faças parte do seu povo.

– Nações ignorantes castigam seus melhores cidadãos e os entregam aos déspotas; e a nação governada por um tirano persegue aqueles que procuram libertar seu povo das garras da escravidão. Mas será um bom filho capaz de abandonar a mãe doente? Aquele que tem piedade poderá negar o irmão que se encontra na miséria? Aqueles pobres homens que me prenderam e me trouxeram aqui hoje são os mesmos que ontem se submeteram a vós. E esta vasta nação que ignora minha existência é a mesma que se recusa a se abrir para engolir os déspotas e os aproveitadores.

O Xeque deu um riso agudo, para ridicularizar o jovem e impedi-lo de influenciar a multidão. Voltou-se para Calil e disse, tentando impressionar:

– Ah, cuidador de rebanho, tu pensas que seremos mais indulgentes do que os monges que te expulsaram do convento? Achas que teremos pena de um agitador perigoso?

– É verdade que cuidava do rebanho, mas estou feliz por não ser açougueiro. Conduzi meus rebanhos para os prados ricos e nunca apascentei em terra estéril. Levei-o para beber nas fontes mais claras e nunca nos paludes infectados. Ao anoitecer, regressavam em segurança para os estábulos; nunca os deixei nos vales para caírem presas de lobos. Foi dessa forma que tratei os animais; e se tivessem seguido o meu exemplo e tratado os seres humanos como eu tratei os meus rebanhos, estas pobres pessoas não viveriam em choças nem sofreriam os tormentos da pobreza, enquanto vocês vivem como Nero nesta mansão soberba.

A testa do Xeque brilhava com gotas de suor; seu aborrecimento transformou-se em cólera; mas ele se esforçou para manter a calma, fingindo não dar importância às palavras de Calil. Apontando para ele, então, exclamou:

– És um herege, e não vamos ouvir as tuas palavras ridículas. Foste trazido para seres julgado como criminoso, e aqui estás na presença do Mestre desta aldeia, investido como representante de Sua Excelência o Emir Amin Xehábi. Estás perante o Padre Elias, ministro da Santa Igreja a cujos ensinamentos te opões. Agora, defende-te ou ajoelha-te perante estas pessoas e serás perdoado; e serás nomeado cuidador de rebanho, como eras quando estiveste no convento.

– Um criminoso não pode ser julgado por outro criminoso – respondeu Calil calmamente –, tal como um ateu não se pode defender contra os pecadores.

Calil olhou para a multidão e disse:

– Irmãos, o homem a quem chamais Senhor dos vossos campos, e a quem há muito sois sujeitos, trouxe-me para julgar-me neste edifício construído sobre os túmulos dos vossos antepassados. E aquele que se tornou o pastor da vossa igreja por meio da vossa fé, veio para me julgar; e para vos ajudar a humilhar-me, e aumentar meus sofrimentos. Apressastes-vos para vir a este lugar e me ver sofrer, e implorar por misericórdia. Deixastes vossas casas para verdes vosso filho e irmão manietado. Viestes ver a presa tremer nas garras de uma besta feroz. Viestes aqui esta noite para vos alegrardes com o infiel que se apresenta perante os juízes. Eu sou o criminoso e o herege expulso do convento. A tempestade trouxe-me à vossa aldeia. Escutai a minha defesa, e não sejais piedosos, mas justos; pois a piedade é concedida ao criminoso, enquanto a justiça é a recompensa dos inocentes.

– Eu vos escolho agora para serdes meus juízes, pois a vontade do povo é a vontade de Deus. Que os vossos corações despertem e que ouçais com atenção, e depois me processai de acordo com a vossa consciência. Foi-vos dito que sou um infiel, mas não vos foi dito de que crime e pecado me culpam. Vós me vistes preso como um ladrão, mas meus delitos não foram revelados nesta corte, ainda que ela tenha pressa em me punir. Meu crime, caros compatriotas, é ter compreendido a vossa desgraça, pois senti na carne o peso das correntes que vos oprimem. Meu pecado é a tristeza sincera pelas vossas mulheres; é a compaixão pelos vossos filhos, que bebem a vida de vossos seios misturada com a sombra da morte. Sou um de vós, e os meus antepassados habitaram estes vales e morreram sob o mesmo jugo que agora pesa sobre as vossas cabeças. Acredito em Deus, que ouve o grito das almas enlutadas, e acredito nas Escrituras que nos tornam irmãos diante do céu. Acredito nos ensinamentos que nos tornam iguais e nos deixam em liberdade na terra, onde o Senhor caminha com cuidado.

– Eu cuidava do gado do convento, mas nunca estive cego à condição de sofrimento que suportais; ouvi o grito de desespero que vinha das vossas humildes habitações: o grito das almas oprimidas, o grito dos corações ultrajados e aprisionados nos vossos corpos como escravos do senhor destes campos. Eu me encontrava no convento, e vós nos campos, e vos via como um rebanho de cordeiros a perseguir o lobo até à toca; e, quando parei no meio da estrada para ajudar as ovelhas, clamei por ajuda, mas o lobo atacou-me com suas presas afiadas.

– Sobrevivi à prisão, à fome e à sede pela verdade que só magoa o corpo. Sofri o indizível, porque transformei os vossos gemidos numa voz enérgica que, ao ecoar, sacudia as paredes do convento.

– Nunca senti medo nem cansaço, porque o vosso grito doloroso injetava nova força no meu coração todos os dias, rejuvenescendo-o. Podeis perguntar: "Quem entre nós alguma vez pediu ajuda, e quem se atreve a levantar a voz?". Mas digo-vos que as vossas almas gemem todos os dias e todas as noites, mesmo que a não ouçais, pois aqueles que estão para morrer não podem ouvir a queixa do coração; mas são ouvidos por aqueles que estão ao lado. A ave mutilada, apesar dos esforços, dança dolorosamente sem saber por quê, mas as testemunhas dessa dança conhecem a origem disso. A que horas do dia suspirais dolorosamente?

De manhã, quando o amor à vida, rasgando o véu que cobre os vossos olhos, vos chama para conduzir-vos aos campos como escravos? Ao meio-dia, quando desejais sentar-vos à sombra das árvores para vos protegerdes do sol escaldante? Ou será ao anoitecer, quando regressais com fome para vossas casas, ansiosos por um prato de comida que vos sustente, mas tudo o que tendes são um pequeno bocado e água turva? Ou à noite, quando a fadiga vos atira numa cama dura, e quando o cansaço vos fecha as pálpebras, logo vos levantais, temendo que a voz do Xeque ressoe nos vossos ouvidos? Em que época do ano não lamentais a sorte? Na primavera, quando a natureza se veste lindamente, e ides ao encontro dela em andrajos? No verão, quando colheis trigo e juntais as espigas de cereais para encher os celeiros de vosso senhor, e tudo o que recebeis em troca são o feno e a palha? Ou será no outono, quando recolheis as frutas e levais as uvas para o lagar, a troco de um jarro de vinagre e um saco de cascas? Ou no inverno, quando, confinados a vossas cabanas enterradas na neve, sentais junto ao fogo e tremeis quando o céu furioso vos sujeita além do limite das vossas mentes fracas?

– Essa é a vida dos pobres; esse é o grito perpétuo que ouço. Isso é o que leva o meu espírito a revoltar-se contra os opressores e a desprezar sua conduta. Quando pedi aos monges que tivessem pena de vós, julgaram-me como ateu e responderam-me com a expulsão. Hoje, vim aqui para partilhar convosco essa vida de miséria, e para misturar as minhas lágrimas com as vossas. Aqui estou eu, nas garras do vosso pior inimigo. Haveis reparado que esta terra em que trabalhais como escravos foi retirada dos vossos pais, quando as leis foram escritas pelo fio da espada? Os monges enganaram os vossos antepassados e roubaram-lhes os campos, e as vinhas quando as leis religiosas foram ditadas pelos sacerdotes. Que homem ou mulher não está sob as ordens do Senhor dos campos que lhes ordena que façam a vontade dos sacerdotes? Deus disse: "No suor do rosto, comerás o teu pão".

– Mas o Xeque Abás come o pão assado no trabalho dos anos de vossas vidas, e bebe o vinho que contém as vossas lágrimas. Deus escolheu este homem dentre vós enquanto ele se encontrava ainda no ventre de sua mãe? Ou foram os vossos pecados que vos converteram em propriedade dele? "De graça recebestes, de graça dai." Ora, que desígnios permitem aos padres vender as suas orações por ouro e prata? No silêncio da noite, reza-se dizendo: "O pão nosso de cada dia". Deus vos deu esta terra da qual tirais o vosso pão de cada dia, mas com que autoridade Ele investiu os monges para vos roubar essa terra e esse pão?

– Amaldiçoais a Judas porque ele vendeu seu Mestre por umas poucas moedas, mas abençoais aqueles que o vendem todos os dias. Judas arrependeu-se e enforcou-se pelo seu crime, mas esses sacerdotes se erguem orgulhosos, vestindo belos ornamentos que brilham com cruzes penduradas no peito. Ensinais os vossos filhos a amar a Cristo, e ao mesmo tempo os instruís a obedecerem àqueles que se opõem aos ensinamentos e às leis de Cristo?

– Os apóstolos de Cristo foram apedrejados para vos avivarem no Espírito Santo, mas os monges e padres matam esse espírito em vós para viverem à custa da vossa miséria. O que vos convenceu a viver neste Universo uma vida tão cheia de miséria e opressão? O que vos impele a se curvarem perante esse ídolo terrível que foi erigido sobre os cadáveres dos vossos pais? Que tesouros reservam para a vossa posteridade?

– Vossas almas estão à mercê dos sacerdotes, e os vossos corpos estão presos nas garras dos governantes. A que podeis apontar na vida e dizer "isto é meu"? Caros compatriotas, conheceis o padre que temem? É um traidor que usa as Escrituras como ameaça para tomar o vosso dinheiro... um hipócrita que carrega uma cruz e a usa como espada para cortar as vossas veias... um lobo disfarçado de cordeiro... um glutão que adora mesas em vez de altares... uma criatura sedenta de riqueza, capaz de seguir o dinheiro até às regiões mais remotas... um ladrão que rouba viúvas e órfãos. É uma criatura estranha, com o bico de uma águia, as garras de um tigre, os dentes de uma hiena e a pele de uma víbora. Tomai-lhe o Livro e rasgai-lhe as vestimentas; arrancai-lhe a barba e fazei com ele o que quiserdes; depois, dai-lhe uma moeda e ele vos perdoará sorrindo.

– Batei nele, cuspi nele, pisai no pescoço dele; depois, convidai-o para sentar-se a bordo do vosso barco. Ele se esquecerá imediatamente das vossas queixas, desatará o cinto e encherá a pança com a vossa comida.

– Amaldiçoai-o e ridicularizai-o; depois, dai-lhe um jarro de vinho e um cesto de frutas. Ele se esquecerá dos vossos pecados. Quando vê uma mulher, vira-se e diz: "Afasta-te de mim, ó filha de Babilônia"; e, depois, sussurra: "O casamento é melhor que a cobiça". Quando vê os jovens que acompanham a procissão do Amor, levanta os olhos para o céu e diz: "Vaidade das vaidades, tudo é vaidade". E, na solidão, fala consigo mesmo dizendo: "Que as leis e tradições que me privam da sorte da vida sejam abolidas!".

– Ele prega entre o povo dizendo: "Não julgueis para que não sejais julgados!". Mas ele julga todos aqueles que abominam as suas ações, e os envia para o inferno antes que a morte os separe da vida.

– Quando ele fala, levanta os olhos para o céu; mas, ao mesmo tempo, seus pensamentos rastejam como víboras atrás de vossos bolsos.

– Ele se dirige a vossos queridos filhos, mas em seu coração não existe amor paterno; seus lábios jamais sorriem para um menino, nem seus braços jamais seguraram uma criança.

– Ele diz, enquanto balança a cabeça: "Desprendamo-nos das coisas terrenas, pois a vida é efêmera como as nuvens!". Mas se observardes atentamente, vereis que ele se aferra com energia à vida, lamentando o passado fugaz, condenando o presente veloz e aguardando com medo o porvir.

– Ele vos incita a serdes caridosos, ao mesmo tempo em que se cobre de riquezas. Se atenderdes ao pedido dele, ele vos abençoará em público; mas se recusardes, vos condenará em segredo.

– No templo, pede que ajudeis os necessitados, enquanto os necessitados rondam famintos sua casa, ainda que ele não possa vê-los nem ouvi-los.

– Ele vende suas orações, e aquele que não as compra é um descrente, alijado do Paraíso.

– Essa é a criatura a quem temeis. Esse é o monge que extrai o vosso sangue. Esse é o sacerdote que se persigna com a destra e os enforca com a esquerda.

– Esse é o pastor que concebeis como vosso servo, mas que se ergue como vosso amo.

– Essa é a sombra que rodeia vossas almas desde o nascimento até à morte.

– Esse é o homem que veio para julgar-me esta noite, pois meu espírito se rebelou contra os inimigos de Jesus de Nazaré, aquele que amou a todos nós e nos chamou de irmãos, e que morreu por nós na cruz.

Calil sentiu que os corações dos aldeões o haviam entendido; a sua voz era clara e ele voltou a falar, dizendo:

– Irmãos, sabeis bem que o Xeque Abás é o Mestre desta aldeia, reconhecido pelo Emir Xehábi, o representante do Sultão e Governador da Província; mas pergunto-vos se algum de vós viu o poder que fez do Sultão o deus da nação. Esse poder, meus compatriotas, não pode ser visto, nem ouvido; mas podeis perceber a presença dele no fundo dos vossos corações. É esse poder que louvais e honrais todos os dias, dizendo: "Pai nosso que estás nos céus". Sim, é o vosso Pai, que está nos céus, que nomeou reis e príncipes, pois Ele é o Todo-Poderoso. Mas pensais que o vosso Pai, que vos ama e vos guia por meio dos Seus profetas no caminho divino, deseja que sejais oprimidos? Pensais que Deus, que fez brotar a chuva dos céus e o trigo das sementes escondidas no centro da terra, deseja que sofra o homem para que outro homem se alegre com a Sua bondade? Pensais que o Espírito Eterno, que vos revela o amor das esposas, a tristeza dos filhos e a misericórdia dos nossos semelhantes, teria sido capaz de coroar um tirano para vos escravizar por toda a vida? Acreditais que a Lei Eterna, que embeleza a vida, vos enviaria a um homem que vos negaria essa felicidade e vos conduziria até às antecâmaras escuras da morte? Acreditais que a força física, com que a natureza vos dotou, transcende os vossos corpos para pertencerdes aos ricos? Não acreditai nessas coisas; pois, se o fizerdes, estareis a negar a justiça de Deus, que fez a todos iguais; e a luz da Verdade que brilha sobre todos os habitantes da terra. O que vos fez lutar contra vós próprios, coração contra alma, e ajudar aqueles que vos escravizaram, se Deus vos fez livres nesta terra?

– É possível fazer justiça quando se levanta os olhos para Deus Todo-Poderoso chamando-o de Pai, para depois virar o rosto e prostrar-se diante de um homem a quem chamais de Senhor?

– Estais contentes, filhos de Deus, por serdes escravos do homem? Acaso Cristo não vos chamou de irmãos? No entanto, o Xeque Abás vos chama de servos. Jesus não vos criou livres no Espírito e na Verdade? No entanto, o Emir vos fez escravos da corrupção e da vergonha. Cristo não vos glorificou para que entrásseis no reino dos céus? Então, por que desceis ao inferno? Ele não iluminou os vossos corações? Então, por que ocultais as vossas almas na escuridão? Deus colocou nos vossos corações uma chama ardente que brilha com beleza e sabedoria, e procura os segredos das noites e dos dias; é um pecado extinguir essa chama e enterrá-la sob as cinzas. Deus dotou os vossos espíritos de asas para voarem através do vasto firmamento do Amor e da Liberdade; é doloroso que mutileis as asas com as vossas próprias mãos, e que os vossos espíritos sofram para se arrastarem como insetos sobre a terra.

O Xeque Abás observava consternado os aldeões mudos. Procurou interromper Calil, mas ele, inspirado, continuava:

– Deus semeou em vossos corações a semente da Felicidade; é um crime arrancar essa semente e atirá-la impiedosamente sobre as rochas, para que o vento a espalhe e os pássaros a apanhem. Deus deu-vos filhos para que os possais educar, ensinar-lhes a verdade e encher os seus corações do que há de mais precioso. Ele gostaria que lhes legásseis a felicidade e a bondade da Vida. Por que são tratados como estrangeiros no lugar onde nasceram, e como criaturas entorpecidas perante a face do Sol? Um pai que faz de seu filho um escravo é um pai que dá ao filho uma pedra quando pede pão. Não vedes como as aves do ar ensinam os filhos a voar? Por que então ensinais os vossos filhos a arrastar as correntes da escravidão? Não vedes como as flores dos vales depositam suas sementes na terra banhada pelo Sol? Por que então confinais vossos filhos à fria escuridão?

O silêncio reinou por um momento, e parecia que a mente de Calil estava povoada de pesar. Mas, dessa vez, numa voz fraca e convincente, ele continuou:

– As palavras que pronuncio esta noite são as mesmas palavras que causaram a minha expulsão do convento. Se o senhor dos vossos campos e o pastor da vossa igreja me apanharem e me matarem esta noite, eu morrerei em paz e feliz, por ter cumprido a minha missão e por ter-vos revelado a Verdade que os demônios consideram um crime. Cumpro agora a vontade de Deus Todo-Poderoso.

Havia na voz de Calil uma mensagem mágica que atraía o interesse dos aldeões. A doçura de suas palavras comoveu as mulheres, que passaram a considerá-lo o mensageiro da paz, e olhos delas se encheram de lágrimas.

O Xeque Abás e o Padre Elias estremeciam de raiva. Ao final, Calil deu alguns passos e se aproximou de Raquel e Miriam. O silêncio havia dominado a corte, e parecia que o espírito de Calil tinha conquistado o vasto recinto, libertando as almas da multidão de todo o medo que fora incutido pelo Xeque Abás e pelo Padre Elias – que agora estavam tremendo de culpa e de perplexidade. O Xeque levantou-se de repente, e os aldeões podiam ver a palidez em seu rosto. Dirigindo-se aos homens ao redor, disse:

– O que é feito de vós, cães? O vosso coração foi envenenado? O vosso sangue deixou de circular e enfraqueceu-vos para que não possais saltar sobre este criminoso e desfazê-lo em pedaços? Que encantamento é esse que ele lançou sobre vós?

Quando terminou de repreendê-los, ergueu a espada e correu na direção do jovem acorrentado; mas um aldeão robusto o deteve, segurou-o firmemente pelas mãos e disse:

– Guarda tua espada, Senhor, pois quem empunha a espada para matar será morto por ela.

O Xeque estremeceu visivelmente, e a espada lhe caiu das mãos. Voltando-se para o homem, ele disse:

– Como ousa um infeliz como tu opor-se ao seu Senhor e benfeitor?

O homem respondeu:

– O servo fiel não ajuda o seu Senhor a cometer crimes. Esse jovem nada mais disse do que a verdade.

Outro homem, adiantou-se e disse:

– Este homem é inocente e digno, de honra e respeito.

E uma mulher disse em voz alta:

– Ele não amaldiçoou Deus nem os santos. Por que o chamais de herege?

Raquel, por sua vez, perguntou:

– Que crime cometeu ele?

– És uma rebelde, viúva miserável – gritou o Xeque. – Tu te esqueceste do destino do teu marido que se rebelou seis anos atrás?

Ao ouvir aquilo, Raquel estremeceu de desgosto e de raiva, pois finalmente havia encontrado o assassino de seu marido. Ela sufocou as lágrimas e, olhando para a multidão, gritou:

– Eis aqui o criminoso que tento encontrar há seis anos; ouvimo-lo agora confessar a sua culpa! Ele é o assassino que escondeu o seu crime. Olhai para ele, e lede os seus pensamentos; estudai-o e observai o seu terror; ele treme como a última folha de uma árvore no inverno. Deus mostrou-vos que o Senhor que sempre temestes é um criminoso sangrento. Ele fez de mim uma viúva entre estas mulheres, e da minha filha uma órfã entre estas crianças.

As palavras de Raquel atingiram o coração do Xeque como um trovão, e o rugido dos homens e a exultação das mulheres caíram-lhe em cima como labaredas de fogo.

O padre ajudou o Xeque a voltar ao assento. Depois, chamou os criados e lhes ordenou:

– Prendam esta mulher que acusa falsamente o seu Senhor de ter-lhe matado o marido; joguem este jovem numa prisão escura, e quem se opuser será considerado um criminoso, e, como este jovem, excomungado da Santa Igreja.

Os criados imóveis olhavam fixamente para Calil, que ainda estava algemado. Raquel ficou à direita de Calil, e Miriam, à esquerda, como um par de asas prontas a voar pelos vastos céus da Liberdade. Com a barba a tremer de raiva, o Padre Elias disse:

– Renegais o vosso Senhor por causa de um criminoso descrente e de uma adúltera sem vergonha?

E o mais velho dos criados respondeu-lhe:

– Temos servido o Xeque Abás durante muito tempo em troca de comida e proteção, mas nunca fomos seus escravos.

Depois de dizer aquilo, o criado tirou suas vestes e o turbante, atirou-os aos pés do Xeque e acrescentou:

– Eu nunca mais precisarei destas roupas, nem desejo que a minha alma sofra na morada perversa de um criminoso.

E todos os criados fizeram o mesmo e juntaram-se à multidão, cujo rosto irradiava alegria, um símbolo de Liberdade e Verdade. O Padre Elias viu que a sua autoridade tinha finalmente enfraquecido, e deixou o palácio amaldiçoando a hora em que Calil aparecera na aldeia. Um homem forte correu para desatar as mãos de Calil; olhou para o Xeque, que tinha desabado como um cadáver em seu assento, e dirigiu-se a ele nestes termos:

– Este jovem manietado, que aqui trouxeste e julgaste como criminoso, elevou o nosso espírito e iluminou os nossos corações com o espírito da Verdade e do Conhecimento. E esta pobre viúva, a quem o Padre Elias chamou de falsa acusadora, revelou-nos o crime que cometeste há seis anos. Viemos aqui esta noite para testemunhar o julgamento de uma alma nobre e inocente. Agora, o céu abriu os nossos olhos e mostrou-nos as atrocidades que cometeste. Vamos abandonar-te, ignorar-te e deixar que o céu faça a sua vontade.

Muitas vozes se ergueram no salão, e ouve-se um homem dizendo:

– Deixemos este lugar pérfido e regressemos às nossas casas.

E outro disse:

– Acompanhemos este jovem até à casa de Raquel, e ouçamos suas sábias palavras e imensa sabedoria.

E um terceiro disse:

– Busquemos o seu conselho, pois ele conhece nossas necessidades.

E um quarto gritou:

– Se queremos justiça, devemos ir até ao Emir e acusar Abás do crime que ele cometeu.

E muitos exclamaram:

– Peçamos ao Emir que nomeie Calil nosso Senhor e Mestre, e digamos ao Bispo que o Padre Elias era cúmplice do Xeque.

Enquanto as vozes se elevavam e caíam nos ouvidos do Xeque como flechas afiadas, Calil levantou a mão e tranquilizou os aldeões, dizendo-lhes:

– Irmãos, não tenhais pressa; ouvi e ponderai. Peço-vos, em nome do amor e da amizade que nos une, que não vades perante o Emir, pois não encontrareis justiça. Lembrai-vos de que um animal feroz não morde o seu igual; nem deveis ir perante o bispo, pois ele sabe bem que uma casa que está rachada acaba por ruir. Não peçais ao Emir para nomear-me senhor desta aldeia, pois o servo fiel não serve o Senhor impiedoso. Se sou digno do vosso amor e amizade, deixai-me viver entre vós e partilhar convosco a felicidade e as tristezas desta Vida. Demos as mãos, e trabalhemos juntos no campo e em casa; pois se eu não pudesse ser um de vós, seria um hipócrita que não vive de acordo com o que prega. E agora, enquanto o machado é lançado nas raízes da árvore, deixemos o Xeque Abás perante o tribunal da sua consciência e perante o Supremo Tribunal de Deus, cujo sol brilha tanto sobre os inocentes como sobre os criminosos.

Depois de dizer aquelas palavras, ele deixou o lugar, e a multidão o seguiu como se uma força divina nele atraísse o coração daquela gente. O Xeque ficou sozinho em meio ao silêncio esmagador, como uma torre em ruínas, sofrendo calmamente a sua derrota. Quando a multidão chegou ao adro iluminado pela lua escondida nas nuvens, Calil olhou carinhosamente para o povo como um bom pastor que cuida do rebanho. Movido pela compaixão por aqueles aldeões que simbolizavam uma nação oprimida, sentiu-se como o profeta que vê as nações do Oriente a atravessar aqueles vales e a arrastar almas vazias e corações tristes. Ele levantou as mãos para o céu e disse:

– Do fundo destes abismos, invocamos-te, ó Liberdade! Escutai a nossa voz! Da escuridão, estendemos as mãos para ti, ó Liberdade! Olhai por nós! Desde os montes nevados, nós te glorificamos e cremos em ti, ó Liberdade! Tem piedade de nós! Diante do teu glorioso trono, estamos de pé, vestindo as roupas manchadas com o sangue dos nossos antepassados; cobrindo a cabeça com o pó dos túmulos misturado seus restos mortais; empunhando a espada que perfurou os seus corações; erguendo as hastas que atravessaram seus corpos; arrastando as correntes que detiveram seus passos; pronunciando o grito que lhes feriu a garganta; lamentando e repercutindo o canto de nossa derrota, que ecoou nas paredes da prisão; e repetindo as orações que vieram do coração dos nossos pais. Ouve-nos, ó Liberdade! Do Nilo ao Eufrates, espalha o pranto das almas sofredoras, unidas ao grito dos abismos; e dos confins do Oriente às montanhas do Líbano, os povos estendem-te as mãos trêmulas na presença da Morte. Das margens do mar até aos confins do Deserto, olhos cheios de lágrimas olham para ti; vem, ó Liberdade, e salva-nos!

– Nas cabanas miseráveis, nós, imersos na sombra da pobreza e da opressão, batemos no peito clamando misericórdia; aqui estamos, ó Liberdade, tem piedade de nós. Das estradas e das casas maltratadas, os jovens clamam por ti; nas igrejas e mesquitas, o Livro esquecido volta-se para ti; nos tribunais e palácios, as leis desprezadas apelam ao teu juízo. Tem piedade de nós, ó Liberdade, e nos salva. Nas nossas ruas estreitas, o comerciante vende os seus dias para ganhar o tributo dos ladrões exploradores do Ocidente, mas ninguém o alerta. Nos campos estéreis, os trabalhadores lavram a terra, plantam as sementes dos seus corações e regam-nas com lágrimas, mas não colhem senão espinhos, e ninguém lhes ensina o verdadeiro caminho. Através das nossas planícies estéreis, o felá perambula descalço e faminto, mas ninguém tem piedade dele; fala, ó Liberdade, e ensina-nos! Nossas ovelhas doentes pastam nos prados sem pasto; nossos bezerros roem as raízes das árvores; e os nossos cavalos alimentam-se nos campos secos. Vem, ó Liberdade, e ajuda-nos. Desde o início dos tempos, vivemos na escuridão, e somos levados como prisioneiros de cela em cela, enquanto o tempo zomba da nossa condição. Quando chegará a aurora? Por quanto tempo iremos suportar o desprezo das eras? Muitas pedras que carregamos e muitas correntes prenderam-nos o pescoço. Por quanto tempo iremos suportar esse ultraje humano? A escravidão do Egito, o exílio da Babilônia, a tirania da Pérsia, o despotismo de Roma, a ganância da Europa… por tudo isso, sofremos. Para onde vamos agora, e quando chegaremos aos extremos sublimes deste caminho pedregoso? Das garras de Faraó às garras de Nabucodonosor, às mãos de ferro de Alexandre, à espada de Herodes, ao tacão de Nero, às presas afiadas do diabo… em cujas mãos devemos cair agora; e, quando virá a Morte para nos levar ao descanso final?

– Com a força de nossos braços, erigimos os pilares do templo, e nas nossas costas carregamos a argamassa com que erguemos as grandes muralhas e as pirâmides inexpugnáveis no altar da glória. Por quanto tempo continuaremos a construir palácios tão magníficos e a viver em cabanas tão miseráveis? Por quanto tempo continuaremos a encher os celeiros dos ricos com provisões, enquanto nos contentamos com um pasto miserável? Por quanto tempo continuaremos a fiar a lã e a seda dos nossos senhores, enquanto não vestimos nada mais do que trapos e remendos?

– Fomos divididos pela perversidade dos poderosos. Para permanecerem no trono e ficarem em paz, armaram os drusos contra os árabes, empurraram os sunitas contra os xiitas, e levaram os maometanos a lutar contra os cristãos. Por quanto tempo ainda levarão irmãos a matar irmãos? Quanto tempo ficará a Cruz afastada do Crescente no reino de Deus? Ó Liberdade, ouve-nos, e fala em nome de uma única criatura; pois um grande fogo é aceso por uma única centelha. Ó Liberdade, basta despertar um único coração com o sussurro das suas asas, pois de uma única nuvem surge o relâmpago que ilumina as profundezas dos vales e o alto das montanhas. Com o teu poder, dispersa essas nuvens negras e desce como um trovão, para destruir os impérios que foram erguidos sobre os ossos e os crânios dos nossos antepassados.

– Escutai-nos, ó Liberdade!

– Tende piedade de nós, ó Filha de Atenas!
– Salvai-nos, ó Irmã de Roma!
– Aconselhai-nos, ó Companheira de Moisés!
– Auxiliai-nos, ó Amada de Maomé!
– Ensinai-nos, ó Noiva de Jesus!
– Fortalecei os nossos corações para que possamos viver, ou endurece nossos inimigos para que pereçamos e encontremos a paz eterna.

Enquanto Calil declarava o que sentia diante do céu, os aldeões observavam-no com respeito, e o amor deles se elevava em uníssono com a melodia da voz de Calil, até ao ponto de sentirem que ela começava a fazer parte dos seus corações. Depois de uma breve pausa, Calil virou os olhos para a multidão e disse calmamente:

– A noite nos levou até à mansão do Xeque Abás, para que pudéssemos descobrir a luz do dia; a opressão apoderou-se de nós no espaço frio, para que compreendêssemos uns aos outros e nos reuníssemos como filhotes sob as asas do Espírito Eterno. Regressemos agora para nossas casas, e durmamos até que a luz do novo dia nos veja reunidos.

Dito isso, foi-se embora, seguindo Raquel e Miriam de volta para a modesta cabana em que viviam. A multidão dispersou-se e cada um foi para sua casa, meditando sobre o que tinham visto e ouvido naquela noite memorável. Sentiram a tocha flamejante de um novo espírito iluminando o deles próprios e os conduzindo no longo caminho da verdade. Uma hora depois, todas as luzes se apagaram e o silêncio envolveu a aldeia, enquanto a letargia levava a alma dos trabalhadores para o mundo dos sonhos; mas o Xeque Abás não conseguiu dormir por toda a noite, pois permaneceu a observar os fantasmas das trevas e a procissão dos terríveis espectros dos seus crimes.

VIII

Dois meses se passaram e Calil ainda pregava e derramava seus sentimentos sobre o coração dos aldeões, lembrando a eles os direitos que lhes foram usurpados e mostrando-lhes a cobiça e a opressão dos governantes e dos monges. Eles o ouviam com atenção, pois ele era fonte de prazer; suas palavras caíam sobre o coração daquela gente como a chuva em terra sedenta. Quando ficavam sós, repetiam aquelas palavras como se fossem suas preces diárias. O Padre Elias passou a bajulá-los com o propósito de recuperar a amizade deles: tornara-se dócil desde que os aldeões entenderam que ele era cúmplice dos crimes do Xeque e passaram a ignorá-lo.

O Xeque Abás tivera um colapso nervoso, e caminhava ao longo de seu palácio como um tigre enjaulado. Ele dava ordens a seus servos, mas ninguém respondia – a não ser o eco de sua própria voz. Gritava para seus homens, mas ninguém acorria; exceto sua esposa, que sofria a mesma crueldade com que ele sempre tratara seu povo. Quando chegou a quaresma e o céu anunciava o começo da primavera, os dias do Xeque expiraram junto com o inverno. Morreu depois de uma longa agonia, e sua alma foi levada no tapete de seus feitos para ser apresentada nua diante do Trono Supremo, cuja existência ele sentia mas não podia ver.

Os felás ouviram diversas histórias sobre como o Xeque Abás morrera. Algumas delas diziam que o Xeque morreu louco; outras, que a frustração e o desespero o levaram a tirar a própria vida. Mas as mulheres, que foram enviadas para oferecer simpatia à viúva, relataram que ele morrera de medo, pois via-se assombrado pelo fantasma de Samaã Rami, que o levava todas as noites até o local onde o cadáver do marido de Raquel fora encontrado seis anos antes.

O mês de Nisã revelou aos aldeões os segredos de amor de Calil e Miriam. Eles se alegraram com as boas-novas de que doravante Calil permaneceria na aldeia. A notícia chegou a todos os habitantes das cabanas, e eles se alegraram porque teriam Calil como vizinho.

Quando chegou a época da colheita, os felás foram aos campos e colheram as espigas de cereais e os feixes de trigo para o moinho. O Xeque Abás não estava lá para tomar a colheita e levá-la para seus celeiros. Cada felá colhia o que semeava. Nas cabanas dos aldeãos, abundava o bom vinho e o cereal, e os seus barris estavam cheios de vinho e azeite. Calil dividia com eles as tarefas e a felicidade; ajudava-os no campo, no lagar e na colheita de frutos. Ele não se distinguia deles, a não ser pelo excesso de amor e dedicação. Desde aquele ano até ao presente, cada felá daquele povoado passou a fazer a colheita orgulhoso do que havia semeado com o próprio esforço. As terras lavradas pelos felás e os vinhedos que cultivavam passaram a ser propriedade deles.

Hoje, meio século depois, os libaneses despertaram. O viajante que vai ao Líbano para ver os Cedros sagrados impressiona-se com a beleza da aldeia, que se mostra como uma noiva ao lado do vale. Os miseráveis casebres são hoje lares ditosos e confortáveis, rodeados por campos férteis e bosques verdejantes. Se alguém perguntar a um morador sobre a história do Xeque Abás, ele apontará para um monte de pedras e muros em ruínas e dirá:

– Aquele é o palácio do Xeque e a história de sua vida.

E se perguntasse sobre Calil, o morador ergueria as mãos para o céu dizendo:

– Ali reside nosso amado Calil, cuja história de vida foi escrita por Deus com letras brilhantes nas páginas de nossos corações, e nem mesmo o tempo há de apagar.

Asas partidas

Preâmbulo

Eu tinha 18 anos quando o amor me abriu os olhos com seus raios mágicos e tocou-me o espírito pela primeira vez com seus dedos firmes. Selma Qarami foi a primeira mulher a despertar, com sua beleza, o meu espírito; e levar-me para o jardim das afeições, onde os dias passam como sonhos e as noites, como núpcias.

Selma Qarami foi quem me ensinou a prezar a beleza, pelo exemplo de sua própria beleza, e me revelou o segredo do amor por meio da afeição. Ela foi quem primeiro cantou para mim a poesia da vida verdadeira.

Todo homem jovem se lembra de seu primeiro amor, e busca guardar a lembrança dessa hora estranha; lembrança que modifica os sentimentos mais profundos e o torna feliz, apesar de toda a amargura do mistério desse amor.

Na vida de todo jovem, existe uma Selma que surge repentinamente, quando ele se encontra na primavera da existência, e transforma a solidão em felicidade, preenchendo com música o silêncio das noites.

Naquela época, eu andava absorto em pensamento e contemplação, e tentava compreender a natureza e a revelação dos livros e das Escrituras, quando ouvi o Amor sussurrar aos meus ouvidos pelos lábios de Selma. Minha vida era um vazio como a de Adão no Paraíso, quando vi Selma de pé diante de mim como um pilar de luz. Ela foi a Eva do meu coração, e o encheu de segredos e maravilhas, e me fez entender o sentido da vida.

A primeira Eva, por força de sua vontade, fez Adão deixar o Paraíso. Selma, por sua vez, fez-me entrar no Paraíso do puro amor e da virtude, com sua doçura e seu amor; mas o que aconteceu ao primeiro homem também aconteceu a mim, e a espada flamejante que expulsou Adão do Paraíso foi a mesma que me assustou com a sua lâmina cintilante e me obrigou a deixar o paraíso do meu amor, sem que eu tivesse desobedecido a nenhuma ordem, e sem ter provado o fruto da árvore proibida.

Hoje, depois de muitos anos, nada me resta desse belo sonho senão um acúmulo de memórias dolorosas, que tremulam como asas invisíveis à minha volta; que enchem de tristeza o fundo do meu coração e trazem lágrimas aos meus olhos. Minha bela e amada Selma está morta, e nada resta dela para preservar a sua memória, exceto o meu coração ferido e uma sepultura rodeada de ciprestes. Esta sepultura e este meu coração são tudo o que resta para dar testemunho de Selma.

O silêncio que guarda o túmulo não revela o segredo de Deus, escondido na negrura do caixão; e o murmúrio dos ramos, cujas raízes absorvem os elementos do corpo, não revela os mistérios da sepultura. Os suspiros de dor no meu coração anunciam aos vivos o drama que o amor, a beleza e a morte desempenharam.

Ó amigos da minha juventude, espalhados pela cidade de Beirute: quando passardes por aquele cemitério, junto aos pinheiros, entrai em silêncio e caminhai devagar, para que o som dos vossos passos não perturbe o sono pacífico dos mortos; parai humildemente diante da sepultura de Selma; reverenciai a terra que cobre o seu corpo, e dizei o meu nome com um suspiro profundo e repeti estas palavras:

Aqui estão enterradas todas as esperanças de Gibran, que vive como prisioneiro do amor além dos mares. Neste lugar, Gibran perdeu a felicidade, derramou todas as lágrimas e esqueceu-se da alegria.

Nessa sepultura cresce a tristeza de Gibran, junto aos ciprestes; e, sobre a sepultura, o espírito dele cintila toda noite em homenagem a Selma, juntando-se aos ramos das árvores num triste lamento, guardando o luto pela morte de Selma, que ontem era uma bela canção nos lábios da vida, e hoje, um segredo silencioso no seio da terra.

Ó camaradas de minha juventude! Conjuro-vos, em nome daquelas virgens que os vossos corações amaram, a colocar uma grinalda de flores no túmulo desolado de minha querida, pois as flores que colocardes ali serão como gotas de orvalho que caem dos olhos da aurora para refrescar as pétalas de uma rosa desbotada.

Tristeza muda

Meus vizinhos recordam com prazer o amanhecer da juventude e lamentam a morte dela; mas eu me lembro como um prisioneiro que não se esquece das barras e dos grilhões de sua prisão. Falais daqueles anos entre a infância e a juventude como uma era dourada, livre de confinamentos e de cuidados, mas eu chamo a esses anos uma era de tristeza muda, que caiu como uma semente no meu coração, cresceu com ele e não encontrou saída para o mundo do conhecimento e da sabedoria, até que o amor veio e abriu as suas portas e iluminou os seus rincões. O amor me proporcionou uma língua e muitas lágrimas. Lembrai-vos dos jardins e das orquídeas, e dos locais de encontro, e das esquinas da rua que testemunhou as vossas brincadeiras e ouviu os vossos gritos inocentes; e eu me lembro, também, do belo vilarejo no Norte do Líbano. Cada vez que fecho os olhos, vejo aqueles vales cheios de magia e majestade e aquelas montanhas cobertas de glória e grandeza buscando alcançar o céu. Cada vez que tapo os ouvidos ao barulho da cidade, ouço o murmúrio dos riachos e o sussurro dos ramos. Todas aquelas belezas de que falo agora e que anseio ver, como uma criança que anseia pelo peito da sua mãe, feriam meu espírito, aprisionado na escuridão da juventude, como um falcão que sofre na gaiola quando vê um bando de aves a voar livremente pela amplitude do céu. Aqueles vales e colinas incendiaram a minha imaginação, mas os pensamentos amargos teceram à volta do meu coração uma rede de desesperança.

Cada vez que ia para os campos, voltava desapontado, sem compreender a causa da minha desilusão. Cada vez que olhava para o céu cinzento, sentia o coração contrair-se. Cada vez que ouvia o canto dos pássaros e o balbuciar da primavera, sofria sem compreender a razão daquele sofrimento. Diz-se que a falta de sutileza torna um homem fútil, e que a futilidade o torna despreocupado. Pode ser verdade para aqueles que nasceram mortos e que existem como cadáveres congelados; mas o rapaz sensível que sente muito e sabe pouco é a criatura mais infeliz sob o sol, porque é dilacerado por duas forças: a primeira força eleva-o e mostra-lhe a beleza da existência através de uma nuvem de sonhos; a segunda amarra-o à terra e enche-lhe os olhos de pó, dominando-o pelo medo e pela escuridão.

A solidão tem mãos macias e sedosas, mas com dedos fortes agarra o coração e o faz doer de tristeza. A solidão é aliada da tristeza, bem como companheira da exaltação espiritual.

A alma do rapaz submetido à turbulência da tristeza é como um lírio branco que se desdobra. Treme diante da brisa e abre o seu coração ao romper do dia, e dobra as suas folhas para trás quando a sombra da noite chega. Se o rapaz não tiver diversão, nem amigos ou companheiros para brincar, a vida dele será como uma prisão estreita na qual não vê senão teias de aranha e não ouve nada a não ser o rastejar de insetos.

Essa tristeza que me cegava durante a juventude não foi causada pela falta de diversão, porque eu podia ter-me divertido; nem pela falta de amigos, porque podia tê-los encontrado. Aquela tristeza foi causada por uma moléstia interior que me fazia apreciar a solidão. Tirou-me o gosto para brincadeiras e diversões. Tirou-me dos ombros as asas da juventude e fez de mim algo como um remanso entre montanhas, que reflete na superfície calma as sombras dos fantasmas e as cores das nuvens e das árvores, mas não consegue encontrar uma saída por onde passar cantando para o mar.

Assim era a minha vida antes de chegar aos 18 anos, o ano de seu apogeu; pois despertou em mim o conhecimento e me fez compreender as vicissitudes da humanidade. Naquele ano, renasci; e, a menos que alguém nasça de novo, sua vida permanecerá como uma folha em branco no livro da existência. Naquele ano, vi os anjos do céu me olharem pelos olhos de uma bela mulher. Vi também os demônios do inferno fervilharem no coração de um homem mau. Aquele que não enxerga os anjos e os demônios na beleza e na malícia da vida estará longe do conhecimento, e o seu espírito não conhecerá o afeto.

A mão do destino

Na primavera daquele ano maravilhoso, eu me encontrava em Beirute. Os jardins estavam cheios das flores de nisã, e a terra parecia um tapete verde coberto pela grama; era como um segredo da terra que se revelava para o Céu. As laranjeiras e as macieiras tinham o aspecto de huris ou noivas enviadas pela natureza para inspirar os poetas e excitar a imaginação, e vestiam roupas brancas de flores perfumadas.

A primavera é bela em todo lugar, mas é mais bela no Líbano. É um espírito que ronda em volta da terra, mas paira sobre o Líbano, conversando com reis e profetas, cantando com os rios as canções de Salomão, e repetindo com os Cedros Sagrados do Líbano a memória da glória antiga. Beirute, livre da lama do inverno e do pó do verão, é como uma noiva na primavera, ou como uma sereia sentada ao lado de um riacho secando a sua pele lisa ao sol.

Um dia, no mês de nisã, fui visitar um amigo que morava a certa distância da linda cidade. Enquanto conversávamos, um homem de aspecto decoroso, de cerca de 65 anos, entrou na casa. Ao subir para cumprimentá-lo, meu amigo apresentou-o a mim como Farris Efendi Qarami e, depois, apresentou-me a ele dizendo o meu nome com palavras lisonjeiras. O velho olhou-me por um momento, tocando a testa com as pontas dos dedos como se tentasse recuperar a memória. Depois, aproximou-se sorridente e disse-me:

– És o filho de um amigo muito querido, e estou feliz porque vejo esse amigo na tua pessoa.

Sensibilizado pelas palavras daquele senhor, senti-me atraído por ele como uma ave cujo instinto a conduz ao ninho antes da chegada da tempestade. Ao sentarmo-nos, ele falou da amizade que tinha por meu pai, recordando o tempo em que estiveram juntos. Um velho gosta de recordar os dias da juventude como um estrangeiro anseia retornar ao próprio país. Ele tem o prazer de contar histórias do passado como um poeta tem prazer em recitar seu melhor poema. Ele vive espiritualmente no passado; porque o presente passa rapidamente, e o futuro parece-lhe uma aproximação ao esquecimento da sepultura. Uma hora cheia de velhas lembranças se passou como as sombras das árvores sobre a relva. Quando Farris Efendi se preparava para partir, colocou a mão esquerda no meu ombro e apertou a minha mão direita, dizendo:

– Há vinte anos não vejo o teu pai. Espero que tome o lugar dele e venha visitar-me com frequência.

Prometi agradecidamente que cumpriria o meu dever para com um velho amigo do meu pai.

Depois que o ancião deixou a casa, pedi a meu amigo que me falasse mais a respeito dele. Meu amigo, então, disse:

– Não conheço nenhum outro homem em Beirute cuja riqueza o tenha tornado bondoso e cuja bondade o tenha tornado rico. Ele é um dos poucos que vêm a este mundo e o deixam sem prejudicar ninguém; mas pessoas desse tipo geralmente sofrem muito e são oprimidas, porque não são espertas o bastante para se livrarem da maldade dos outros. Farris Efendi tem uma filha cujo caráter é semelhante ao do pai e cuja beleza e graça são indescritíveis. Ela também será infeliz, pois a riqueza de seu pai já a tem colocado à beira de um terrível precipício.

Ao dizer essas palavras, reparei que o rosto dele se ensombrecia. Depois, continuou:

– Farris Efendi é um velho bondoso de coração nobre, mas falta-lhe a vontade de poder. As pessoas o conduzem como um homem cego. A filha dele lhe obedece, apesar de ser orgulhosa e inteligente. E esse é o segredo que paira sobre a vida de pai e filha. Esse segredo foi descoberto por um homem mau; um bispo, cuja maldade se esconde à sombra do seu Evangelho. Ele faz o povo acreditar que ele é bondoso e nobre; é o chefe da religião nesta terra de religiões. O povo lhe obedece e o adora. Ele o conduz como se fosse um rebanho de cordeiros a caminho do matadouro. Esse bispo tem um sobrinho corrupto, cheio de ódio. Mais cedo ou mais tarde, chegará o dia em que ele colocará o sobrinho à sua direita e a filha de Farris Efendi à esquerda, segurando com a sua mão nefasta a grinalda do matrimônio sobre as suas cabeças, amarrando uma virgem pura a um degenerado imundo; colocando o coração do dia no seio da noite. É tudo o que posso dizer-te sobre Farris Efendi e sua filha, por isso não me perguntes mais nada.

Falando isso, virou a cabeça para a janela como se buscasse resolver os problemas da existência humana, concentrando-se na beleza do universo.

Ao sair de casa, eu disse ao meu amigo que iria visitar Farris Efendi dentro de poucos dias para cumprir a promessa que tinha feito em nome da amizade entre ele e meu pai. Ele olhou-me fixamente por um momento, e notei uma mudança na sua expressão como se as minhas poucas palavras simples lhe tivessem revelado uma nova ideia. Depois olhou-me diretamente nos olhos de forma estranha; um olhar de carinho, misericórdia e medo – o olhar de um profeta que prevê o que mais ninguém pode adivinhar. Depois, seus lábios tremeram um pouco, mas ele não disse nada quando comecei a aproximar-me da porta. Esse olhar estranho passou a perseguir-me, e só pude compreender o sentido dele quando me tornei mais experiente, naquele momento em que os corações se entendem intuitivamente, e os espíritos já estão maduros pelo conhecimento.

A entrada ao santuário

Poucos dias depois, a solidão tomou conta de mim; cansei-me das faces sombrias dos livros, aluguei uma carruagem e dirigi-me para a casa de Farris Efendi. Ao chegar aos bosques de pinheiros, onde as pessoas faziam piqueniques, o cocheiro tomou um caminho privado, sombreado por salgueiros de cada lado. Ao passar, pudemos ver a beleza da grama verde, as videiras e as muitas flores coloridas de nisã a desabrocharem.

Passados alguns minutos, a carruagem parou diante de uma casa solitária, no meio de um belo jardim. O cheiro de rosas, gardênias e jasmins enchia o ar. Quando desci e entrei no amplo jardim, Farris Efendi veio ao meu encontro. Ele convidou-me para entrar, recebeu-me calorosamente e sentou-se a meu lado, como um pai feliz quando vê o seu filho, inundando-me de perguntas sobre a minha vida, futuro e educação. Respondi com a voz cheia de ambição e zelo, pois ouvia ressoar em meus ouvidos o hino da glória, e navegava no mar calmo dos sonhos esperançosos. Então, uma bela jovem, trajando um lindo vestido de seda branca, apareceu por detrás das cortinas de veludo da porta e caminhou em direção a mim. Farris Efendi e eu nos levantamos.

– Esta é minha filha Selma – disse o senhor. Depois, apresentou-me a ela, dizendo:

– O destino trouxe-me de volta um velho e querido amigo na pessoa de seu filho.

Selma olhou-me um momento, como se duvidasse que um visitante pudesse ter entrado em sua casa. A mão dela, quando a apertei, era como um lírio branco; e senti um estranho aperto no coração.

Todos nós ficamos em silêncio, como se Selma houvesse trazido para aquela sala um espírito celestial digno de um respeito mudo. Percebendo o silêncio, ela sorriu para mim e disse:

– Muitas vezes, meu pai me contava as histórias da sua juventude e dos velhos tempos que ele e o teu pai passaram juntos. Se o teu pai te falou da mesma maneira, então este encontro não é o primeiro entre nós.

O velho ficou encantado por ouvir a sua filha falar de tal maneira e disse:

– Selma é muito sentimental. Ela vê tudo pelos olhos do espírito.

Depois, retomou a conversa com cuidado e tato, como se tivesse encontrado em mim uma magia que o levou, nas asas da memória, para os dias do passado.

Enquanto eu olhava para ele, imaginando como seria eu na velhice, ele olhou para mim, como uma árvore velha e alta que, depois de resistir às tempestades e ao sol, lança a sua sombra sobre um broto que treme antes da brisa do amanhecer.

Mas Selma estava em silêncio. Às vezes, olhava primeiro para mim e depois para o pai, como se estivesse a ler o primeiro e o último capítulo do drama da vida. O dia passava mais depressa naquele jardim, e eu podia ver pela janela o beijo amarelo e fantasmagórico do pôr do sol nas montanhas do Líbano. Farris Efendi continuou a relatar suas experiências, e eu escutava absorto e reagia com tal entusiasmo que a sua tristeza se transformou em alegria.

Selma estava sentada junto à janela, olhando com olhos tristes; e não falava, embora a beleza tenha a sua própria linguagem celestial, mais sublime do que as vozes das línguas e dos lábios. É uma linguagem misteriosa, comum a toda a humanidade; um lago calmo que recebe na profundidade o canto dos riachos e o faz calar-se.

Só os nossos espíritos podem compreender a beleza, ou viver e crescer com ela. É uma sensação que os nossos olhos não conseguem ver, derivada tanto daquele que observa como daquele que é observado. A verdadeira beleza é um raio que emana do santuário do espírito e ilumina o corpo, assim como a vida, que vem das profundezas da terra e dá cor e perfume a uma flor.

A verdadeira beleza consiste no acordo espiritual que se chama amor, e que pode existir entre um homem e uma mulher.

Será que o meu espírito e o de Selma se tocaram naquele dia em que nos conhecemos, e esse anseio me fez vê-la como a mulher mais bela sob o sol? Ou será que fiquei inebriado com o vinho da juventude, que me fez imaginar algo que nunca existiu?

Será que minha juventude cegou meus olhos naturais e me fez imaginar o brilho dos olhos dela, a doçura da sua boca e a graça da sua figura? Ou será que o brilho, a doçura e a graça dela me abriram os olhos e me mostraram a felicidade e a tristeza do amor?

É difícil responder a essas perguntas; mas digo sinceramente que, naquela hora, senti uma emoção que nunca sentira antes. Um novo afeto pousou no meu coração, como o espírito que flutuava sobre as águas na criação do mundo; e, desse afeto, nasceu a minha felicidade e a minha tristeza. Assim terminou a hora do meu primeiro encontro com Selma, e assim a vontade do Céu libertou-me da escravidão da juventude e da solidão e colocou-me na procissão do amor.

O amor é a única liberdade que há no mundo, porque eleva de tal forma o espírito que as leis da humanidade e os fenômenos da natureza não são capazes de alterar o curso desse amor.

Ao levantar-me para partir, Farris Efendi aproximou-se e disse sobriamente:

– Agora, meu filho, já que conheces o caminho desta casa, vem sempre e sente como se viesses à casa do teu pai. Considera-me um pai e Selma, uma irmã.

Dizendo isso, virou-se para Selma, como para pedir-lhe que aceitasse aquelas palavras. Ela acenou com a cabeça positivamente e, depois, olhou para mim como alguém que encontrava um velho conhecido.

Aquelas palavras de Farris Efendi Qarami colocaram-me ao lado de sua filha no altar do amor. Aquelas palavras soaram como uma canção celestial que começa com a exaltação e termina com a tristeza; elevaram os nossos espíritos ao reino da luz e da chama ardente; eram a taça na qual beberíamos a felicidade e a amargura.

Ao sair da casa, o velho senhor me acompanhou pelo jardim, enquanto o meu coração palpitava como os lábios trêmulos de um homem que tem sede.

A tocha branca

Passado o mês de nisã, continuei a visitar a casa de Farris Efendi e a encontrar-me com Selma naquele belo jardim, contemplando a sua beleza, maravilhando-me com a sua inteligência e ouvindo o silêncio da tristeza. Senti que uma mão invisível me atraía para ela.

Em cada visita, eu percebia um significado diferente em sua beleza, e seu doce espírito causava-me uma impressão cada vez diversa, até se tornar um livro cujas páginas eu podia compreender e cujos elogios eu podia cantar, mas que nunca conseguia terminar de ler. A mulher dotada pela Providência de beleza de espírito e de corpo é uma verdade, ao mesmo tempo aberta e secreta, que só podemos apreender por meio do amor, e tocar por meio da virtude; mas, quando tentamos descrever essa mulher, a imagem dela nos desaparece como a névoa da manhã.

Selma Qarami era bela de corpo e de espírito. Mas, como posso descrevê-la para alguém que nunca a conheceu? Poderá um homem morto lembrar-se do canto de um rouxinol, da fragrância de uma rosa ou do murmúrio de um riacho? Poderá um prisioneiro acorrentado seguir a brisa do amanhecer? O silêncio não é mais doloroso do que a morte? Impedir-me-ia o orgulho de descrever Selma com palavras simples, uma vez que não a posso desenhar verdadeiramente com cores vivas? Um homem faminto num deserto não recusará comer pão seco se o Céu não o prover com maná e codornizes.

No seu vestido branco de seda, Selma estava esbelta como um raio de luar a entrar pela janela. Ela caminhava com graça e ritmo. Sua voz era doce e suave; as palavras saíam-lhe dos lábios como as gotas de orvalho que caem das pétalas de flores incomodadas pelo vento.

Mas, o que dizer do rosto de Selma? Nenhuma palavra pode descrever a sua expressão, refletindo ora um grande sofrimento interno, ora uma exaltação celestial.

A beleza do rosto de Selma não era clássica; era como um sonho de revelação que não pode ser medido, definido nem copiado pelo pincel de um pintor ou pelo cinzel de um escultor. A beleza de Selma não estava nos seus cabelos dourados, mas na virtude da pureza que a rodeava; não em seus olhos grandes, mas na luz que deles emanava; não em seus lábios encarnados, mas na doçura das palavras que vinham deles; não no seu colo de marfim, mas na ligeira curvatura do corpo. A beleza de Selma não estava no corpo perfeito, mas na nobreza do espírito, que ardia como uma tocha branca entre a terra e o céu; era como uma dádiva da poesia. Mas os poetas cuidam de pessoas infelizes, pois, por mais alto que o espírito deles voe, continuarão encerrados num envelope de lágrimas.

Selma era muito pensativa e falava pouco, mas o seu silêncio era uma espécie de música que nos levava para um mundo de sonhos, fazia-nos ouvir o palpitar do seu coração e ver os fantasmas de nossos pensamentos e sentimentos diante de nós, a olhar-nos nos olhos.

Ela possuía um manto de profunda tristeza que vestiu ao longo da vida, o que aumentava a sua estranha beleza e dignidade; pois uma árvore em flor é mais bela quando vista através da névoa da madrugada.

A dor ligava o espírito dela ao meu, como se cada um de nós visse no rosto do outro o que o coração estava a sentir e ouvisse o eco de uma voz escondida. Deus havia feito dois corpos num só; e uma separação não podia ser nada senão agonia.

Os espíritos tristes encontram repouso quando se unem a um espírito semelhante. Juntam-se afetuosamente, como um estrangeiro que encontra um compatriota em terra alheia. Os corações que se unem por meio da tristeza não serão separados pela glória da felicidade. O amor que é purificado pelas lágrimas permanece puro e belo.

A tempestade

Um dia, Farris Efendi convidou-me para jantar em sua casa. Aceitei. O meu espírito estava faminto pelo pão divino que o Céu colocou nas mãos de Selma – esse pão espiritual que faz com que os nossos corações, quanto mais comam dele, mais tenham fome. Foi esse pão que Qais, o poeta árabe, Dante e Safo provaram, e que pôs fogo em seus corações –, pão que a Deusa prepara com a doçura dos beijos e a amargura das lágrimas.

Ao chegar à casa de Farris Efendi, avistei Selma sentada num banco no jardim a descansar a cabeça contra uma árvore e a olhar, como uma noiva com seu vestido de seda branco, ou, como se fosse uma sentinela, a vigiar aquele lugar.

Silenciosa e reverentemente, aproximei-me e sentei-me ao lado dela. Eu não podia falar; por isso, recorri ao silêncio, única linguagem do coração, mas senti que Selma escutava minha mensagem sem palavras e observava o fantasma de minha alma em meus olhos.

Pouco depois, o velho senhor chegou e cumprimentou-me como de costume. Quando estendeu a mão para mim, senti como se ele estivesse abençoando os segredos que me uniam à sua filha. Então ele disse:

– O jantar está pronto, meus filhos; vamos comer.

Levantamo-nos e o seguimos: os olhos de Selma brilhavam, pois um novo sentimento fora acrescentado ao seu amor pelo fato de o seu pai nos chamar de filhos.

Sentamo-nos à mesa e desfrutamos de uma boa comida e de um vinho velho, mas nossas almas viviam num mundo distante. Sonhávamos com o futuro e as suas dificuldades.

Éramos três pessoas separadas pelos pensamentos, mas unidas pelo amor; três inocentes com muito sentimento, mas pouco conhecimento. Um drama estava a ser representado por um homem velho que amava a filha e cuidava da felicidade dela; uma moça de vinte anos que olhava para o futuro com ansiedade; e um jovem, sonhador e preocupado, que não tinha provado nem o vinho nem o vinagre da vida, e que tentava alcançar o auge do amor e do conhecimento, mas era incapaz de erguer-se até lá. Nós três estávamos sentados sob o crepúsculo, a comer e a beber naquela casa solitária, guardados pelos olhos do Céu; mas, no fundo dos nossos copos, escondiam-se a amargura e a angústia.

Quando terminamos de comer, uma das criadas anunciou a presença de um homem à porta, que desejava ver Farris Efendi.

– Quem é? – perguntou o senhor.

– Um mensageiro do Bispo – disse a criada.

Houve um momento de silêncio, durante o qual Farris Efendi olhou fixamente para a filha como um profeta olha para o Céu a adivinhar-lhe o segredo. Em seguida, disse à criada:

– Faça o homem entrar.

A criada saiu; e um homem, vestido com uniforme oriental e ostentando um enorme bigode enrolado nas extremidades, entrou e cumprimentou o velho, dizendo:

– Sua Graça, o Bispo, mandou-me buscar-vos com a sua carruagem particular; ele deseja discutir convosco assuntos importantes.

O rosto do ancião tornou-se sombrio e o seu sorriso desapareceu. Após um momento de profundo pensamento, aproximou-se de mim e disse com uma voz amigável:

– Espero encontrar-te aqui quando eu voltar. Selma desfrutará da tua companhia neste lugar solitário.

Dizendo isso, virou-se para Selma e, sorrindo, perguntou-lhe se concordava. Ela acenou com a cabeça, mas ficou corada; e, com uma voz mais doce do que os acordes da lira, disse:

– Farei o melhor que puder, pai, para deixar nosso convidado feliz.

Selma vigiou até que a carruagem que levava o pai dela e o mensageiro do Bispo desaparecesse na estrada. Depois, voltou e sentou-se na minha frente num divã forrado de seda verde. Parecia um lírio dobrado num tálamo de relva pela brisa do amanhecer. Foi por vontade do Céu que eu estivesse sozinho com ela, à noite, na sua linda casa, rodeada de árvores, onde o silêncio, o amor, a beleza e a virtude moravam juntos.

Estávamos calados, cada um à espera de que o outro falasse, mas a fala não é o único meio de entendimento entre duas almas. Não são as sílabas que vêm dos lábios e das línguas que aproximam os corações.

Há algo maior e mais puro do que as coisas que a boca profere. O silêncio ilumina as nossas almas, sussurra aos nossos corações e os aproxima. O silêncio nos separa de nós mesmos, faz-nos navegar no firmamento do espírito e aproxima-nos do Céu; ele nos faz sentir que os corpos não passam de prisões e que este mundo é apenas um lugar de exílio.

Selma olhou para mim, e os seus olhos revelaram o segredo do seu coração. Então, ela disse calmamente:

– Vamos ao jardim. Sentemo-nos sob as árvores para ver a lua subir por detrás das montanhas.

Eu me levantei do lugar, é claro, mas hesitei.

– Não crês que é melhor ficarmos aqui até a lua nascer e iluminar o jardim? – E continuei: – A escuridão esconde as árvores e as flores. Não vamos enxergar nada.

Então, ela disse:

– Se a escuridão esconde as árvores e as flores dos nossos olhos, não esconderá o amor dos nossos corações!

Ao dizer aquelas palavras, num tom estranho, ela desviou o olhar e olhou através da janela. Eu permaneci em silêncio, ponderando suas palavras, pesando o verdadeiro significado de cada sílaba. Depois, ela olhou para mim como se estivesse arrependida do que dissera, e tentou tirar-me essas palavras dos ouvidos pela magia dos seus olhos. Mas aqueles olhos, em vez de me fazerem esquecer o que ela havia dito, repetiram no fundo do meu coração mais clara e eficazmente as doces palavras que já estavam gravadas para sempre na minha memória.

Toda a beleza e grandeza neste mundo é criada por um único pensamento ou emoção dentro de um homem. Tudo o que vemos hoje, tudo o que foi construído pela geração passada, era, antes de surgir, um pensamento na mente de um homem ou um impulso no coração de uma mulher. As revoluções que derramaram tanto sangue e viraram a mente dos homens para a liberdade foram a ideia de um homem que viveu entre milhares de outros homens. As guerras devastadoras que derrubaram impérios eram apenas um pensamento na mente de um homem. Os ensinamentos supremos que mudaram o curso da humanidade foram as ideias de um homem cujo gênio o separou do seu ambiente. Um único pensamento construiu as Pirâmides, fundou a glória do Islão e provocou a queima da biblioteca de Alexandria.

Um só pensamento virá à mente de um homem à noite, e o elevará à glória ou ao manicômio. Um só olhar de uma mulher pode tornar um homem na criatura mais feliz do mundo. Uma só palavra de um homem pode tornar-nos ricos ou pobres.

As palavras pronunciadas por Selma naquela noite prenderam-me entre o meu passado e o meu futuro, como um barco ancorado no meio do oceano. Aquelas palavras despertaram-me do sono da juventude e da solidão e colocaram-me no palco onde a vida e a morte desempenham seus papéis.

O cheiro das flores misturava-se com a brisa ao entrarmos no jardim e nos sentarmos silenciosamente num banco perto de uma árvore de jasmim, ouvindo a respiração da natureza adormecida, enquanto no firmamento azul os olhos do céu testemunhavam o nosso drama.

A lua saiu de trás do monte Sunnin e brilhou sobre a costa, as colinas e as montanhas; e pudemos ver as aldeias a margearem o vale como visões que pareciam conjuradas do nada. Pudemos enxergar a beleza do Líbano sob os raios de prata do luar.

Os poetas do Ocidente pensam no Líbano como um lugar lendário, esquecido desde a morte de Davi e Salomão e dos Profetas, quando o Jardim do Éden se perdeu após a queda de Adão e Eva. Para esses poetas ocidentais, a palavra "Líbano" é uma expressão poética associada a uma montanha cujas encostas são impregnadas do incenso dos Cedros Sagrados. Lembra-lhes os templos de cobre e mármore que se erguem firmes e impenetráveis, e uma manada de cervos a pastar nos vales. Naquela noite, vi o Líbano como se eu sonhasse pelos olhos de um poeta.

Assim, a aparência das coisas muda de acordo com as emoções, e assim vemos nelas magia e beleza, ainda que a magia e a beleza estejam realmente em nós próprios.

Enquanto os raios da lua brilhavam no rosto, no colo e nos braços de Selma, ela parecia uma estátua de marfim esculpida pelos dedos de algum adorador de Astarte, deusa da beleza e do amor. Ao olhar para mim, ela disse:

– Por que estás calado? Por que não me dizes nada do teu passado?

Ao olhar para ela, o meu silêncio desapareceu, e eu abri a boca e disse:

– Não ouviste o que eu disse quando chegamos a este pomar? O espírito que ouve o sussurro das flores e o canto do silêncio também pode ouvir o grito da minha alma e o clamor do meu coração.

Ela cobriu o rosto com as mãos e disse com uma voz trêmula:

– Sim, eu ouvi. Ouvi uma voz que vinha do seio da noite e um clamor que grassava no coração do dia.

Esquecendo-me do meu passado, da minha própria existência – tudo o que não fosse Selma –, respondi-lhe:

– Eu também te ouvi, Selma. Ouvi uma canção de júbilo soar no espaço e estremecer o universo.

Ao ouvir aquelas palavras, ela fechou os olhos e os lábios, e eu vi ali um sorriso de prazer misturado com tristeza. Ela sussurrou suavemente:

– Agora sei que há algo mais elevado do que o céu, mais profundo do que o oceano e mais estranho do que a vida, a morte e o tempo. Agora sei o que não sabia antes.

Naquele momento, Selma tornou-se para mim mais querida do que uma amiga e mais próxima do que uma irmã; mais adorada do que uma noiva. Ela tornou-se um pensamento supremo, uma beleza, uma emoção avassaladora viva em meu espírito.

É errado pensar que o amor vem de um longo companheirismo e de um longo galanteio. O amor é o rebento da afinidade espiritual e, a menos que essa afinidade seja criada de repente, não será criada nem em anos, nem mesmo em gerações.

Então Selma levantou a cabeça e olhou para o horizonte, onde o monte Sunnin se encontra com o céu, e disse:

– Ontem, eras como um irmão para mim, com quem vivia e ao lado de quem me sentava tranquilamente sob os cuidados do meu pai. Agora, sinto a presença de algo mais estranho e doce do que o afeto fraterno, uma mistura desconhecida de amor e medo que enche o meu coração de tristeza e felicidade.

Respondi:

– Essa emoção que tememos e que nos abala quando passa pelos nossos corações, é a lei da natureza que guia a Lua em volta da Terra e o Sol em volta de Deus.

Ela pousou a mão na minha cabeça e acariciou-me os cabelos. Seu rosto brilhava e as lágrimas saíam de seus olhos como gotas de orvalho nas folhas de um lírio. E ela disse:

– Quem acreditaria na nossa história; quem acreditaria que nesta hora ultrapassamos os obstáculos da dúvida? Quem acreditaria que o mês de nisã, que nos reuniu pela primeira vez, foi o mês que nos fez parar no santuário da vida?

A mão dela me acariciava os cabelos enquanto falava; eu não teria preferido a coroa de um rei ou um laurel de glória àquela mão linda e suave cujos dedos se entrelaçavam em meus cabelos.

– As pessoas não acreditarão na nossa história – eu disse – porque não sabem que o amor é a única flor que cresce e floresce sem a ajuda das estações. Mas não foi nisã que nos uniu pela primeira vez, e não foi nesta hora que nos prendeu no santuário da vida? Não foi a mão de Deus que aproximou as nossas almas antes do nascimento e nos fez prisioneiros um do outro durante todos os dias e noites? A vida do homem não começa no ventre, e nunca termina na sepultura; e este firmamento, iluminado pela Lua e pelas estrelas, não está privado das almas que se amam e dos espíritos atentos.

Quando ela retirou a mão dos meus cabelos, senti uma espécie de vibração estática na raiz do cabelo ampliada pela brisa da noite. Como um devoto que recebe a bênção ao beijar o altar num santuário, peguei na mão de Selma e a beijei com meus lábios ardentes. Ainda hoje, a lembrança daquele beijo derrete meu coração e desperta, pela doçura daquele momento, toda a virtude do meu espírito.

Uma hora se passou, e cada minuto foi como um ano de amor. O silêncio da noite, do luar, das flores e das árvores fez-nos esquecer de tudo o que era real, exceto do amor. Mas, de repente, ouvimos o galope dos cavalos e o ruído das rodas das carruagens. Despertados daquele momento de agradável fantasia, saímos do mundo dos sonhos para mergulhar no mundo da perplexidade e da miséria. O pai de Selma regressava de sua missão. Levantamo-nos e caminhamos pelo pomar para nos encontrarmos com ele.

Então, a carruagem alcançou a entrada do jardim. Farris Efendi desceu e caminhou lentamente em nossa direção, inclinando-se ligeiramente para a frente como se estivesse a carregar uma carga pesada. Aproximou-se de Selma, colocou as mãos sobre os ombros dela e olhou-a fixamente. As lágrimas corriam-lhe pela face enrugada, e os lábios tremiam com um sorriso doloroso. Com uma voz sufocante, disse:

– Minha amada Selma, muito em breve, serás levada dos braços do teu pai para os braços de outro homem. Muito em breve, o destino te levará desta casa solitária para a espaçosa corte do mundo, e este jardim perderá o som dos teus passos, e o teu pai tornar-se-á um estranho para ti. Tudo está arranjado. Que Deus te abençoe!

Ao ouvir aquelas palavras, o rosto de Selma enevoou-se e os seus olhos congelaram, como se ela sentisse uma premonição de morte. Depois gritou, como uma ave abatida, sofrendo e tremendo, e numa voz sufocada disse:

– O que o senhor me diz? O que quer dizer? Para onde me está levando?

Depois, ela olhou para ele de forma atenta, tentando descobrir o segredo daquelas palavras. Um instante depois, ela falou:

– Entendo. Entendo tudo. O Bispo pediu-lhe a minha mão e preparou uma gaiola para esta ave de asas partidas. É essa a sua vontade, pai?

A resposta dele foi um profundo suspiro. Ternamente, levou Selma para dentro de casa e eu permaneci de pé no jardim. Ondas de perplexidade batiam em mim como uma tempestade nas folhas de outono. Depois, segui-os até a sala de estar, e, para evitar embaraços, apertei a mão do velho, olhei para Selma, a minha bela estrela, e deixei a casa.

Ao chegar ao fim do jardim, o ancião me chamou e eu me virei para encontrá-lo. Ele apertou-me a mão e disse:

– Perdoa-me, meu filho. Estraguei a tua noite com aquela choradeira; mas, por favor, vem visitar-me quando a minha casa estiver deserta e eu estiver só e desesperado. A juventude, meu querido filho, não combina com a velhice, assim como a manhã não combina com a noite. Vem visitar-me, para que eu me recorde dos dias da juventude que passei com o teu pai. Vem para contar-me as novidades da vida, que logo já não me terá como um de seus filhos. Virás visitar-me, quando Selma partir e eu estiver aqui sozinho?

Enquanto ele dizia aquelas palavras tristes e eu silenciosamente lhe apertava a mão, senti as lágrimas quentes que lhe caíam dos olhos em minha mão. Eu tremia de tristeza, nutrindo por aquele senhor um afeto filial. Senti-me como se o meu coração estivesse sufocando de dor. Quando levantei a cabeça, ele percebeu as lágrimas nos meus olhos, inclinou-se para mim e tocou-me na testa com os lábios.

– Adeus, filho, adeus.

As lágrimas de um velho são mais potentes do que as de um jovem, porque são resíduos de vida num corpo que enfraquece. As lágrimas de um jovem são como uma gota de orvalho na folha de uma rosa; as de um velho são como uma folha amarela que cai com o vento que anuncia o inverno.

Ao sair da casa de Farris Efendi Qarami, a voz de Selma ainda ressoava em meus ouvidos; a sua beleza perseguia-me como um espectro, e as lágrimas de seu pai secaram aos poucos na minha mão.

Minha partida foi como o êxodo de Adão do Paraíso, mas a Eva do meu coração não estava comigo para fazer do mundo inteiro um Éden. Naquela noite, em que tinha nascido de novo, senti que vira pela primeira vez o rosto da morte.

Assim, o Sol dá vida aos campos com o seu calor, e depois os mata.

O lago de fogo

Tudo o que um homem faz em segredo na escuridão da noite será claramente revelado à luz do dia. As palavras proferidas na privacidade tornar-se-ão inesperadamente uma conversa comum. Os atos que hoje escondemos nos rincões de nossas moradas serão gritados em cada rua amanhã.

Assim, os fantasmas das trevas revelaram o propósito do encontro do Bispo Bulos Galib com Farris Efendi Qarami, e a conversa dos dois foi repetida por toda a vizinhança até chegar aos meus ouvidos.

A discussão que teve lugar entre o Bispo Bulos Galib e Farris Efendi naquela noite não fora sobre os problemas dos pobres ou das viúvas e dos órfãos. O principal objetivo de mandar buscar Farris Efendi e levá-lo na carruagem privada do Bispo era o noivado de Selma com o seu sobrinho, Mansur Bei Galib.

Selma era filha única do rico Farris Efendi, e a escolha do Bispo recaíra sobre ela; não por causa de sua beleza e nobreza de espírito, mas por conta do dinheiro do pai, que garantiria a Mansur Bei uma boa e próspera fortuna e faria dele um homem importante.

Os líderes religiosos no Oriente não se satisfaziam com a própria opulência, e trabalhavam para que todos os membros das suas famílias tivessem posições superiores e de domínio. A glória de um príncipe era transmitida para o filho mais velho por herança, mas a exaltação de um líder religioso deveria contagiar seus irmãos e sobrinhos. Assim, o bispo cristão, o imã muçulmano e o sacerdote brâmane eram como os polvos marinhos, que agarram suas presas com muitos tentáculos e sugam o sangue delas com várias bocas.

Quando o Bispo exigiu a mão de Selma para o sobrinho dele, a única resposta que recebeu do pai dela foi um silêncio profundo e lágrimas amargas, pois lhe doía perdê-la. A alma de qualquer homem treme quando tem de separar-se de sua única filha moça.

A tristeza dos pais no casamento de uma filha é igual à felicidade deles no casamento de um filho; porque um filho traz para a família um novo membro, enquanto uma filha, ao casar-se, é tirada deles.

Farris Efendi cedeu ao pedido do Bispo, obedecendo-o, embora de má vontade, porque conhecia muito bem o seu sobrinho e sabia que era perigoso, cheio de ódio, maldade e corrupção.

No Líbano, nenhum cristão podia opor-se ao seu bispo e continuar com boa fama. Nenhum homem podia desobedecer ao seu chefe religioso e manter a reputação. O olho não pode resistir a uma lança sem ser vazado, e a mão não pode deter uma espada sem ser decepada.

Suponhamos que Farris Efendi resistisse ao Bispo e recusasse seu pedido; nesse caso, a reputação de Selma seria arruinada e o nome dela manchado pela sujeira que corre na boca do povo. Na opinião da raposa, os cachos altos de uvas que não podem ser alcançados são azedos.

Assim, o destino agarrou Selma e conduziu-a como a uma escrava humilhada na procissão da miserável mulher oriental; e, assim, caiu aquele espírito nobre na armadilha, depois de ter voado livremente nas asas brancas do amor, num céu cheio de luar e perfumado de flores.

Em alguns países, a riqueza dos pais é uma fonte de miséria para os filhos. O enorme cofre que o pai e a mãe juntos usaram para a segurança de sua riqueza torna-se uma prisão estreita e escura para as almas dos seus herdeiros. O todo-poderoso Dinar que o povo venera torna-se um demônio que castiga o espírito e mata o coração. Selma Qarami foi uma das vítimas da riqueza de seus pais e da cupidez dos noivos. Se não fosse pela riqueza do pai, Selma ainda estaria vivendo feliz.

Uma semana se passara. O amor de Selma era meu único pensamento: entoava canções de felicidade para mim à noite e me despertava ao amanhecer para revelar o sentido da vida e os segredos da natureza. É um amor celestial, livre de ciúmes, rico e que nunca faz mal ao espírito. É uma afinidade profunda que envolve a alma em contentamento; um desejo profundo de afeto que, quando satisfeito, preenche a alma de bondade; uma ternura que resulta em esperança sem agitar a alma, transformando a terra em paraíso e a vida num sonho doce e belo. De manhã, ao caminhar nos campos, via o símbolo da Eternidade no despertar da natureza; e, quando me sentava à beira-mar, ouvia as ondas a soarem a canção da Eternidade. E, quando andava pelas ruas, via a beleza da vida e o esplendor da humanidade nas pessoas que passavam e na movimentação dos trabalhadores.

Aqueles dias passaram como fantasmas e desapareceram como nuvens, e logo nada me restou senão memórias dolorosas. Os olhos, com que eu costumava ver a beleza da primavera e o despertar da natureza, já não enxergavam nada exceto a fúria da tempestade e a miséria do inverno. Os ouvidos, com que anteriormente escutava com prazer o canto das ondas, só conseguiam ouvir o uivo do vento e a ira do mar contra o precipício. A alma, que observara alegremente o vigor incansável da humanidade e a glória do universo, era torturada pela presença da desilusão e do fracasso. Nada era mais belo do que aqueles dias de amor, e nada era mais amargo do que aquelas horríveis noites de tristeza.

Num fim de semana, quando já não conseguia conter-me, fui mais uma vez à casa de Selma – santuário que a Beleza erigira e que o Amor abençoara, no qual o espírito podia prostrar-se em adoração e o coração ajoelhar-se humildemente e rezar. Quando entrei no jardim, senti uma força que me afastava deste mundo e me colocava numa esfera sobrenatural, livre de lutas e de sofrimentos. Como um místico que recebe uma revelação do Céu, vi-me em meio às árvores e às flores; e, ao aproximar-me da entrada da casa, vi Selma sentada no banco à sombra da árvore de jasmim onde nos assentáramos na semana anterior, naquela noite escolhida pela Providência para o início da minha felicidade e também da minha tristeza.

Ela não se mexeu nem falou quando me aproximei dela. Ela parecia saber intuitivamente que eu chegava e, quando me sentei ao seu lado, olhou-me por um momento e suspirou profundamente; depois, virou a cabeça e olhou para o céu. E, após um momento cheio de silêncio mágico, voltou-se para mim e, tremendo, pegou na minha mão e disse em voz baixa:

– Olha para mim, meu amigo; estuda o meu rosto e leia nele aquilo que queres saber e que eu não posso contar. Olha para mim, meu amado... olha para mim, meu irmão.

Olhei atentamente para ela e vi que aqueles olhos – que alguns dias antes sorriam como se fossem lábios e se moviam como as asas de um rouxinol – já estavam fundos e vidrados de tristeza e de dor. O rosto dela – que antes assemelhava-se a um lírio que se abria sob os raios do sol – ficara franzino e perdera a cor. Seus doces lábios eram como duas rosas murchas que o outono deixou nos caules. Seu colo, que fora uma coluna de marfim, estava dobrado para a frente como se já não pudesse suportar o peso da dor que lhe martirizava a cabeça.

Todas essas mudanças que vi no rosto de Selma eram para mim como uma nuvem passageira que cobria a face da lua e a tornava mais bela. Um olhar que revela uma dor interna acrescenta mais beleza ao rosto, por mais trágica que seja essa dor; mas o rosto que, em silêncio, não anuncia mistérios escondidos não é belo, não importa a simetria de seus traços. A taça não seduz os nossos lábios, a menos que a cor do vinho seja vista através do cristal transparente.

Selma, naquela noite, era como uma taça cheia de vinho celestial envelhecido pela amargura e pela doçura da vida. Sem que soubesse, ela simbolizava a mulher oriental que só deixa a casa dos pais quando tem de colocar no pescoço o pesado jugo do marido; deixa o carinho dos braços da mãe para viver como escrava, suportando a dureza do trato das sogras.

Continuei a olhar para Selma, ouvindo o seu espírito deprimido e sofrendo com ela, até sentir que o tempo tinha parado e que o universo havia desaparecido da existência. Só conseguia ver seus dois olhos grandes a olharem fixamente para mim; e só conseguia sentir a mão dela, fria e trêmula, segurando a minha.

Acordei da minha letargia ao ouvir Selma dizer serenamente:

– Vem, meu amado, vamos discutir o futuro horrível antes que ele chegue. Meu pai acabou de sair de casa para ver o homem que será meu companheiro até a hora da morte. Meu pai, que Deus escolheu para o propósito da minha existência, encontrará o homem que o mundo escolheu para ser o meu senhor para o resto da vida. No coração desta cidade, o velho que me acompanhou durante a minha juventude encontrará o jovem que será o meu companheiro nos próximos anos. Esta noite, as duas famílias marcarão a data do casamento. Que hora estranha e impressionante! Na semana passada, a esta hora, debaixo desta árvore de jasmim, o Amor abraçou a minha alma pela primeira vez, enquanto o Destino escrevia a primeira palavra da história da minha vida na mansão do Bispo. Agora, enquanto meu pai e meu pretendente planejam o dia do casamento, vejo o teu espírito vagar à minha volta como um pássaro sedento que volteia sobre uma nascente guardada por uma serpente faminta. Oh, como esta noite é fantástica! E como é profundo o seu mistério!

Ao ouvir aquelas palavras, senti que o espectro sombrio do desânimo agarrava o nosso amor para o sufocar na sua infância, e respondi a ela:

– Aquela ave continuará voando na primavera, até que a sede a destrua ou que ela caia nas garras da serpente e se torne a sua presa.

Ela respondeu:

– Não, meu amado; esse rouxinol deve permanecer vivo e cantar até ao anoitecer, até a primavera passar, até o fim do mundo, e continuar a cantar eternamente. A sua voz não deve ser silenciada, porque traz vida ao meu coração; as suas asas não devem ser partidas, porque o movimento delas remove a nuvem do meu coração.

Sussurrei:

– Selma, minha amada, a sede vai esgotá-lo e o medo irá matá-lo.

Ela respondeu imediatamente com um tremor nos lábios:

– A sede da alma é mais doce do que o vinho das coisas materiais, e o medo do espírito é mais caro do que a segurança do corpo. Mas escuta, meu amado, escuta com atenção: estou hoje à porta de uma nova vida da qual nada sei. Sou como um cego que tateia a estrada para não cair. A riqueza do meu pai colocou-me no mercado de escravos, e esse homem comprou-me. Eu não o conheço nem o amo, mas aprenderei a amá-lo; eu o obedecerei, servi-lo-ei, e o farei feliz. Darei a ele tudo o que uma mulher fraca pode dar a um homem forte. Mas tu, meu amado, ainda estás no auge da vida. Podes caminhar livremente pelo caminho amplo da vida, coberto de flores. És livre para atravessar o mundo, fazendo do teu coração uma tocha para iluminar-te o caminho. Podes pensar, falar e agir livremente; podes escrever o teu nome na face da vida, porque és um homem; podes viver como um mestre, porque a riqueza do teu pai não te colocará no mercado de escravos para seres comprado e vendido; podes casar-te com a mulher que escolheres e, antes que ela habite a tua casa, podes deixá-la residir no teu coração e trocar confidências com ela sem nenhum obstáculo.

O silêncio predominou por um momento, e Selma continuou:

– Mas será agora que a Vida nos despedaçará para que possas alcançar a glória de um homem e eu, o dever de uma mulher? Será para isso que o vale engole o canto do rouxinol nas suas profundezas, e o vento espalha as pétalas da rosa, e os pés pisam o vinho? Foram em vão todas aquelas noites que passamos juntos ao luar, ao pé do jasmim, onde as nossas almas se uniram? Voamos rapidamente em direção às estrelas até o cansaço das nossas asas, e agora descemos para o abismo. Ou era o Amor que dormia quando veio ter conosco e, quando acordou, ficou zangado e decidiu castigar-nos? Ou será que o nosso espírito transformou a brisa da noite num vento que nos despedaçou e nos soprou como pó até as profundezas do vale? Não desobedecemos a nenhum mandamento, nem provamos do fruto proibido. Então, o que é que nos expulsa deste paraíso? Nunca conspiramos nem nos rebelamos. Então, por que estamos a descer para o inferno? Não, não, os momentos que nos uniram são maiores do que os séculos, e a luz que iluminou os nossos espíritos é mais forte do que a escuridão; e, se a tempestade nos separar neste oceano agreste, as ondas hão de nos unir no remanso; e se esta vida nos deixar, a morte haverá de nos unir. O coração de uma mulher mudará com o tempo ou com a estação; mesmo que morra eternamente, nunca perecerá. O coração de uma mulher é como um campo de flores que se transforma num campo de batalha; depois que as árvores são arrancadas, depois que a grama é queimada, as rochas manchadas de sangue e a terra semeada com ossos e crânios, tudo será calmo e silencioso como se nada tivesse acontecido; pois a primavera e o outono vêm no tempo devido e retomam o seu trabalho. E agora, meu amado, o que devemos fazer? Como nos separaremos e quando nos encontraremos? Devemos considerar o amor como um estranho visitante que veio à noite e nos deixou pela manhã? Ou suporemos que este afeto foi um sonho que veio durante o sono e partiu ao despertar? Devemos considerar esta semana uma hora de embriaguez a ser substituída pela sobriedade? Levanta a cabeça e deixa-me olhar para ti, meu amado; abre os teus lábios e deixa-me ouvir a tua voz. Fala comigo! Lembrar-te-ás de mim depois que esta tempestade tiver afundado o barco do nosso amor? Ouvirás o sussurro das minhas asas no silêncio da noite? Ouvirás o meu espírito a esvoaçar sobre ti? Ouvirás os meus suspiros? Verás a minha sombra aproximar-se com as sombras do crepúsculo e desaparecer com a chegada da manhã? Fala, meu amado; o que serás depois de teres sido um maravilhoso lampejo para os meus olhos, um doce canto para os meus ouvidos e asas para a minha alma? O que será de ti?

Ao ouvir essas palavras, o meu coração se desfez, e eu respondi a ela:

– Serei o quiseres que eu seja, minha amada.

E ela disse:

– Quero que me ames como um poeta ama os pensamentos dolorosos. Quero que te lembres de mim como um viajante que se lembra de um lago calmo que lhe refletia a imagem quando bebia água. Quero que te lembres de mim como uma mãe que recorda o seu filho que morreu antes de ver a luz, e quero que te lembres de mim como um rei misericordioso que se lembra de um prisioneiro que morreu antes de dar-lhe o perdão. Quero que sejas meu companheiro, e quero que visites meu pai e o consoles na solidão, porque em breve o deixarei e serei uma estranha para ele.

Respondi-lhe, dizendo:

– Farei tudo o que disseste, e farei da minha alma um abrigo para a tua alma; e do meu coração, uma residência para a tua beleza; e do meu peito, uma sepultura para as tuas tristezas. Amar-te-ei, Selma, como as pradarias amam a primavera, e viverei em ti na vida de uma flor sob os raios do sol. Cantarei o teu nome enquanto o vale cantar o eco dos sinos das igrejas da aldeia. Escutarei a linguagem da tua alma como a praia escuta a história das ondas. Recordar-te-ei como um estranho recorda sua querida pátria, e como um homem faminto recorda um banquete, e como um rei destronado recorda os dias de sua glória, e como um prisioneiro recorda as horas de tranquilidade e liberdade. Recordar-te-ei como um semeador recorda os feixes de trigo no moinho, e como um pastor recorda os verdes prados e os riachos doces.

Selma ouvia minhas palavras com o coração palpitante, e disse:

– Amanhã, a verdade será fantasmagórica e o despertar será como um sonho. Um amante ficará satisfeito ao abraçar um fantasma? Um homem sedento saciará a sede numa nascente ou num sonho?

Respondi-lhe:

– Amanhã, o destino irá colocá-la no meio de uma família tranquila, mas me enviará para um mundo de luta e de guerra. Estarás na casa de uma pessoa que o acaso tornou mais feliz, por causa da tua beleza e da tua virtude. Eu, porém, viverei uma vida de sofrimento e de medo. Adentrarás a porta da vida e eu, a porta da morte. Serás recebida com hospitalidade, enquanto eu existirei na solidão. Mas erguerei um monumento ao Amor e o cultuarei no vale da morte. O Amor será meu único consolo; beberei o Amor como o vinho; o Amor será o traje que vestirei. Ao amanhecer, o Amor me despertará do sono e me levará ao campo distante; e ao meio-dia levar-me-á para as sombras das árvores, onde encontrarei abrigo do calor do sol junto aos pássaros. À noite, o Amor me dará refresco antes do pôr do sol, para que eu ouça o canto de despedida da natureza à luz do dia, e mostrar-me-á as nuvens sinistras que flutuam no céu. À noite, o Amor me abraçará, e eu dormirei, sonhando com o mundo celestial onde habitam os espíritos dos amantes e dos poetas. Na primavera, caminharei lado a lado com o amor entre violetas e jasmins, e beberei as últimas gotas do inverno nos copos lírios. No verão, faremos dos fardos de feno as nossas almofadas e da grama, a nossa cama, e o céu azul nos cobrirá enquanto olhamos para as estrelas e para a lua. No outono, o Amor e eu iremos até a vinha e sentar-nos-emos junto ao lagar, e observaremos as videiras a serem despidas dos seus ornamentos dourados. E a aves migratórias voarão sobre nós. No inverno, sentar-nos-emos junto à lareira recitando histórias antigas e crônicas de países distantes. Durante a minha juventude, o Amor será o meu mestre; na meia-idade, a minha ajuda; e na velhice, o meu encanto. O Amor, minha amada Selma, permanecerá comigo até o fim da minha vida, e depois da morte a mão de Deus nos unirá de novo.

Todas essas palavras vieram do fundo do meu coração, como chamas de fogo que saltam da lareira e depois desaparecem nas cinzas. Selma chorava, como se os seus olhos fossem lábios que me respondiam com lágrimas.

Aqueles a quem o Amor não deu asas não podem voar atrás da nuvem das aparências para ver o mundo mágico em que o espírito de Selma e o meu existiram unidos naquela hora, ao mesmo tempo tristes e felizes. Aqueles que o Amor não escolheu como seguidores não ouvem quando ele os chama. Esta história não é para eles. Pois, mesmo que compreendessem estas páginas, não seriam capazes de compreender aqueles sentidos ocultos que não se revestem de palavras, e que não podem ser impressos em papel. Mas que tipo de ser humano é aquele que nunca bebeu o vinho com o cálice do amor, e que espírito é aquele que nunca chegou reverentemente ao altar iluminado do templo, cujo chão é constituído pelos corações dos homens e das mulheres, e cujo telhado é o dossel secreto dos sonhos? Que flor é aquela em cujas pétalas o amanhecer nunca deixou cair uma gota de orvalho? Que riacho é aquele que perdeu o curso sem alcançar o mar?

Selma levantou o rosto em direção ao céu e olhou para as estrelas celestiais cravadas no firmamento. Estendeu as mãos; seus olhos alargaram-se e os lábios tremeram. Em seu rosto pálido, pude ver as marcas da tristeza, da opressão, do desespero e da dor. Então, ela gritou:

– Ó Senhor, o que fez esta pobre mulher para Te ofender? Que pecado cometeu ela para merecer tal castigo? Por que crime é condenada à punição eterna? Ó Senhor, Tu és forte, e eu sou fraca. Por que me fazes sofrer? Tu és grande e Todo-Poderoso, enquanto eu não passo de uma criatura minúscula que rasteja diante do Teu trono. Por que me esmagaste com Teus pés? Tu és uma tempestade em fúria, e eu sou pó; por que razão, meu Senhor, me atiraste sobre a terra fria? Tu és poderoso, e eu impotente; por que razão me combates? És misericordioso e eu sou prudente; por que me destróis? Tu criaste a mulher com amor; e por que razão com amor a destróis? Com a Tua mão direita a levantas, e com a Tua mão esquerda a golpeias para o abismo, e ela não sabe por quê. Na sua boca, sopras o sopro da Vida; e, em seu coração, semeias o sêmen da morte. Mostras-lhe o caminho da felicidade, mas a conduzes no caminho da miséria; na sua boca, pões uma canção de felicidade, para depois lhe fechar os lábios com tristeza e lhe paralisar a língua com agonia. Com os Teus misteriosos dedos curas-lhe as feridas e com as Tuas mãos desenhas o pavor do sofrimento em torno dos prazeres dela. Na sua cama, ocultaste o prazer e a paz, mas ao seu lado ergueste obstáculos e medo. Tu excitas o seu afeto por meio da Tua vontade, e do seu afeto fazes emanar a vergonha. Pela Tua vontade, mostras-lhe a beleza da criação, mas o amor que ela sente pela beleza transforma-se numa fome terrível. Tu a fazes beber a vida no cálice da morte; e a morte, no cálice da vida. Tu a purificas com lágrimas, e em lágrimas a sua vida corre para longe. Ó Senhor, Tu me abriste os olhos com amor, e com amor me cegas. Beijaste-me com Teus lábios e golpeaste-me com a Tua mão potente. Plantaste no meu coração uma rosa branca, mas, em volta da rosa, puseste uma barreira de espinhos. Amarraste o meu presente ao espírito de um jovem que amo, mas a minha vida ao corpo de um homem desconhecido. Ajuda-me, Senhor, a ser forte nesta luta mortal; e ajuda-me a ser sincera e virtuosa até a morte. Seja feita a Tua vontade, ó Senhor meu Deus.

O silêncio persistia. Selma olhou para baixo, pálida e frágil; seus braços caíram, sua cabeça curvou-se, e pareceu-me que uma tempestade tinha quebrado um ramo de uma árvore e o tinha atirado longe para morrer e secar.

Peguei na sua mão fria e beijei-a; mas quando tentei consolá-la, percebi que eu precisava mais de consolo do que ela. Mantive-me em silêncio, pensando na nossa situação e ouvindo as batidas do meu coração. Nenhum de nós disse mais nada.

A tortura extrema é muda, e por isso sentamo-nos em silêncio, petrificados, como colunas de mármore enterradas nas areias de um terremoto. Nenhum de nós quis ouvir o outro, porque os fios de nossos corações tinham se tornado fracos e até mesmo a respiração os teria partido.

Era meia-noite, e podíamos ver a lua crescente nascer por detrás do monte Sunnin; e ela parecia, em meio às estrelas, o semblante de um cadáver, num túmulo rodeado pelas luzes fracas das velas. E o Líbano parecia um homem velho, cujas costas estavam dobradas com a idade e cujos olhos eram um refúgio para a insônia; observando o escuro e esperando o amanhecer, como se estivesse sentado sobre as cinzas de seu trono nos escombros de seu palácio.

As montanhas, árvores e rios mudam de aspecto com as adversidades dos tempos e das estações, assim como um homem muda com as suas experiências e emoções. O choupo alto, que se assemelha a uma noiva durante o dia, parecerá uma coluna de fumaça à noite; a enorme rocha, que fica inexpugnável ao meio-dia, parecerá um miserável mendigo à noite, tendo a terra como leito e o céu por cobertura; e o riacho que vemos brilhar de manhã soando o hino da Eternidade, à noite, transformar-se-á numa torrente de lágrimas chorando como uma mãe despojada do filho. E o Líbano, que parecia digno uma semana antes, quando a lua estava cheia e os nossos espíritos estavam felizes, parecia triste e solitário nessa noite.

Levantamo-nos e despedimo-nos um do outro, mas o amor e o desespero permaneceram entre nós como dois fantasmas – um esticando as suas asas, outro com os dedos em nossas gargantas; um chorando e o outro rindo terrivelmente.

Quando peguei na mão de Selma e a coloquei nos meus lábios, ela aproximou-se de mim e colocou um beijo na minha testa; depois, caiu sobre o banco de madeira. Ela fechou os olhos e sussurrou suavemente:

– Ó Senhor Deus, tem piedade de mim e repara as minhas asas partidas!

Ao deixar Selma no jardim, senti-me como se os meus sentidos estivessem cobertos por um véu espesso, como um lago cuja superfície o nevoeiro esconde.

A beleza das árvores, a luz da lua, o silêncio profundo – tudo me parecia feio e horrível. A verdadeira luz que me havia mostrado a beleza e a maravilha do universo converteu-se numa grande chama de fogo, que me abrasava o coração; e a música Eterna que eu costumava ouvir tornou-se um clamor, mais assustador do que o rugido de um leão.

Cheguei ao meu quarto, e, como um pássaro ferido, abatido por um caçador, caí na cama, repetindo as palavras de Selma: "Ó Senhor Deus, tem piedade de mim e repara as minhas asas partidas!"

Diante do trono da morte

O casamento nesses dias é um escárnio cujo cuidado está nas mãos de homens jovens e dos pais. Na maioria dos países, os jovens ganham enquanto os pais perdem. A mulher é vista como uma mercadoria, comprada e entregue de uma casa para a outra. Com o tempo, a sua beleza se desvanece e ela se torna uma espécie de mobília velha, deixada num canto escuro.

A civilização moderna tornou a mulher um pouco mais sábia, mas aumentou o seu sofrimento por causa da cobiça do homem. A mulher de ontem era uma esposa feliz, mas a mulher de hoje é uma amante miserável. No passado, ela andava cegamente na luz, mas agora anda de olhos abertos no escuro. Sua ignorância a tornava bela; sua simplicidade era uma virtude e sua fraqueza, uma força. Hoje, a ingenuidade tornou-a feia e o conhecimento a fez superficial e insensível. Chegará o dia em que a beleza e o conhecimento, o engenho e a virtude, a fraqueza do corpo e a força do espírito estarão juntos numa mulher?

Sou um dos que acreditam que o progresso espiritual seja uma regra da vida humana, mas o tratamento dado à perfeição é lento e doloroso. Se uma mulher se eleva num aspecto e se atrasa noutro, é porque o caminho acidentado que leva ao pico da montanha não está livre das atalaias de salteadores e dos covis de lobos.

Essa estranha geração vive entre o sono e o despertar. Tem nas mãos o solo do passado e as sementes do futuro. Mesmo assim, em cada cidade encontramos uma mulher que simboliza o futuro.

Na cidade de Beirute, Selma Qarami era o símbolo da mulher oriental do futuro; mas, como muitos que estão à frente de seu tempo, ela tornou-se vítima do presente; e, como uma flor arrancada do caule e levada pela corrente de um rio, ela caminhou na miserável procissão dos derrotados.

Mansur Bel Galib e Selma se casaram, e passaram a viver juntos numa bela casa em Ras Beirute, onde residiam todos os dignitários ricos. Farris Efendi Qarami foi abandonado na sua casa isolada entre o jardim e os pomares, como um pastor solitário no meio do seu rebanho.

Os dias e as noites alegres do casamento passaram, mas a lua de mel deixou marcas de tempos de amarga tristeza, da mesma forma que as guerras deixam crânios e ossos no campo de batalha. A dignidade de um casamento oriental inspira os corações dos jovens, mas o seu término pode deixá-los afundar como âncora no fundo do mar. A euforia do matrimônio é como pegadas na areia da praia que ficam até serem logo lavadas pelas ondas.

A primavera passou, assim como o verão e o outono; mas o meu amor por Selma aumentava dia após dia, até se tornar uma espécie de culto silencioso: o sentimento que um órfão tem para com a alma de sua mãe no Céu. O meu anseio converteu-se numa tristeza cega que não podia ver nada exceto a si mesma, e a paixão que me tirava lágrimas dos olhos foi substituída pela perplexidade que sugou o sangue do meu coração; os meus suspiros de afeto tornaram-se uma oração constante pela felicidade de Selma e do seu marido, e paz para o seu pai.

Minhas esperanças e orações foram em vão, porque a miséria de Selma era uma doença interna que nada mais podia curar senão a morte.

Mansur Bei era um homem a quem todos os luxos da vida chegavam sem esforço; mas, apesar disso, era insaciável e rapace. Depois de casar-se com Selma, negligenciou o pai dela e rezava pela morte dele, para que pudesse herdar o que restava da riqueza do velho.

O caráter de Mansur Bei era semelhante ao do seu tio: a única diferença entre os dois era que o Bispo conseguia tudo o que queria secretamente, sob a proteção do seu manto eclesiástico e da cruz dourada que usava no peito, enquanto o sobrinho fazia tudo publicamente. O Bispo ia à igreja pela manhã e passava o resto do dia a roubar as viúvas, os órfãos e as pessoas simples. Mas Mansur Bei passava os dias em busca de satisfação sexual. No domingo, o Bispo Bulos Galib pregava o seu Evangelho, mas durante os dias da semana nunca praticava o que pregava, ocupando-se com as intrigas políticas da localidade. E, por meio do prestígio e da influência do tio, Mansur Bei fazia questão de assegurar cargos políticos para aqueles que podiam oferecer-lhe uma propina considerável.

O Bispo Bulos era um ladrão que se escondia sob a capa da noite, enquanto o seu sobrinho, Mansur Bei, era um vigarista que caminhava orgulhosamente durante o dia. Contudo, o povo das nações orientais confia nesses lobos e carniceiros que arruínam o país por meio da cobiça e esmagam os vizinhos com mãos de ferro.

Por que ocupo estas páginas com palavras sobre os traidores das nações pobres, em vez de reservar todo o espaço para a história de uma mulher miserável com o coração ferido? Por que verto lágrimas por povos oprimidos, em vez de guardar todas elas para a memória de uma mulher fraca, cuja vida foi arrancada pelas presas da morte?

Mas, caros leitores, não pensais que tal mulher é como uma nação que é oprimida pelos governantes e sacerdotes? Não acreditais que o amor frustrado que leva uma mulher à sepultura é como o desespero que impregna o povo da terra? Uma mulher é para uma nação como a luz é para uma lâmpada. A luz não enfraquece quando o óleo da lâmpada míngua?

O outono passou e o vento soprou as folhas amareladas das árvores, abrindo caminho para o inverno, que veio uivando e gritando. Eu ainda estava na cidade de Beirute, sem outra companhia exceto meus sonhos – sonhos que elevariam o meu espírito para o céu e depois o enterrariam no seio da terra.

O espírito doloroso encontra sossego na solidão. Abomina as pessoas, como um cervo ferido que abandona a manada e vive numa caverna até estar curado ou morto.

Um dia ouvi dizer que Farris Efendi estava doente. Saí da minha residência solitária e fui andando até a casa dele, tomando uma nova rota, um caminho solitário entre as oliveiras, evitando a estrada principal com as suas rodas de carruagem ruidosas.

Chegando à casa do velho, entrei e o encontrei deitado na cama, fraco e pálido. Seus olhos estavam afundados e pareciam dois vales profundos e escuros, assombrados pelos fantasmas da dor. O sorriso que antes lhe animava o rosto estava sufocado pela dor e pela agonia, e os ossos de suas mãos suaves pareciam ramos nus a tremer na tempestade. Quando me aproximei dele e perguntei-lhe sobre a sua saúde, ele virou o rosto pálido para mim, e nos seus lábios trêmulos apareceu um sorriso. Ele disse com uma voz fraca:

– Vai, vai, meu filho, até ao outro aposento. Conforta a Selma e traga-a para sentar-se ao lado da minha cama.

Entrei na sala adjacente e encontrei Selma deitada num divã, cobrindo a cabeça com os braços e o rosto com uma almofada, para que o pai não a ouvisse chorar. Aproximei-me lentamente, chamei-a pelo nome numa voz que parecia mais um suspiro do que um sussurro. Ela moveu-se com medo, como se despertasse de um pesadelo, e sentou-se, olhando para mim com os olhos vidrados, duvidando se eu era um fantasma ou um ser vivo. Depois de um profundo silêncio, que nos transportou de volta àqueles momentos em que estivemos inebriados pelo vinho do amor, Selma enxugou as lágrimas e disse:

– Vê como o tempo nos mudou! Vê como o tempo mudou o curso das nossas vidas e nos deixou nestas ruínas. Neste lugar, a primavera uniu-nos num laço de amor, e neste lugar uniu-nos perante o trono da morte. Como foi bela a primavera, e como é terrível este inverno!

Depois de dizer aquelas palavras, voltou a cobrir o rosto com as mãos, como se estivesse protegendo os olhos diante do espectro do passado. Coloquei a mão na cabeça dela e disse:

– Vem, Selma, vem; sejamos como torres fortes na tempestade. Permaneçamos como soldados corajosos diante do inimigo, e enfrentemos as suas armas. Se formos mortos, morreremos como mártires; e, se vencermos, viveremos como heróis. Desafiar obstáculos e dificuldades é mais nobre do que recuar para a tranquilidade. A borboleta que paira em volta da lâmpada até a morte é mais admirável do que a toupeira, que vive num túnel escuro. Vem, Selma; caminhemos firmemente por este caminho áspero, com os olhos postos no Sol, para que não vejamos os crânios e as serpentes entre as rochas e os espinhos. Se o medo nos deter em meio à estrada, só ouviremos o ridículo das vozes da noite; mas, se alcançarmos corajosamente o pico da montanha, juntar-nos-emos aos espíritos celestiais em cânticos de triunfo e alegria. Anima-te, Selma; enxuga as lágrimas e remove a tristeza do rosto. Levanta-te, e sentemo-nos junto ao leito do teu pai, porque a vida dele depende da tua vida, e o teu sorriso é, para ele, a única cura.

Ela olhou-me de forma gentil e com afeto, e disse:

– Estás a pedir-me paciência, enquanto tu próprio precisas dela? Será que um homem faminto dará seu pão a outro homem faminto? Ou será que um homem doente dará a outro o remédio de que ele próprio necessita tanto?

Ela se levantou; inclinou a cabeça ligeiramente para a frente e caminhamos para o quarto do velho, sentando-nos ao lado da cama dele. Selma forçou um sorriso e fingiu ser paciente. O pai tentou fazê-la acreditar que se sentia melhor e estava mais forte; mas ambos estavam conscientes da tristeza um do outro, e eram capazes de ouvir suspiros não vocalizados. Eram duas forças iguais, desgastando-se uma na outra silenciosamente. O coração do pai derretia devido ao sofrimento da filha. Eram duas almas puras – uma partindo, e a outra agonizando de dor –, abraçando-se no amor e na morte; e eu estava entre as duas com o meu próprio coração atribulado. Éramos três pessoas, reunidas e esmagadas pelas mãos do destino: um homem velho, que parecia uma casa arruinada pela inundação; uma mulher jovem, cujo símbolo era um lírio decapitado pela ponta afiada de uma foice; e um jovem, que era um broto fraco, dobrado pela queda da neve. E todos nós éramos brinquedos nas mãos do destino.

Farris Efendi moveu-se lentamente e estendeu a mão débil na direção de Selma, e, numa voz carinhosa e terna, disse:

– Segura a minha mão, filha minha.

Selma segurou a mão do pai e, depois, ele falou:

– Já vivi tempo suficiente, e tenho apreciado os frutos das estações da vida. Vivi todas as suas fases com equanimidade. Perdi a tua mãe quando tinhas três anos de idade, e ela deixou-te como um tesouro precioso no meu colo. Vi-te crescer, e o teu rosto reproduziu as características da tua mãe como estrelas refletidas num tanque de água calma. O teu caráter, inteligência e beleza são da tua mãe – até mesmo a tua maneira de falar e os teus gestos. Tens sido o meu único consolo nesta vida, porque foste a imagem da tua mãe em todos os atos e palavras. Agora envelheço, e o meu único lugar de descanso é entre as asas suaves da morte. Consola-te, filha querida, porque já vivi tempo suficiente para te ver mulher feita. Sê feliz, porque viverei em ti depois da minha morte. A minha partida de hoje não seria diferente da minha partida de amanhã ou do dia seguinte, pois os nossos dias estão a perecer como as folhas do outono. A hora da minha morte se aproxima, e minha alma aguarda ansiosa por juntar-se à da tua mãe.

Ao dizer essas palavras de forma doce e carinhosa, o rosto dele estava radiante. Depois, pôs a mão debaixo da almofada e tirou dali um pequeno quadro numa moldura dourada. Com os olhos na pequena fotografia, ele disse:

– Vem, Selma, vem ver a fotografia da tua mãe.

Selma enxugou as lágrimas e, depois de olhar muito tempo para o quadro, beijou-o repetidamente e gritou:

– Oh, minha querida mãe! Oh, mãe!

Depois colocou os lábios trêmulos sobre o quadro, como se quisesse derramar a alma naquela imagem.

A palavra mais bela nos lábios da humanidade é a palavra "Mãe", e o chamamento mais belo é o de "Minha mãe"; é uma palavra cheia de esperança e amor, uma palavra doce e amável que vem do fundo do coração. A mãe é tudo – ela é o nosso consolo na tristeza, a nossa esperança na miséria, e a nossa força na fraqueza. Ela é a fonte do amor, da misericórdia, da simpatia e do perdão. Quem perde a mãe perde uma alma pura que o abençoa e o guarda constantemente.

Tudo na natureza nos remete à mãe. O Sol é a mãe da terra e a nutre de calor; não abandona o Universo à noite até ter posto a terra para dormir, ao canto do mar e ao hino das aves e dos ribeiros. E essa terra é a mãe das árvores e das flores. Ela as produz, alimenta-as e desmama-as. As árvores e as flores tornam-se mães carinhosas dos seus grandes frutos e sementes. E a mãe, o protótipo de toda a existência, é o espírito eterno, cheio de beleza e amor.

Selma Qarami nunca conhecera a mãe. A mãe tinha morrido quando Selma era criança, mas ela chorou quando viu a fotografia e gritou: "Oh, mãe!". A palavra mãe está escondida nos nossos corações, e vem aos nossos lábios em horas de tristeza e felicidade, como o perfume que vem do coração da rosa e mistura-se com o ar claro e nublado.

Selma olhou fixamente para o retrato de sua mãe, beijando-o repetidamente, até que se deixou cair, exausta, no leito de seu pai.

O velhote levou as mãos à cabeça dela e disse:

– Eu te mostrei, minha querida filha, uma fotografia da tua mãe no papel. Agora ouve-me; vou dizer-te as palavras dela.

Ela levantou a cabeça, como um pássaro no ninho que ouve o barulho das asas de sua mãe, e olhou para o pai com atenção.

Farris Efendi abriu a boca e disse:

– Tua mãe estava a amamentar-te quando perdeu o pai; ela chorou muito quando ele partiu, mas foi sábia e paciente. Sentou-se ao meu lado nesta mesma sala assim que o funeral terminou, e segurou a minha mão e disse: "Farris, o meu pai está morto agora, e tu és o meu único consolo neste mundo. Os afetos do coração se dividem como os ramos do cedro: se a árvore perde um ramo forte, sofre, mas não morre. Derramará toda a sua vitalidade no ramo seguinte, para que cresça e preencha o lugar vazio". Isso foi o que a tua mãe me disse quando o pai dela morreu, e deves dizer o mesmo quando a morte levar meu corpo para o lugar de descanso e deixar minha alma aos cuidados de Deus.

Selma respondeu-lhe com lágrimas e o coração ferido:

– Quando minha mãe perdeu o pai, tu tomaste o lugar dele; mas quem tomará o teu quando tiveres partido? Ela ficou aos cuidados de um marido carinhoso e fiel; encontrou consolo na sua filhinha. E quem será o meu consolo quando tu morreres? Foste o meu pai e a minha mãe, e o companheiro da minha juventude.

Depois de dizer aquelas palavras, ela se virou e olhou para mim; e, segurando o lado da minha roupa, disse:

– Este é o único amigo que terei depois de teres partido; mas como pode ele consolar-me, quando também sofre? Como pode um coração partido encontrar consolo numa alma desiludida? Uma mulher triste não pode ser consolada pela dor do próximo, nem um pássaro pode voar com as asas partidas. Ele é o amigo da minha alma, mas eu já coloquei sobre ele um fardo tão pesado de tristeza, e anuviei tanto os seus olhos com as minhas lágrimas, que ele já não enxerga mais nada além de escuridão. É um irmão que amo muito; mas, como todo irmão, sofre com a minha tristeza e me ajuda a derramar lágrimas; e isso só aumenta a minha amargura e me queima o coração.

As palavras de Selma apunhalaram-me o coração, e eu senti que não podia suportar mais. O pai a ouvia com espírito deprimido, tremendo como a luz de uma lâmpada ao vento. Depois, estendeu a mão e disse:

– Deixa-me ir em paz, minha filha. Já quebrei as barras desta jaula; deixa-me voar e não me detenhas, pois a tua mãe chama por mim. O céu está limpo, o mar está calmo e o barco está pronto para navegar; não atrases a viagem dele. Que o meu corpo descanse com aqueles que estão a descansar; que o meu sonho termine e a minha alma desperte com a aurora; que a tua alma abrace a minha e me dê o beijo da esperança; que nenhuma gota de tristeza ou amargura caia sobre o meu corpo, para que as flores e a grama não recusem o seu alimento. Não derrames lágrimas de miséria sobre a minha mão, pois delas podem crescer espinhos sobre a minha sepultura. Não desenhes linhas de agonia na minha testa, pois o vento pode passar e lê-las e recusar-se a levar o pó dos meus ossos para os verdes prados... Amei-te, minha filha, enquanto vivi, e amar-te-ei quando morrer. Minha alma velará sempre por ti e te protegerá.

Então, Farris Efendi olhou para mim com os olhos meio fechados e falou:

– Meu filho, sê um verdadeiro irmão para Selma como o teu pai foi para mim. Sê um amparo para ela e um amigo na necessidade, e não a deixes chorar, porque o luto pelos mortos é um erro. Conta a ela histórias agradáveis, e canta para ela as canções da vida, para que se esqueça das tristezas. Lembra-te de mim e dá lembranças ao teu pai; pede-lhe que te conte as histórias da tua juventude, e diz a ele que o amei na pessoa do filho na última hora da minha vida.

O silêncio prevaleceu, e pude ver a palidez da morte no rosto daquele ancião. Então ele olhou para nós e sussurrou:

– Não chameis o médico, pois ele poderia prolongar a minha sentença nesta prisão com algum remédio. Os dias de escravidão se foram, e a minha alma procura a liberdade dos céus. E não chameis o padre à minha cabeceira, porque os seus encantamentos não me salvariam se eu fosse um pecador, nem me apressariam para o Céu se eu fosse inocente. A vontade da humanidade não pode mudar a vontade de Deus, da mesma forma que um astrólogo não pode mudar o curso das estrelas. Mas, depois da minha morte, deixai os médicos e o padre fazerem o que quiserem, pois o meu barco continuará a navegar até chegar ao destino.

À meia-noite, Farris Efendi abriu os olhos cansados pela última vez e fixou-os em Selma, que estava ajoelhada junto à cama dele. Ele tentou falar, mas não conseguia, pois a morte já tinha sufocado a sua voz; mas, por fim, conseguiu dizer:

– A noite passou... Oh, Selma... Oh... Oh, Selma...

Depois inclinou a cabeça; o seu rosto ficou pálido, e pude ver um sorriso nos seus lábios enquanto dava o último suspiro.

Selma sentiu a mão de seu pai. Estava fria. Então, ela levantou a cabeça e olhou para o rosto dele. Estava coberto com o véu da morte. Selma ficou tão sufocada que não conseguia verter lágrimas, nem suspirar, nem sequer se mexer. Por um momento, ficou a olhar o pai com os olhos fixos como os de uma estátua; depois, curvou-se até que a sua testa tocasse o chão, e disse:

– Ó Senhor, tem misericórdia e repara as nossas asas partidas.

Farris Efendi Qarami morreu; a sua alma foi abraçada pela Eternidade, e o seu corpo foi devolvido à terra. Mansur Bel Galib ficou na posse da sua riqueza, e Selma tornou-se prisioneira da vida, uma vida de pesar e miséria.

Perdi-me na tristeza e no devaneio. Dias e noites atormentavam-me como a águia assola a sua vítima. Muitas vezes, tentei esquecer a minha desgraça, ocupando-me com livros e escritos da geração passada; mas era como apagar fogo com óleo, pois não via nada na procissão do passado a não ser tragédia, e não ouvia nada a não ser choro e lamento. O Livro de Jó era mais fascinante para mim do que os Salmos, e eu preferia as Lamentações de Jeremias ao Cântico dos Cânticos. Hamlet estava mais perto do meu coração do que todos os outros dramas dos escritores ocidentais. Assim, o desespero enfraquece a nossa visão e tapa os nossos ouvidos. Não podemos ver nada mais que espectros de desgraça, e só conseguimos ouvir o bater dos nossos corações agitados.

Entre Cristo e Astarte

Em meio aos jardins e colinas que ligam a cidade de Beirute ao Líbano, existe um pequeno templo, muito antigo, escavado na rocha branca, rodeado de oliveiras, amendoeiras e salgueiros. Embora esse templo se encontre a meia milha da estrada principal, na época desses acontecimentos, poucas pessoas interessadas em relíquias e ruínas antigas o tinham visitado. Era um dos muitos lugares interessantes escondidos e esquecidos no Líbano. Devido ao seu isolamento, tornara-se um refúgio para os devotos e um santuário para os amantes solitários.

Ao entrar nesse templo, o visitante vê no muro oriental um antigo quadro fenício, esculpido na rocha e representando Astarte, deusa do amor e da beleza, sentada em seu trono, rodeada por sete virgens nuas em pé, em diferentes poses. A primeira leva uma tocha; a segunda, uma guitarra; a terceira, um turíbulo; a quarta, um jarro de vinho; a quinta, um ramo de rosas; a sexta, uma coroa de louros; a sétima, um arco e flecha; e todas elas olham para Astarte com reverência.

No segundo muro, há outra imagem, mais moderna do que a primeira, simbolizando Cristo pregado na cruz; e ao lado Dele estão a Sua triste mãe, Maria Madalena e duas outras mulheres chorando. É um quadro bizantino, esculpido provavelmente no século XV ou XVI.

No muro ocidental há duas claraboias redondas, através das quais os raios solares penetram no templo e atingem os quadros, dando a impressão de que foram pintados com água dourada. No meio do templo, há um altar quadrado de mármore com pinturas antigas nas laterais, algumas das quais mal podem ser vistas sob as manchas de sangue coagulado: um testemunho de que o povo antigo oferecia sacrifícios sobre essa pedra e derramava perfume, vinho e azeite sobre ela.

Não há mais nada naquele pequeno templo a não ser um profundo silêncio, que revela aos vivos os segredos da deusa, e fala sem palavras de gerações passadas e da evolução das religiões. Tal visão leva o poeta a um mundo distante daquele em que habita, e convence o filósofo de que os homens nasceram religiosos: sentiram eles necessidade daquilo que não podiam ver e criaram símbolos, cujo significado revelava seus segredos mais íntimos e os seus desejos na vida e na morte.

Nesse templo desconhecido, eu me encontrava com Selma uma vez por mês e passava as horas com ela, olhando para aquelas estranhas imagens, pensando no Cristo crucificado e ponderando sobre os jovens fenícios: homens e mulheres que viviam, amavam e adoravam a beleza na pessoa de Astarte, queimando incenso diante da sua estátua e derramando perfume sobre o seu santuário. Desse povo nada restou, a não ser o nome, repetido pela marcha do tempo diante da face da Eternidade.

É difícil descrever com palavras a lembrança daquelas horas em que me encontrava com Selma – horas celestiais, cheias de dor, felicidade, tristeza, esperança e miséria.

Nós nos encontrávamos em segredo naquele antigo templo. Ali, recordávamos os velhos tempos, falávamos do presente, temendo o nosso futuro, e gradualmente trazíamos à tona os segredos que se ocultavam no fundo dos nossos corações; lamentávamos a nossa miséria e nosso sofrimento, e buscávamos consolar-nos com esperanças imaginárias e sonhos dolorosos. De vez em quando sobrevinha a calma, e limpávamos as nossas lágrimas; passávamos a sorrir, esquecendo-nos de tudo, exceto do Amor; abraçávamo-nos até os nossos corações derreterem. Depois, Selma beijava-me a testa e enchia o meu coração de êxtase; eu devolvia o beijo enquanto ela dobrava seu pescoço de marfim, corando como o primeiro raio do amanhecer na testa das colinas. Olhávamos silenciosamente para o horizonte distante, onde as nuvens se tingiam de laranja do pôr do sol.

Nossa conversa não se limitava ao amor; às vezes, falávamos de outras coisas e trocávamos ideias. Selma falava do lugar da mulher na sociedade, das marcas que recebera da geração passada, da relação entre marido e mulher e dos males espirituais e da corrupção que ameaçavam a vida matrimonial. Lembro-me de ela ter-me dito que "os poetas e escritores tentam compreender a realidade da mulher, mas até hoje não compreenderam os segredos que ela oculta no coração, porque olham para ela por detrás do véu sexual e não enxergam nada além das aparências; olham para ela por meio da lente de aumento do ódio, e não encontram nada a não ser fraqueza e submissão".

Noutra ocasião ela falou, apontando para os quadros esculpidos no templo: "No coração desta rocha, há dois símbolos que representam a essência dos desejos de uma mulher e revelam os segredos escondidos da sua alma, movendo-se entre o amor e a tristeza, entre o afeto e o sacrifício; entre Astarte sentada no trono e Maria de pé junto à cruz. O homem compra a glória e a reputação, mas a mulher paga o preço".

Ninguém sabia dos nossos encontros secretos, a não ser Deus e as aves que sobrevoavam o templo. Selma costumava ir na sua carruagem para um lugar chamado Parque Paxá e, de lá, caminhava até ao templo, onde eu aguardava ansioso por ela.

Não temíamos que nos observassem, tampouco a nossa consciência nos incomodava; o espírito que é purificado pelo fogo e lavado pelas lágrimas é mais altivo do que aquilo a que o povo chama de vergonha e opróbrio. É um espírito livre das leis da escravidão e dos velhos costumes que afrontam os afetos do coração humano. Esse espírito pode permanecer orgulhoso e sem estigma perante o trono de Deus.

A sociedade humana apegou-se durante setenta séculos a leis corruptas, a ponto de não conseguir compreender o significado das leis superiores e eternas. Os olhos de um homem habituam-se à luz fraca das velas e não conseguem ver a luz do sol. A doença espiritual é herdada de uma geração a outra até se tornar uma parte das pessoas, que a veem, não como uma doença, mas como um dom natural, derramado por Deus sobre Adão. Se essas pessoas encontrassem alguém livre dos germes dessa doença, tratá-lo-iam com indignidade e desonra.

Aqueles que pensam mal de Selma Qarami por deixar a casa do marido e encontrar-se comigo no templo são pessoas doentes e de mente fraca, que olham para os que têm saúde como rebeldes. São como os insetos que rastejam no escuro com medo de serem pisados.

O prisioneiro oprimido, que pode fugir da prisão e não o faz, é um covarde. Selma, uma prisioneira inocente e oprimida, foi incapaz de se libertar dos grilhões. Que culpa teria ela por ter olhado pela janela da prisão e vislumbrado os campos verdes e o céu amplo? Quem poderia censurá-la por sair de casa para sentar-se comigo entre Cristo e Astarte?

Que o povo diga o que quiser; Selma tinha passado por pântanos que atolam outros espíritos e chegara a um mundo que não podia ser alcançado pelo uivo dos lobos e pelo guizo das cobras. As pessoas podem dizer o que quiserem de mim, pois o espírito que viu o espectro da morte não pode ser assustado pelos rostos dos ladrões; o soldado que viu espadas brilharem sobre sua cabeça e as correntes de sangue debaixo dos seus pés não se importa com as pedras que lhe são atiradas pelas crianças nas ruas.

O sacrifício

Um dia, no final de junho, quando as pessoas deixam a cidade e vão para as montanhas para evitar o calor do verão, fui, como de costume, ao templo para me encontrar com Selma; levava comigo um pequeno livro de poemas andaluzes. Quando cheguei ao templo, sentei-me ali à espera dela, olhando de vez em quando as páginas do meu livro, recitando aqueles versos que enchiam o meu coração de êxtase e traziam à minha alma a memória dos reis, poetas e cavaleiros que se despediam de Granada e partiam, com lágrimas nos olhos e tristeza nos corações, deixando para trás os seus palácios, instituições e esperanças. Uma hora depois, vi Selma caminhando no meio dos jardins, aproximando-se do templo, apoiada no seu guarda-sol como se carregasse nos ombros todas as preocupações do mundo. Quando ela entrou no templo e sentou-se ao meu lado, notei uma espécie de mudança no seu olhar e apressei-me em perguntar-lhe o que se passava.

Selma percebeu minha preocupação; colocou a mão na minha cabeça e disse:

– Vem, vem, meu amado; vem e deixa-me saciar a minha sede, pois chegou a hora da separação.

– Teu marido descobriu que nos encontramos aqui? – perguntei.

– Meu marido não quer saber de mim, nem tem conhecimento de como passo o dia, pois se ocupa daquelas pobres raparigas que a penúria entregou para as casas de má fama; aquelas raparigas que vendem o corpo em troca de pão... pão amassado com sangue e lágrimas.

– O que te impede, então, de vir aqui e de te sentares ao meu lado perante Deus? É a tua consciência que pede a nossa separação?

Ela respondeu com lágrimas nos olhos:

– Não, meu amado, não é a minha consciência, pois tu fazes parte de mim. Meus olhos nunca se cansam de olhar para ti, pois és tu a luz que os ilumina; mas, se o destino determinou que eu devo percorrer o caminho áspero da vida, carregada de grilhões, não seria justo que o teu destino fosse igual ao meu.

Então ela acrescentou:

– Não posso dizer-te tudo, porque minha língua está amortecida pela dor; meus lábios se fecham pela miséria e mal podem mover-se; tudo o que posso dizer-te é que tenho medo de que caias na mesma armadilha em que caí.

Quando perguntei a ela o que queriam dizer aquelas palavras, e do que ela tinha medo, ela cobriu o rosto com as mãos e disse:

– O Bispo já descobriu que uma vez por mês deixo a sepultura em que ele me enterrou.

– O Bispo sabe dos nossos encontros? – perguntei.

– Se ele soubesse, eu não estaria aqui contigo; mas ele anda desconfiado, e orientou os criados e guardas a me vigiarem de perto. Tenho a impressão de que a casa em que vivo e o caminho que percorro estão repletos de olhos que me observam, de dedos que apontam para mim, e ouvidos que escutam o sussurro dos meus pensamentos.

Ela ficou em silêncio durante algum tempo e depois acrescentou, com lágrimas que lhe escorriam pelo rosto:

– Não tenho medo do Bispo, pois a água não assusta os afogados; mas temo que tu caias numa armadilha e se torne vítima dele. Ainda és jovem e livre como a luz do sol. Não tenho medo do destino que disparou todas as suas flechas no meu peito, mas receio que a serpente possa morder-te os pés e impedir-te de subir ao pico da montanha onde o futuro te espera com prazer e glória.

– Aquele que não foi mordido pelas serpentes de luz e agredido pelos lobos das trevas será sempre enganado pelos dias e pelas noites. Mas ouve, Selma, ouve com atenção: será a separação o único meio de evitar os males e a mesquinhez das pessoas? Será que o caminho do amor e da liberdade foi fechado e nada mais resta, senão a submissão à vontade dos escravos da morte? – disse eu.

– Nada resta, a não ser a separação e a despedida – respondeu ela.

Com espírito rebelde, peguei sua mão e falei com entusiasmo:

– Cedemos à vontade do povo durante muito tempo. Desde o tempo em que nos encontramos pela primeira vez, até esta hora, fomos conduzidos pelos cegos e adoramos os ídolos deles. Desde o momento em que te conheci, temos estado nas mãos do Bispo como joguetes que ele maneja como lhe apetece. Será que vamos nos submeter à vontade dele até que a morte nos leve? Será que Deus nos deu o sopro da vida para a colocar debaixo dos pés da morte? Será que Ele nos deu a liberdade para fazer da vida uma sombra da escravidão? Aquele que extingue o fogo de seu espírito com as suas próprias mãos é um infiel aos olhos do Céu, pois o Céu ateia o fogo que arde em nossos espíritos. Aquele que não se revolta contra a opressão comete injustiça contra si próprio. Eu te amo, Selma, e tu também me amas; e o Amor é um tesouro precioso, é um presente de Deus para espíritos sensíveis e grandes. Devemos deitar fora este tesouro e deixar que os porcos o espalhem e o espezinhem? Este mundo está cheio de maravilha e beleza. Por que vivermos nesse túnel estreito que o Bispo e os seus assistentes cavaram para nós? A vida está cheia de felicidade e liberdade; por que não tiramos esse jugo pesado dos nossos ombros e quebramos as correntes que atam nossos pés, e caminhamos livremente em direção à paz? Levantemo-nos e deixemos este templo pequeno, rumo ao grande templo de Deus. Deixemos este país e toda a sua escravidão e ignorância por outro país distante e não alcançado pelas mãos dos ladrões. Vamos para a costa sob a cobertura da noite e apanhemos um barco que nos levará através dos oceanos, onde podemos encontrar uma nova vida cheia de felicidade e compreensão. Não hesites, Selma, pois estes minutos são mais preciosos para nós do que as coroas dos reis e mais sublimes do que os tronos dos anjos. Sigamos a coluna de luz que nos conduz deste deserto árido para os campos verdes onde crescem flores e plantas perfumadas.

Ela abanou a cabeça e fixou o olhar em algo invisível no teto do templo; um sorriso triste apareceu-lhe nos lábios; depois, disse:

– Não, não, meu amado. O céu colocou na minha mão uma taça, cheia de vinagre e fel; esforcei-me para bebê-la, para sorver toda a amargura até não restar mais nada, a não ser algumas gotas, que beberei pacientemente. Não sou digna de uma nova vida de amor e paz; não sou suficientemente forte para o prazer e a doçura da vida, porque um pássaro com as asas partidas não pode voar na imensidão do espaço. Olhos que se habituaram à luz fraca de uma vela não são fortes o bastante para suportar a claridade do sol. Não me fales da felicidade; a lembrança disso me faz sofrer. Não me fales da paz; a sua sombra me assusta. Mas olha para mim e eu te mostrarei a tocha sagrada que o Céu acendeu nas cinzas do meu coração. Sabes que te amo como uma mãe ama seu único filho, e o Amor só me ensinou a proteger-te até de mim mesma. É o Amor, purificado pelo fogo, que me impede de te seguir até a terra mais distante. O Amor destrói os meus desejos, para que tu possas viver livre e virtuosamente. O amor limitado exige a posse da pessoa amada, mas o ilimitado exige apenas o próprio amor. O amor que vive entre a ingenuidade e o despertar da juventude satisfaz-se com a posse, e cresce com os abraços. Porém, o Amor que nasce no seio do firmamento e desce com os segredos da noite não é disputado com nada mais que a Eternidade e a imortalidade; não permanece reverentemente perante nada mais do que a divindade. Quando soube que o Bispo queria impedir-me de sair da casa do seu sobrinho e tirar-me o meu único prazer, fiquei diante da janela do meu quarto e olhei para o mar, pensando nos vastos países além, e na verdadeira liberdade e independência pessoal que lá se podem encontrar. Sonhei que vivia perto de ti, rodeada pela sombra do teu espírito, submersa no oceano do teu afeto. Mas todos esses pensamentos, que iluminam o coração de uma mulher e a fazem rebelar-se contra velhos costumes e viver à sombra da liberdade e da justiça, fizeram-me acreditar que sou fraca; e que o nosso amor é limitado e fraco, incapaz de permanecer sob a face do sol. Chorei como um rei cujos reino e tesouro foram usurpados, mas imediatamente vi o teu rosto através das minhas lágrimas e teus olhos a olharem para mim, e lembrei-me do que me disseste uma vez: "Vem, Selma, vem; sejamos como torres fortes na tempestade. Permaneçamos como soldados corajosos diante do inimigo e enfrentemos as suas armas. Se formos mortos, morreremos como mártires; e, se vencermos, viveremos como heróis. Desafiar obstáculos e dificuldades é mais nobre do que recuar para a tranquilidade". Essas palavras, meu amado, tu as proferiste quando as asas da morte pairavam sobre a cama do meu pai; lembrei-me delas ontem, quando as asas do desespero pairavam sobre a minha cabeça. Fortaleci-me e senti, na escuridão da minha prisão, uma espécie de liberdade preciosa que aliviava as nossas dificuldades e diminuía as nossas mágoas. Descobri que o nosso amor era tão profundo como o oceano, tão elevado como as estrelas e tão amplo como o céu. Vim aqui para te ver. No meu espírito fraco existe uma força nova, e essa força é a capacidade de sacrificar uma grande coisa para obter uma maior – é o sacrifício da minha felicidade, para que possas permanecer virtuoso e honrado aos olhos do povo, e ficares longe da traição e da perseguição. No passado, quando eu vinha aqui, sentia que pesadas correntes me puxavam para baixo; mas hoje vim aqui com uma nova determinação, capaz de rir-se das grilhetas e abreviar o caminho. Costumava vir a este templo como um fantasma assustado, mas hoje venho como uma mulher corajosa que sente a urgência do sacrifício e conhece o valor do sofrimento; uma mulher que gosta de proteger aquele que ama do povo ignorante e do espírito esfomeado dessa gente. Costumava sentar-me ao teu lado como uma sombra trêmula, mas hoje vim aqui para te mostrar o meu verdadeiro eu perante Astarte e Cristo. Sou uma árvore cultivada na sombra, e hoje estiquei os meus ramos para tremer durante algum tempo à luz do dia. Vim aqui para te dizer adeus, meu amado; e é minha esperança que o nosso adeus seja grande e terrível como o nosso amor. Que o nosso adeus seja como o fogo que funde o ouro, e o torna mais resplandecente.

Selma não me deixou falar nem protestar, mas olhou para mim com brilho nos olhos e nobreza no rosto, parecendo um anjo digno de silêncio e respeito. Depois, atirou-se sobre mim, algo que nunca tinha feito antes; e colocou os seus braços suaves à minha volta e imprimiu um longo, profundo e ardente beijo nos meus lábios.

Enquanto o sol se punha, retirando os seus raios daqueles jardins e pomares, Selma movia-se para o meio do templo e olhava ao longo dos muros e cantos, como se quisesse verter a luz dos seus olhos nas imagens e símbolos. Depois, caminhou para a frente e reverentemente ajoelhou-se perante a imagem de Cristo; beijou Seus pés e sussurrou:

– Ó Cristo, escolhi a Tua Cruz, e desertei do mundo de prazer e felicidade de Astarte; usei a coroa de espinhos e descartei a coroa de louros, e lavei-me com sangue e lágrimas em vez de perfume e incenso; bebi vinagre e fel num cálice destinado ao vinho e ao néctar; aceita-me, meu Senhor, entre os Teus seguidores; e leva-me em direção à Galileia com aqueles que Te escolheram, contentes com os próprios sofrimentos e felizes com as tristezas.

Quando ela se levantou, olhou para mim e disse:

– Agora voltarei feliz para a minha caverna escura, onde residem fantasmas horríveis. Não tenhas pena de mim, meu amado, e não te compadeças de mim; pois a alma que viu a sombra de Deus uma vez nunca mais terá medo dos fantasmas e dos demônios. E o olho que olha para o céu uma vez não será fechado pelas dores do mundo.

Ao proferir aquelas palavras, Selma deixou aquele lugar de culto. E eu permaneci ali, perdido num profundo mar de pensamentos; absorto no mundo da revelação, onde Deus se assenta no trono, e os anjos escrevem os atos dos seres humanos, e as almas recitam a tragédia da vida, e as noivas do céu cantam os hinos do amor, da tristeza e da imortalidade.

Já era noite quando despertei do meu desmaio e me encontrei desnorteado no meio dos jardins, repetindo o eco de cada palavra dita por Selma, e recordando o silêncio dela, as ações, os movimentos, a expressão e o toque de suas mãos, até me aperceber do significado do adeus e da dor da solidão. Estava deprimido e com o coração ferido. Entendi, pela primeira vez, que os homens, mesmo que nasçam livres, serão escravos de leis rigorosas promulgadas pelos seus antepassados; e que o firmamento, que imaginamos imutável, é a submissão do hoje à vontade do amanhã, e do ontem à vontade do hoje.

Muitas vezes, desde aquela noite, penso na lei espiritual que fez Selma preferir a morte à vida, e muitas vezes faço uma comparação entre a nobreza do sacrifício e a felicidade da rebelião para ponderar qual delas é mais nobre e mais bela; mas até agora só destilei uma verdade de toda a matéria; essa verdade é a sinceridade, o que torna todos os nossos atos belos e honrados. Essa sinceridade residia em Selma Qarami.

A redentora

Selma estava casada havia cinco anos, sem trazer filhos para fortalecer os laços de relação espiritual entre ela e o marido e unir duas almas distintas.

Uma mulher estéril é vista com desdém em todas as partes, devido ao desejo da maioria dos homens de se perpetuarem na posteridade.

O homem substancial considera uma esposa sem filhos um inimigo; ele a detesta e a abandona, desejando-lhe a morte. Mansur Bel Galib era esse tipo de homem; materialmente, era como a terra, duro como o aço e ganancioso como uma sepultura. O seu desejo de ter um filho para perpetuar-lhe o nome e a reputação fez com que odiasse Selma, embora ela fosse doce e bela.

Uma árvore cultivada numa caverna não dá frutos; e Selma, que vivia à sombra da vida, não tinha filhos...

O rouxinol não faz seu ninho numa gaiola, para que a escravidão não seja a herança dos filhotes... Selma era prisioneira da miséria, e era vontade do Céu que ela não tivesse outro prisioneiro com quem partilhar a vida. As flores do campo são filhas da afeição do sol e do amor da natureza; e os filhos dos homens são as flores do amor e da compaixão...

O espírito de amor e compaixão nunca dominou na bela casa de Selma em Ras Beirute; no entanto, ela se ajoelhava todas as noites diante do Céu e pedia a Deus uma criança em quem encontrasse conforto e consolo... Ela rezava repetidamente, até que o Céu respondesse às suas orações....

A árvore da caverna floresceu para finalmente dar frutos. O rouxinol da gaiola começou a fazer o seu ninho com as penas das suas asas. Selma esticou os braços acorrentados em direção ao Céu para receber o precioso dom de Deus, e nada no mundo a poderia ter feito mais feliz do que tornar-se mãe. Ela esperou ansiosamente, contando os dias e aguardando o momento em que a melodia mais doce do céu, a voz do seu filho, deveria tocar os seus ouvidos... Ela passou, então, a ver o amanhecer de um futuro mais brilhante através das próprias lágrimas.

Era o mês de nisã, e Selma encontrava-se estendida no leito da dor e do trabalho de parto, onde a vida e a morte lutavam livremente. O médico e a parteira estavam prontos para entregar ao mundo um novo convidado. Tarde da noite, Selma começou a gritar sucessivamente... um grito de separação da vida... um grito de continuidade no firmamento do nada... um grito de força fraca perante a quietude de grandes forças... o grito da pobre Selma que estava deitada em desespero, sob os pés da vida e da morte.

Ao amanhecer, Selma deu à luz um menino. Quando abriu os olhos, viu rostos sorridentes por todo o quarto; depois, olhou novamente e avistou a vida e a morte, ainda em luta junto à sua cama. Ela fechou os olhos e chorou, dizendo pela primeira vez:

– Oh, meu filho.

A parteira envolveu o bebê em faixas de seda e colocou-o junto de sua mãe, mas o médico continuava a olhar para Selma balançando a cabeça tristemente.

As vozes de alegria acordaram os vizinhos, que se apressaram a entrar na casa para felicitar o pai pelo nascimento do seu herdeiro, mas o médico ainda olhava para Selma e o filho e com preocupação.

Os criados apressaram-se a contar a boa notícia a Mansur Bei, mas o médico olhava para Selma e o seu filho com um olhar de desapontamento.

Quando o sol saiu, Selma levou a criança ao peito. O menino abriu os olhos pela primeira vez e olhou para sua mãe; depois tremeu, e fechou-os pela última vez. O médico tirou a criança dos braços de Selma e, chorando, sussurrou para si mesmo:

– É um convidado que nos deixa.

A criança faleceu enquanto os vizinhos celebravam com o pai no grande salão da casa, e bebiam à saúde do seu herdeiro. Selma olhou para o médico, e suplicou:

– Dá-me o meu filho e deixa-me abraçá-lo.

Embora a criança estivesse morta, os sons das taças de bebida aumentavam no corredor...

Ele nasceu ao alvorecer e morreu ao nascer do sol. Nasceu como um pensamento e morreu como um suspiro, desaparecendo como uma sombra. Ele não viveu para consolar e confortar a sua mãe.

A vida da criança teve início no fim da noite e terminou no início do dia, como uma gota de orvalho derramada pelos olhos da escuridão e evaporada pelo toque da luz. Uma pérola trazida pela maré para a costa, e devolvida pelo refluxo para a profundidade do mar... Um lírio que acaba de desabrochar do rebento da vida, e é esmagado sob os pés da morte. Um querido convidado, cuja aparência iluminou o coração de Selma e cuja partida aniquilou a sua alma.

Essa é a vida dos homens, a vida das nações, a vida dos sóis, das luas e das estrelas.

Mas Selma fixou os olhos no médico e gritou:

– Dá-me o meu filho, e deixa-me abraçá-lo; dá-me o meu filho, e deixa-me cuidar dele.

Então, o médico inclinou a cabeça, e com a voz abafada disse:

– O seu filho está morto, Senhora; seja forte.

Ao ouvir o médico, Selma deu um grito terrível. Depois, ficou calada por um momento e sorriu alegremente. O seu rosto brilhava como se tivesse descoberto algo, e calmamente falou:

– Dá-me o meu filho; aproxima-o de mim e deixa-me vê-lo morto.

O médico levou a criança morta até Selma e colocou-a entre os seus braços. Ela abraçou-o, depois virou o rosto para a parede; e dirigiu-se à criança morta, dizendo:

– Vieste para me levar embora, meu filho; vieste para me mostrar o caminho que leva à costa. Aqui estou, meu filho; guia-me e deixemos esta gruta escura.

E, num minuto, o raio de sol penetrou pelas cortinas das janelas e caiu sobre dois corpos calmos deitados na cama, guardados pela profunda dignidade do silêncio e sombreados pelas asas da morte. O médico deixou o quarto com lágrimas nos olhos; e, ao chegar ao grande salão, as celebrações se transformaram num funeral. Mansur Bel Galib não proferiu uma só palavra nem derramou uma lágrima sequer. Ele permaneceu imóvel como uma estátua, segurando uma taça de bebida na mão direita.

No dia seguinte, Selma foi amortalhada com o seu vestido de noiva branco e deitada num caixão. A mortalha da criança era o seu enxoval; o seu caixão eram os braços da mãe; a sepultura, o peito calmo da mãe. Dois cadáveres foram carregados num caixão, e eu caminhei reverentemente com a multidão acompanhando Selma e o seu bebê até o lugar de descanso.

Ao chegar ao cemitério, o Bispo Galib começou a entoar o canto fúnebre enquanto os outros sacerdotes rezavam, e em seus rostos sombrios via-se um véu de ignorância e de vazio.

Quando o caixão desceu à sepultura, um dos presentes sussurrou:
– É a primeira vez na minha vida que vejo dois corpos num só caixão.
– Parece que a criança veio ao mundo para salvar a mãe do marido impiedoso – disse outro.
– Vês o Mansur Bei? Ele olha para o céu como se os seus olhos fossem feitos de vidro. Não parece que ele perdeu a mulher e filho num dia só – disse um terceiro.

Um quarto acrescentou:
– O tio dele, o Bispo, irá casá-lo novamente amanhã com uma mulher mais rica e mais forte.

O Bispo e os sacerdotes continuaram cantando e entoando ladainhas, até que o coveiro selou a vala. Então, cada uma das pessoas que ali estavam aproximou-se do Bispo e de seu sobrinho, oferecendo-lhes os seus respeitos com palavras amáveis de simpatia. Mas eu fiquei sozinho sem alma para me consolar, como se Selma e o seu filho não significassem nada para mim.

Os adeptos deixaram o cemitério; o coveiro permaneceu junto à nova sepultura segurando uma pá com a mão.

Quando me aproximei dele, perguntei:
– Tu te lembras onde Farris Efendi Qarami foi enterrado?

Ele olhou para mim por um momento, depois apontou para a campa de Selma e disse:
– Aqui mesmo; coloquei a filha sobre ele; e sobre o peito da filha, seu neto... e, sobre todos, deitei terra com esta pá.

Então eu disse:
– Nesta vala, também enterraste o meu coração.

Quando o coveiro desapareceu atrás dos choupos, não pude resistir mais; caí sobre o túmulo de Selma e chorei.

O Louco
Suas Parábolas e Poemas

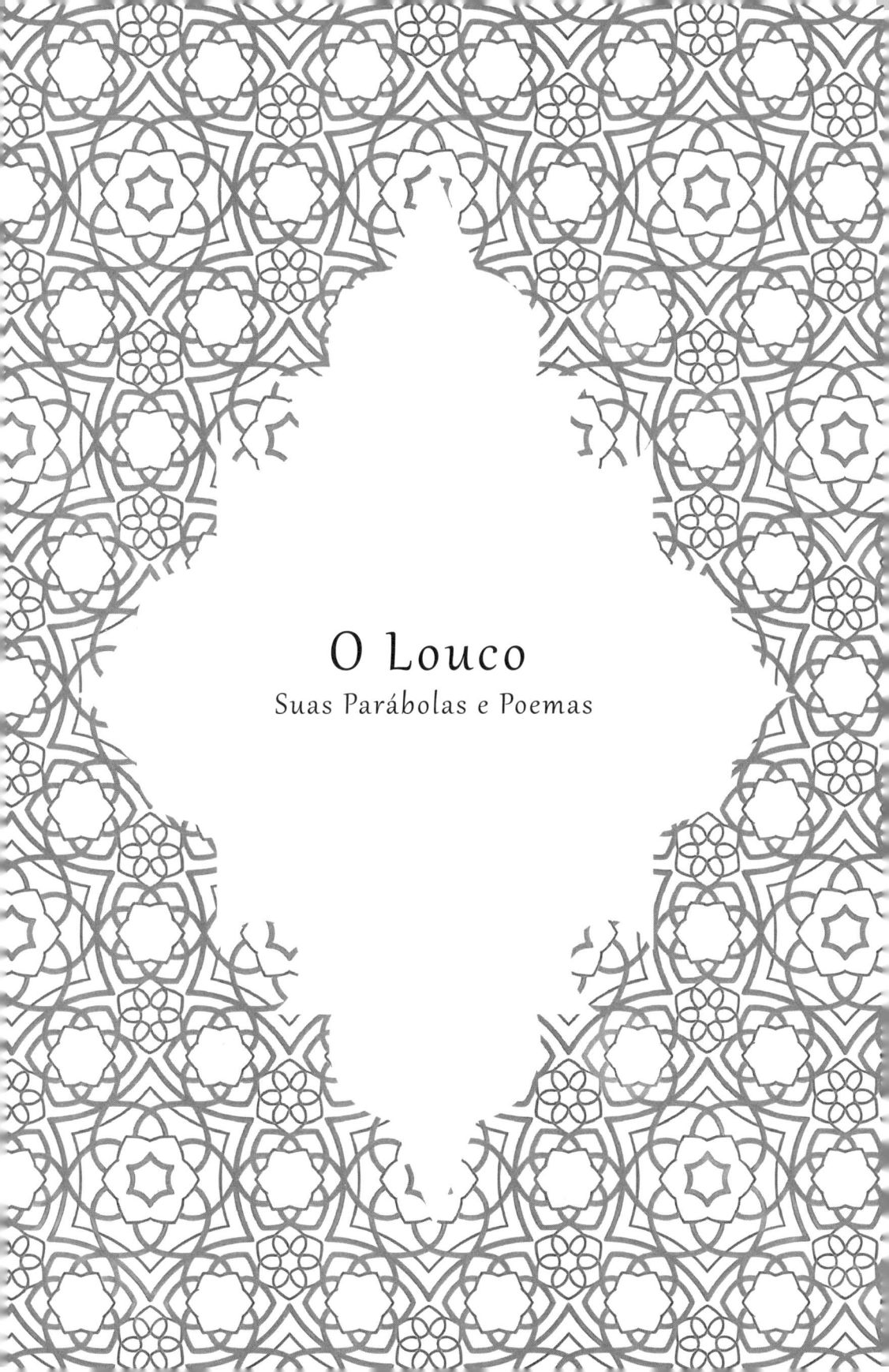

Como me tornei um louco

Perguntas-me como me tornei um louco. Aconteceu assim:

Um dia, muito antes de muitos deuses terem nascido, acordei de um sono profundo e descobri que todas as minhas máscaras tinham sido roubadas – as sete máscaras que forjei e usei em sete vidas. Corri sem máscara pelas ruas cheias de gente, gritando: "Ladrões! Ladrões! Malditos ladrões!".

Homens e mulheres riam de mim e alguns corriam para suas casas com medo.

E quando cheguei ao mercado, um jovem que estava em pé no telhado de uma casa, gritou: "É louco!". Olhei para cima para vê-lo; o Sol beijou pela primeira vez o meu rosto nu. Pela primeira vez, o Sol beijava meu rosto nu, e a minha alma inflamou-se de amor pelo Sol. Eu já não queria mais as minhas máscaras. E eu gritei como se estivesse em transe: "Abençoados! Abençoados os ladrões que roubaram as minhas máscaras!".

Assim, tornei-me um louco.

E encontrei tanto a liberdade da solidão como a segurança de ser compreendido, pois aqueles que nos compreendem escravizam algo em nós.

Mas não me deixem ser demasiado orgulhoso da minha segurança. Mesmo um ladrão encarcerado está a salvo de outro ladrão.

Deus

Nos tempos antigos, quando o primeiro tremor da fala chegou aos meus lábios, subi a montanha sagrada e falei com Deus:

– Mestre, eu sou Teu servo. A Tua vontade oculta é a minha lei e Te obedecerei por todo o sempre.

Mas Deus não deu resposta e, como uma poderosa tempestade, desapareceu.

Depois de mil anos, subi a montanha sagrada e falei novamente com Deus:

– Criador, eu sou a Tua criação. Do barro me moldaste e a Ti devo tudo o que tenho.

E Deus não deu resposta, e como mil asas ligeiras, desapareceu.

E após mil anos, subi a montanha sagrada e falei novamente com Deus:

– Pai, sou Teu filho. Com piedade e amor me deste à luz, e por amor e adoração herdarei o Teu reino.

Deus não deu resposta, e como a névoa que cobre as colinas distantes, desapareceu.

E após mil anos, escalei a montanha sagrada e falei novamente com Deus:

– Meu Deus, meu propósito e realização, eu sou o Teu ontem e Tu és o meu amanhã. Eu sou a Tua raiz na Terra e Tu és a minha flor no Céu, e, juntos, crescemos perante a face do Sol.

Então Deus inclinou-se sobre mim, e nos meus ouvidos sussurrou palavras de doçura. E como o mar que envolve um riacho que corre para ele, Deus me envolveu.

E quando desci para os vales e as planícies, Deus também estava lá.

Meu amigo

Meu amigo, não sou o que pareço. Meu aspecto é apenas uma roupa que visto – um traje tecido com esmero que me protege de tuas perguntas e, a ti, da minha negligência.

O "eu" que existe em mim, meu amigo, mora na casa do silêncio, e nela permanecerá para sempre, impenetrável, inacessível.

Não quero que acredites no que digo nem que confies no que faço, pois minhas palavras não são mais do que os teus próprios pensamentos em som e, os meus atos, tuas próprias esperanças em ação.

Quando dizes: "O vento sopra para o Levante", eu digo: "Sim, sempre sopra para o Levante", pois não quero que saibas que a minha mente não mora no vento, mas no mar.

Não podes entender meus pensamentos marítimos, nem eu quero que entendas. Prefiro ficar sozinho no mar.

Quando é dia para ti, meu amigo, é noite para mim; mesmo assim, falo da luz do dia que dança nas montanhas e da sombra púrpura que abre caminho pelo vale, pois não podes ouvir as canções das minhas trevas nem ver minhas asas baterem contra as estrelas. A mim, não interessa que ouças nem que vejas. Prefiro ficar sozinho na noite.

Quando sobes ao teu Céu, desço ao meu Inferno. Mesmo assim, chamas-me através do abismo intransponível que nos separa: "Companheiro! Camarada!". E eu te respondo: "Companheiro! Camarada!", pois não quero que vejas meu

Inferno. As chamas te cegariam e a fumaça te sufocaria. Eu amo demais o meu Inferno para te deixar visitá-lo. Prefiro ficar sozinho no Inferno.

Amas a Verdade, a Beleza e a Retidão; e eu, para agradar-te, digo que concordo e finjo amar essas coisas. Mas, no meu coração, caçoo do teu amor por elas. No entanto, não quero que ouças minhas risadas. Prefiro rir sozinho.

Meu amigo, tu és bom, sensato e sábio. Não, és mais do que isso, és perfeito. E eu, eu também falo contigo com sensatez e sabedoria. No entanto, sou um louco. Porém disfarço a minha loucura. Prefiro ser louco sozinho.

Meu amigo, tu não és meu amigo, mas como te farei compreender? O meu caminho não é o teu caminho, mas caminhamos juntos, de mãos dadas.

O espantalho

– Deves estar cansado de ficar parado neste campo solitário – disse eu a um espantalho.

– A alegria de assustar é profunda e duradoura; nunca me cansa – respondeu-me ele.

Após um minuto de reflexão, eu lhe disse:

– É verdade. Eu também conheci essa felicidade.

– Só aqueles que estão cheios de palha podem sabê-lo – falou ele.

Depois, afastei-me do espantalho, sem saber se ele tinha me elogiado ou me depreciado.

Passou-se um ano, durante o qual o espantalho se tornara um filósofo.

E quando voltei a passar por ele, vi que dois corvos tinham se aninhado debaixo do seu chapéu.

As sonâmbulas

Na minha cidade natal viviam uma mulher e sua filha, que caminhavam durante o sono.

Uma noite, enquanto o silêncio envolvia o mundo, a mulher e a filha caminharam durante o sono até se encontrarem no jardim envolto num véu de névoa.

E a mãe falou primeiro:

– Finalmente! Finalmente posso dizer-te, minha inimiga! Foste tu quem destruiu a minha juventude e viveu construindo a tua vida sobre as ruínas da minha! Eu gostaria de te matar!

Depois, falou a filha, com estas palavras:

– Ó mulher odiosa, egoísta e velha! Tu estás entre mim e minha liberdade! Querias que a minha vida fosse um eco da tua própria vida murcha! Queria que estiveste morta!

Naquele instante, o galo cantou e as duas mulheres despertaram.

– És tu, querida? – disse a mãe carinhosamente.

– Sim, sou eu, mamãe querida – respondeu a filha, com a mesma gentileza.

Um cão sábio

Um dia, um cão sábio passou perto de um bando de gatos. Vendo o cão que os gatos pareciam distraídos, conversando sem que dessem por sua presença, o cão parou para escutar o que diziam. Então, um gato grande, grave e circunspecto, levantou-se e passou a observar seus companheiros.

– Irmãos – disse – orai. E quando tiverdes orado uma e outra vez, e voltado a orar, não há dúvida de que choverão ratos do céu.

Ao ouvi-lo, o cão riu-se por dentro e se afastou dos gatos, dizendo:

– Felinos cegos e insensatos! Não está escrito, e eu não soube sempre, e meus pais antes de mim, que quando elevamos nossas súplicas e pregações aos Céus, o que chove são ossos e não ratos?

Os dois eremitas

Numa montanha distante viviam dois eremitas que adoravam a Deus e se amavam. Eles possuíam uma tigela de barro, que era tudo o que tinham.

Um dia, um espírito maligno entrou no coração do eremita mais velho e ele disse ao mais novo.

– Há muito tempo que moramos juntos. Chegou a hora de nos separarmos. Dividamos, portanto, os nossos bens.

Quando o eremita mais novo ouviu isso, entristeceu-se.

– Lamento, Irmão – disse ele –, que tenhas de me deixar. Mas se for preciso que te vás, que assim seja.

Foi buscar a tigela de barro, entregou-a ao companheiro e disse-lhe:

– Não podemos dividi-la, Irmão; que fique contigo.

– Não aceitarei a tua caridade – respondeu o outro. Levarei apenas o que me pertence. Temos de dividi-la.

O jovem raciocinou:

– Se partirmos a tigela ao meio, que utilidade terá ela para ti ou para mim? Se quiseres, por que não tiramos a sorte?

Mas o ermitão mais velho persistiu.

– Levarei apenas o que é meu por direito, e não vou confiar à sorte o meu direito e o que me pertence. A tigela deve ser partida.

O eremita mais novo, vendo que não havia mais como argumentar, disse:

– Está certo. Se esse é o teu desejo e te recusas a aceitar a tigela, vamos parti-la e dividi-la.

Mas o rosto do eremita mais velho encheu-se de raiva e ele gritou:

– Maldito covarde! Então tu te recusas a lutar?

Dar e Receber

Certa vez, havia um homem que possuía uma infinidade de agulhas.

Um dia, a mãe de Jesus aproximou-se dele e disse:

– Amigo, a roupa de meu filho está rasgada e preciso remendá-la, para que ele vá ao Templo. Tu não me darias uma agulha?

Ele não lhe deu a agulha. Em vez disso, pregou-lhe um discurso sobre Dar e Receber para que ela o ensinasse ao filho antes que ele fosse ao Templo.

Os sete egos

Na hora mais calma da noite, enquanto eu estava deitado e adormecido, os meus sete egos sentaram-se numa roda e cochicharam, nestes termos:

Primeiro Ego: – Vivi aqui, no corpo deste louco, todos esses anos, e não fiz outra coisa que renovar as suas dores de dia e reacender a sua tristeza de noite. Já não posso suportar o meu destino e me rebelo.

Segundo Ego: – Irmão, o teu destino é melhor do que o meu, pois me coube ser o ego jubiloso deste louco. Eu rio quando ele está alegre e canto as suas horas de felicidade; e, com os pés alados, danço os seus pensamentos mais alegres. Sou eu quem se rebela contra uma existência tão cansativa.

Terceiro Ego: – E o que dizeis de mim, o ego picado pelo amor, o fogo abrasador da paixão selvagem e dos desejos fantásticos? É o ego doente de amor que se deve rebelar contra este louco.

Quarto Ego: – Sou o mais miserável de todos vós, pois só o ódio e os desejos destrutivos me atingiram. Eu, o ego tempestuoso, aquele que nasceu nas grutas negras do Inferno, sou aquele que tem mais direito de protestar contra servir a este louco.

Quinto Ego: – Não, sou eu, o ego pensante, o ego da imaginação, aquele que sofre a fome e a sede, aquele condenado a vagar inquieto em busca do desconhecido e do incriado... Sou eu, e não vós, quem tem o maior direito de se rebelar.

Guerra

Uma noite houve um banquete no palácio, e um homem foi prostrar-se diante do príncipe. Todos os convidados olharam para o homem e viram que lhe faltava um olho e que a cavidade ocular sangrava. O príncipe perguntou ao homem:

– O que lhe aconteceu?

– Ó príncipe – disse o homem –, sou ladrão por profissão, e esta noite, como não há Lua, fui roubar a loja do tecelão, mas ao subir e entrar pela janela cometi um erro. Entrei na loja e, no escuro, tropecei no tear e perdi um olho. Agora, ó príncipe, apelo à justiça contra o tecelão.

O príncipe mandou chamar o tecelão. Quando ele chegou ao palácio, foi decretado que lhe vazassem um olho.

– Ó príncipe – disse o tecelão –, o decreto é justo. Não me queixo por ter um olho vazado. Porém, ai de mim, preciso dos dois olhos para enxergar os dois lados dos panos que teço. Mas tenho um vizinho, um sapateiro por profissão, que tem os dois olhos saudáveis, mas para o seu trabalho só precisa de um.

Assim, o príncipe mandou chamar o sapateiro. E ele veio, e lhe foi tirado um dos olhos.

Assim, a justiça foi feita!

A raposa

Ao amanhecer, uma raposa olhou para a própria sombra e disse:
– Hoje, vou almoçar um camelo.
E passou a manhã inteira procurando camelos. Ao meio-dia, voltou a olhar para a sombra e disse-lhe:
– Bem... Um rato já é o bastante.

O rei sábio

Era uma vez, na distante cidade de Wirani, um rei que governava os súditos com poder e sabedoria. Eles o temiam pelo poder que tinha e amavam-no porque era sábio.

Havia também, no coração daquela cidade, um poço de água fresca e límpida, do qual todos os habitantes bebiam, até mesmo o rei e seus cortesãos, porque era o único poço da cidade.

Uma noite, quando todos dormiam, uma bruxa entrou na cidade e verteu sete gotas de um líquido misterioso no poço, e disse, ao mesmo tempo:

– A partir deste momento, quem beber desta água ficará louco.

Na manhã seguinte, todos os habitantes do reino, com exceção do rei e de seu camareiro, beberam do poço e enlouqueceram, tal como a bruxa havia dito.

E naquele dia, nas ruas e no mercado, as pessoas não fizeram mais do que sussurrar:

– O rei está louco. Nosso rei e o seu camareiro perderam a cabeça. Não podemos permitir que um rei louco nos governe; temos de depô-lo.

À noite, o rei mandou encher uma taça dourada com água do poço. E, ao recebê-la, bebeu dela com gosto e passou-a ao camareiro para que ele também bebesse.

E houve uma grande alegria na distante cidade de Wirani, pois o rei e o grande camareiro tinham recuperado a razão.

Ambição

Era uma vez três homens sentados à mesa de uma taberna. Um deles era um tecelão; um outro, carpinteiro; e o terceiro, um coveiro.

– Hoje, vendi uma mortalha de linho fino por duas moedas de ouro – disse o tecelão. – Portanto, bebamos tanto vinho quanto nos apetecer.

– E eu – falou o carpinteiro – vendi o meu melhor caixão. Além do vinho, que nos tragam um bom assado.

– Cavei apenas uma sepultura – disse o coveiro –, mas o meu mestre pagou-me o dobro. Que nos tragam também alguns bolos de mel.

E durante toda aquela noite houve muita atividade na taberna, pois os três amigos continuavam a pedir vinho, carne e bolos. E ficaram muito felizes.

O estalajadeiro, por sua vez, esfregava as mãos, sorrindo para a esposa, pois os convidados estavam gastando muito dinheiro ali.

Quando os três amigos deixaram a taberna, a Lua já estava alta. Eles caminharam felizes, cantando e gritando. O estalajadeiro e a esposa foram até a porta da taberna e olharam para os seus fregueses com prazer.

– Ah, que cavalheiros generosos e felizes! – exclamou a mulher. Se ao menos nos trouxessem sorte e todos os dias fossem assim, o nosso filho não teria de trabalhar como taberneiro nem teria de se esforçar tanto. Podíamos dar-lhe uma boa educação para que se tornasse padre.

O novo prazer

De noite, inventei um novo prazer e me dispus a experimentá-lo pela primeira vez, quando um anjo e um demônio vieram apressadamente até a minha casa. Os dois se encontraram à minha porta e passaram a discutir sobre o prazer que eu acabara de inventar. Um deles gritava:
– É um pecado!
E o outro, no mesmo tom, assegurava:
– É uma virtude!

O outro idioma

Três dias depois que eu nasci, enquanto eu me encontrava num berço forrado de seda, olhando com assombrada desilusão o novo mundo que me rodeava, minha mãe disse à minha ama de leite:

– Como está o meu filho?

– Muito bem, minha senhora – respondeu a minha ama de leite. – Alimentei-o três vezes, e nunca vi uma criança tão alegre, por mais nova que fosse.

Eu fiquei indignado, chorei e exclamei:

– Não é verdade, mãe! Minha cama é dura, o leite que tomei é amargo e o cheiro do peito é desagradável. Estou muito triste.

Mas minha mãe não me compreendia, nem a ama de leite, pois a língua que eu falava era a língua do mundo de onde eu vinha.

Quando eu tinha 21 dias, durante meu batismo, o padre disse à minha mãe:

– A senhora deve estar muito feliz pelo seu filho ter nascido cristão.

Fiquei muito surpreendido ao ouvir isso e disse ao padre:

– Nesse caso, a tua mãe que está no Céu deve estar muito infeliz, porque não nasceste cristão.

Porém o padre também não compreendeu a minha língua.

E, sete luas mais tarde, um adivinho olhou para mim e disse à minha mãe:

– O teu filho será um estadista e um grande chefe de homens.

– Falso! – gritei. – Isso é uma falsa profecia, pois eu serei músico e nada além de músico!

E, mesmo naquela altura e naquela idade, eles não compreendiam a minha língua, o que muito me espantou.

Após 33 anos, durante os quais a minha mãe, a minha ama de leite e o padre (que a sombra de Deus proteja os seus espíritos) morreram, apenas o adivinho sobreviveu. Ontem, vi-o perto da entrada do templo, e enquanto falávamos, ele me disse:

– Sempre soube que serias um músico, que te tornarias um grande músico. Eras muito jovem quando profetizei o teu futuro.

E eu acreditei nele, pois, então, eu também já me esquecera da língua daquele outro mundo.

A romã

Certa vez, quando vivia no coração de uma romã, ouvi uma semente dizer:

– Um dia serei uma árvore. O vento cantará nos meus ramos, o Sol dançará nas minhas folhas e eu serei forte e belo em todas as estações.

Depois, outra semente falou:

– Quando eu era jovem, como és agora, também pensava assim. Mas agora que posso pesar melhor todas as coisas, vejo que as minhas esperanças eram vãs.

E uma terceira semente disse assim:

– Não vejo nada em nós que prometa um futuro assim tão brilhante.

E uma quarta semente:

– Como seria ridícula a nossa vida sem a promessa de um futuro melhor!

Já a quinta semente disse:

– Por que discutir sobre o que seremos, se nem sequer sabemos o que somos?

E a sexta semente respondeu:

– O que quer que sejamos, seremos sempre.

Então a sétima semente disse:

– Tenho uma ideia muito clara sobre como as coisas serão no futuro, mas não posso pô-la em palavras.

E, depois, uma oitava semente falou, e uma nona, e depois uma décima, e depois muitas outras, até que todas falavam ao mesmo tempo e eu não conseguia distinguir nada do que todas aquelas vozes diziam.

Assim, naquele mesmo dia, entrei no coração de um marmelo, onde as sementes são poucas e quase não falam.

As duas jaulas

No jardim do meu pai há duas jaulas. Numa delas está encerrado um leão, que os escravos do meu pai trouxeram do deserto de Ninavá. Na outra jaula vive um pardal que não canta.

Todas as manhãs, o pardal cumprimenta o leão:

– Bom dia, prisioneiro!

As três formigas

Três formigas encontraram-se no nariz de um homem que estava deitado, dormindo ao Sol. Depois de cada uma das formigas ter saudado as outras no modo e na maneira de sua própria tribo, pararam ali para conversar.

– Estas colinas e planícies – disse a primeira formiga – são as mais secas que já vi. Procurei grãos o dia todo e não encontrei nada.

– Eu também não encontrei nada – falou a segunda formiga –, embora tenha visitado todos os recantos e clareiras. Esta, suponho, deve ser o que o meu povo chama de terra mole e movediça onde nada cresce.

– Meus amigos – disse a terceira formiga, levantando a cabeça –, estamos em pé no nariz da Formiga Suprema, a formiga poderosa e infinita, cujo corpo é tão grande que não podemos vê-lo, cuja sombra é tão vasta que não podemos conhecer seus contornos, cuja voz é tão poderosa que não podemos ouvi-la. Esta formiga é onipresente.

Quando a terceira formiga acabou de dizer aquelas palavras, as outras duas olharam-se e começaram a rir. Naquele instante, o homem se mexeu e, ainda dormindo, coçou o nariz e esmagou as três formigas.

O coveiro

Certa vez, quando enterrava um dos meus egos, aproximou-se de mim um coveiro e disse:

– De todos os que vêm aqui sepultar seus egos mortos, apenas tu me és simpático.

– Agradeço-te – repliquei –, mas por que te inspiro tanto simpatia?

– Porque, aqui, todos chegam chorando e vão embora chorando – respondeu o coveiro. – Apenas tu, toda vez, chegas rindo e vais embora rindo.

Sobre os degraus do templo

Ontem à tarde, nos degraus de mármore do templo, vi uma mulher sentada entre dois homens. Uma das bochechas da mulher estava pálida; a outra, corada.

A Cidade Abençoada

Eu era muito jovem quando me disseram que, numa certa cidade, todos viviam de acordo com as Escrituras. E eu disse a mim mesmo: "Vou atrás dessa cidade e da santidade que lá existe".

Essa cidade era muito longe da minha pátria, por isso, reuni uma quantidade grande de provisões para a viagem e parti. Depois de quarenta dias de caminhada, vi a cidade ao longe; no dia seguinte, entrei nela.

Mas, para minha surpresa, vi que todos os habitantes daquela cidade tinham apenas um olho e uma mão. Fiquei muito surpreso com isso e disse para mim mesmo: "Por que será que os habitantes desta cidade santa têm apenas um olho e uma mão?".

Depois, vi que eles também ficaram surpresos, pois se maravilharam por eu ter duas mãos e dois olhos. E enquanto falavam entre si e comentavam a minha aparência, eu lhes perguntei:

– É esta a Cidade Abençoada, em que todos vivem de acordo com as Escrituras?

– Sim, é a Cidade Abençoada – responderam eles.

E acrescentei:

– O que aconteceu convosco? E o que houve com vossos olhos direitos e vossas mãos direitas?

Todos ficaram comovidos.

– Vem e vede por ti mesmo – disseram eles.

Levaram-me para o templo, que ficava no coração da cidade. No templo, vi um grande número de mãos e olhos, todos secos.

– Meu Deus! Que conquistador desumano vos cometeu essa crueldade?

E houve um murmúrio entre os habitantes. Um dos mais velhos deu um passo à frente e me disse:

– Isso fizemos nós próprios. Deus nos fez conquistadores do mal que havia em nós.

Ele levou-me a um altar enorme e todos nos seguiram. O ancião mostrou-me uma inscrição gravada no altar. Li: "Se o teu olho direito te serve de escândalo, arranca-o e lança-o fora de ti, porque melhor te é que se perca um de teus membros do que todo o teu corpo seja lançado no inferno. E se a tua mão direita te serve de escândalo, corta-a, lança-a fora de ti, porque melhor te é que se perca um de teus membros do que todo o teu corpo vá para o inferno".

Então compreendi. E virei-me para o povo reunido e gritei:

– Não há entre vós nenhum homem, nenhuma mulher, com dois olhos e duas mãos?

Responderam-me:

– Não, ninguém. Apenas aqueles que ainda são demasiado jovens para ler as Escrituras e compreender o seu mandamento.

Quando saí do templo, deixei imediatamente aquela Cidade Abençoada. Eu já não era muito jovem e sabia ler as Escrituras.

O Deus Bom e o Deus Mau

O Deus Bom e o Deus Mau conversavam no alto da montanha.
– Bom dia, irmão – disse o Deus Bom.
Mas o Deus Mau não respondeu. O Deus Bom continuou:
– Estás de mau humor, hoje?
– Sim – disse o Deus Mau –, porque ultimamente me confundem contigo, chamam-me pelo teu nome e me tratam como se eu fosse tu, e isso me desagrada muito.
– Pois saibas que também me chamam pelo teu nome – falou o Deus Bom.
Ao ouvir isso, o Deus Mau seguiu seu caminho amaldiçoando a estupidez dos homens.

A Derrota

Derrota, minha Derrota, minha solidão e isolamento;
És, para mim, mais cara que mil triunfos,
E mais doce a meu coração que toda a glória do mundo.
Derrota, minha Derrota, consciência de mim mesmo e rebeldia,
Por meio de ti, sei que ainda sou jovem e de pés ligeiros
E que não serei enganado por louros mirrados.
Em ti, encontrei a solidão e a alegria de ser evitado e desprezado.
Derrota, minha Derrota, minha espada fulgente e meu escudo,
Em teus olhos, li que ser coroado é ser escravizado,
E ser compreendido é ser rebaixado,
Ser apanhado é chegar à maturidade
E, como um fruto maduro, cair e ser consumido.
Derrota, minha Derrota, minha companheira audaz,
Ouvirás minhas canções, meus gritos e meus silêncios,
E ninguém senão tu me falarás do bater das asas,
Da impetuosidade dos mares e das montanhas que ardem na noite.
Apenas tu subirás até a minh'alma rochosa e íngreme.
Derrota, minha Derrota, meu ímpeto imortal,
Tu e eu riremos juntos com a tempestade,
E juntos cavaremos sepulturas para todos os que morrem em nós,
Ficaremos ao Sol imbuído de uma vontade,
E seremos perigosos.

A Noite e o Louco

– Sou como tu, ó Noite, escura e nua. Ando pelo caminho flamejante acima dos meus sonhos de dia; e sempre que meus pés tocam a terra, dela brota um gigantesco carvalho.

– Não, tu não és como eu, ó Louco, pois ainda te dobras para ver o tamanho dos teus passos na areia.

– Eu sou como tu, ó Noite, silenciosa e profunda, e no cerne de minha solidão reside uma deusa em trabalho de parto; e, no ser que nasce, o seu Céu toca o Inferno.

– Não, tu não és como eu, ó Louco, pois tremes antes mesmo de sentires a dor, e a canção do abismo te faz tremer.

– Eu sou como tu, ó Noite, selvagem e terrível, pois os meus ouvidos ouvem os gritos das nações conquistadas e os suspiros das terras esquecidas.

– Não, tu não és como eu, ó Louco, pois ainda consideras o teu pequeno ego um companheiro, e não consegues ser amigo do teu ego monstruoso.

– Eu sou como tu, ó Noite, cruel e terrível, pois o meu peito é iluminado por navios que ardem no mar e os meus lábios estão molhados do sangue de guerreiros trucidados.

– Não, tu não és como eu, ó Louco, pois ainda anseias encontrar a tua alma gêmea, e ainda não te tornaste uma lei para ti próprio.

– Eu sou como tu, ó Noite, alegre e feliz, pois aquele que vive na minha sombra está agora embriagado com vinho virgem, e aquele que me segue vai pecando com alegria.

– Não, tu não és como eu, ó Louco, pois a tua alma está envolta no véu de sete dobras, e não seguras teu coração na tua mão.

– Eu sou como tu, ó Noite, paciente e apaixonado, pois em meu peito estão enterradas mil amantes mortas, envoltas em mortalhas de beijos murchos.

– Louco, achas mesmo que és como eu? Consegues cavalgar na tempestade como um potro selvagem e agarrar o raio como se fosse uma espada?

– Como tu, ó Noite, como tu, poderoso e excelso, e meu trono se assenta sobre uma pilha de deuses caídos; e os dias desfilam diante de mim para beijar a bainha da minha veste, e não se atrevem a olhar-me na cara.

– Pensas que és como eu, filho do que há de mais sombrio no meu coração? Podeis pensar meus pensamentos indomados e falar a minha vasta língua?

– Sim; somos irmãos gêmeos, ó Noite, pois revelas o espaço, e eu revelo a minha alma.

Rostos

Vi um rosto com mil semblantes, e um rosto que tinha apenas um semblante, como se repousasse num molde.

Vi um rosto cujo brilho aparecia através da feiura que o cobria, e um rosto cujo brilho tive de evitar para ver como era belo.

Vi um rosto velho cheio de marcas de nada, e um rosto jovem em que todas as coisas estavam gravadas.

Conheço rostos porque os vejo através da teia que os meus olhos tecem, e vejo a realidade que está por trás da trama.

O mar supremo

Minh'alma e eu fomos para o grande mar para nos banharmos. E, quando chegamos à praia, passamos a procurar um lugar remoto e solitário.

Enquanto caminhávamos, vimos um homem sentado numa rocha cinzenta. De um saco ele tirava pitadas de sal e as atirava ao mar.

– Esse é o pessimista – disse a minha alma. – Deixemos este lugar. Não podemos banhar-nos aqui.

Caminhamos até chegarmos a um remanso. Ali, vimos, em pé sobre uma rocha branca, um homem segurando uma caixa de joias, da qual tirava açúcar e atirava ao mar.

– Esse é o otimista – falou a minha alma. – Ele também não deve ver os nossos corpos nus.

Caminhamos mais à frente e, numa praia, vimos um homem apanhar peixes mortos e devolvê-los com cuidado à água.

– Não podemos banhar-nos diante dele – disse a minha alma. – É o filantropo.

E prosseguimos.

Logo, vimos um homem que traçava o contorno da própria sombra projetada na areia. Ondas grandes vinham e apagavam-no. Mas ele continuava a traçá-lo repetidamente.

– É o místico – falou a minha alma. – Deixemo-lo.

E continuamos até que, numa enseada calma, vimos um homem que recolhia a espuma do mar e a colocava numa copa de alabastro.

– É o idealista – disse a minha alma. – Ele, certamente, não pode ver a nossa nudez.

E continuamos a caminhar. De repente, ouvimos uma voz, que gritava:

– Este é o mar, o mar profundo! É o vasto e poderoso mar!

E quando nos aproximamos da voz, vimos que era a de um homem que estava de costas para o mar e segurava uma concha ao ouvido, escutando o murmúrio que vinha dela.

E a minha alma disse:

– Vamos passar adiante. É o realista, que vira as costas para o todo que não consegue apanhar e se ocupa de uma fração.

Por isso, passamos adiante. E, num lugar em que ervas daninhas cresciam entre as pedras, havia um homem com a cabeça enterrada na areia. E eu disse à minha alma:

– Podemos tomar banho aqui, pois ele não nos pode ver.

– Não – respondeu a minha alma. – Esse é o mais mortífero de todos. É o puritano.

Depois, uma grande tristeza caiu sobre o rosto da minha alma, e sobre a sua voz.

– Vamos embora daqui – disse ela. – Não há lugar tranquilo e escondido onde possamos tomar banho. Não quero que este vento levante os meus cabelos dourados, nem que o meu peito branco fique nu neste ar, nem que a luz revele a minha nudez sagrada.

Então deixamos aquele mar para procurar o Mar Supremo.

Crucificado

– Eu gostaria de ser crucificado! – gritei aos homens.
– Por que o teu sangue deve cair sobre as nossas cabeças? – perguntaram.
E eu respondi:
– De que outra forma podeis ser exaltados senão crucificando os loucos?
E eles acenaram com a cabeça e crucificaram-me. E a crucificação me apaziguou.
Enquanto eu balançava entre o céu e a terra, levantaram as cabeças para me verem. E ficaram exaltados, pois nunca tinham levantado a cabeça.
Mas enquanto olhavam para mim, um deles perguntou:
– Pelo que buscas expiar?
– Por que razão te sacrificas? – Outro homem questionou.
– Pensas que, por esse preço, vais comprar a glória do mundo? – disse um terceiro.
E, então, um quarto homem falou:
– Vejam como ele sorri! Pode tal dor ser perdoada?
E eu respondi a todos, dizendo:
– Lembro-me apenas de ter sorrido. Não expio nem me sacrifico, não desejo glória e nada tenho a perdoar. Eu tinha sede e implorei-vos que me dessem o meu próprio sangue para beber. Pois o que pode saciar a sede de um louco senão o próprio sangue? Fui burro e pedi-vos que me ferísseis para que eu pudesse

ter bocas. Fui vosso prisioneiro dias e noites, e procurei uma porta para dias e noites mais longos.

– E, agora, vou-me embora, pois outros já foram crucificados. E não penseis que nós, loucos, estamos cansados de tanta crucificação. Pois temos que ser crucificados por homens cada vez maiores, no meio de terras mais vastas e céus mais amplos.

O astrônomo

À sombra do templo, meu amigo e eu encontramos um cego, sentado lá, sozinho.

– Vede – disse meu amigo –, esse é o homem mais sábio de nossa terra.

Afastei-me do meu amigo e me aproximei do cego. Cumprimentei-o e conversamos.

Pouco depois, perguntei eu a ele:

– Perdoa minha pergunta, desde quando és cego?

– Desde que nasci – respondeu ele.

– Qual é o caminho de sabedoria que segues? – questionei.

– Sou astrônomo – disse-me o cego.

Depois, levou a mão ao peito e falou:

– Sim, observo todos esses sóis, essas luas e essas estrelas.

O grande anseio

Aqui, sento-me entre a minha irmã, a montanha, e o meu irmão, o mar.

Nós três somos um só na solidão, e o amor que nos une é profundo, forte e estranho. De fato, esse amor é mais profundo do que o meu irmão, o mar, e mais forte do que a minha irmã, a montanha; é mais estranho do que a estranheza da minha loucura.

Séculos e séculos se passaram desde que o primeiro amanhecer cinzento nos tornou visíveis uns aos outros; e, ainda que tenhamos visto o nascimento, a plenitude e a morte de muitos mundos, ainda somos ávidos e jovens. Somos jovens e ávidos e, contudo, estamos sozinhos e ninguém nos visita; embora nos encontremos num abraço pleno e sem restrições, não encontramos consolo. Bem, diga-me: que conforto pode haver para o desejo controlado e para a paixão insaciável? De onde virá o deus flamejante para aquecer o leito do meu irmão, o mar? E que torrentes apagarão o fogo da minha irmã, a montanha? E que mulher será capaz de tomar posse do meu coração?

No silêncio da noite, em sonhos, o meu irmão, o mar, sussurra o nome desconhecido da deusa flamejante; e a minha irmã, a montanha, chama à distância o deus frio e distante. Mas eu não sei a quem chamar no meu sonho.

Aqui, sento-me, entre a minha irmã, a montanha, e o meu irmão, o mar. Nós três somos um só em nossa solidão, e o amor que nos une é profundo, forte e estranho.

Disse uma palha de relva

Uma palha de relva disse a uma folha de outono:
– Quando cais, fazes tanto barulho que afastas todos os meus sonhos de inverno.
– És um ser de baixa estatura que vive num lugar miserável – disse a folha, indignada. – És uma coisa mal-humorada e que não consegue cantar. Não vives ao ar aberto e não podes dizer como é o som de uma canção.
Então a folha de outono caiu no chão e adormeceu. Quando a primavera chegou, a folha despertou e viu-se transformada numa palha de relva.
E quando o outono chegou e o sono de inverno começava a dominá-la, vendo que as folhas das árvores caíam sobre ela, a palha de relva murmurou consigo:
– Ah, essas folhas de outono! Como fazem barulho! Elas espalham todos os meus sonhos de inverno.

O Olho

Um dia, disse o Olho:

– Além destes vales, vejo uma montanha envolta num véu azul de névoa. Não é bonito?

O Ouvido escutou o que o Olho disse e, depois de algum tempo, falou:

– Mas onde fica essa montanha? Não consigo ouvir.

Então a Mão falou:

– Em vão tento senti-la ou tocá-la. Não encontro qualquer montanha.

E o Nariz disse:

– Não há montanha por aqui. Não sinto seu cheiro.

Então, o Olho virou-se para o outro lado, e os outros sentidos começaram a murmurar perante a estranha alucinação do Olho. E disseram entre si:

– Deve haver algo de errado com o Olho!

Os dois eruditos

Certa vez, viviam na antiga cidade de Afkar dois eruditos que se odiavam e desprezavam o conhecimento um do outro: um deles negava a existência dos deuses e o outro era um crente.

Um dia, os dois se reuniram no mercado e, em meio a seus seguidores, começaram a discutir sobre a existência e a não existência dos deuses. Após algumas horas de disputas acaloradas, separaram-se.

Naquela noite, o descrente foi ao templo e prostrou-se diante do altar, pedindo aos deuses que perdoassem a impiedade que até então ele tinha.

E, na mesma hora, o outro erudito, aquele que tinha defendido a existência dos deuses, queimou todos seus livros sagrados, pois tinha se tornado um descrente.

Quando a minha Tristeza nasceu

Quando a minha Tristeza nasceu, prodigalizei-lhe mil cuidados, e cuidei dela com ternura e carinho.

E a minha Tristeza cresceu, como todos os seres vivos: forte, bela e cheia de graças maravilhosas.

A minha Tristeza e eu nos amávamos, e amávamos o mundo à nossa volta, pois a Tristeza tem um coração gentil, e o meu coração era gentil com a Tristeza.

Quando conversávamos, os dias voavam e nossas noites se adornavam de sonhos, pois a minha Tristeza tinha uma língua eloquente, e a minha língua era eloquente com a Tristeza.

Quando eu e a minha Tristeza cantávamos juntos, nossos vizinhos sentavam-se à janela para nos ouvirem, pois as nossas canções eram profundas como o mar, e as nossas melodias estavam impregnadas de estranhas memórias.

E quando andávamos juntos, as pessoas olhavam-nos com olhos bondosos e espalhavam palavras de extrema doçura. Havia aqueles que nos invejavam, pois a minha Tristeza era um ser nobre, e eu me orgulhava dela.

Mas a minha Tristeza morreu, como todos os seres vivos, e eu fiquei sozinho, com minhas reflexões e devaneios.

E agora, quando falo, minhas palavras soam pesadas aos meus ouvidos.

Quando canto, meus vizinhos já não escutam minhas canções.

E quando ando sozinho na rua, ninguém olha para mim. Só em sonhos ouço vozes, que dizem com simpatia: "Olha, ali jaz o homem cuja Tristeza morreu".

Quando a minha Alegria nasceu

Quando a minha Alegria nasceu, tomei-a nos braços e fiquei em pé no telhado, gritando:
– Venham, vizinhos! Venham ver! Hoje nasceu a minha Alegria. Venham contemplar esta coisinha radiante que sorri sob o Sol.
Mas, para minha surpresa, nenhum vizinho veio ver a minha Alegria.
Todos os dias, durante sete luas, subi ao telhado e proclamei a chegada da minha Alegria, mas ninguém me queria escutar. E a minha Alegria e eu ficamos sós, sem ninguém para nos visitar.
Então, a minha Alegria ficou pálida e esgotada, porque apenas eu desfrutava de sua beleza, e apenas meus lábios beijavam os seus.
Depois, a minha Alegria morreu de solidão.
E agora, só consigo recordar-me da minha finada Alegria quando me recordo da minha finada Tristeza. Porque a recordação é uma folha de outono que sussurra por um instante ao vento, para não ser ouvida nunca mais.

"O mundo perfeito"

Deus das almas perdidas, que estás perdido entre os deuses, escuta-me.

Gentil Destino, que olhas por nós, loucos, escuta-me,

Eu, o mais imperfeito de todos, vivo entre uma raça de homens perfeitos.

Eu, um caos humano, uma nebulosa de elementos confusos, vagueio entre mundos perfeitamente acabados; entre povos que são governados por leis bem elaboradas e que obedecem a uma ordem pura, cujos pensamentos são classificados, cujos sonhos são ordenados e cujas visões são listadas e registradas.

As virtudes deles, ó Deus, são medidas, e seus pecados são pesados; e mesmo os inumeráveis atos que ocorrem no crepúsculo nebuloso entre o que não é pecado nem virtude são gravados e catalogados.

Neste mundo, as noites e os dias são convenientemente divididos em seções de conduta e regidos por regras de impecável exatidão.

Comer, beber, dormir, cobrir a própria nudez e, depois, ficar cansado no devido tempo.

Trabalhar, brincar, cantar, dançar e, depois, deitar-se tranquilamente quando o relógio bate a hora.

Pensar isso, sentir aquilo, e depois deixar de pensar e de sentir quando certa estrela surge no horizonte.

Roubar um vizinho com um sorriso, dar presentes com um gesto gracioso, elogiar com prudência, acusar com cuidado, destruir uma alma com uma palavra, queimar um corpo com um suspiro e, depois, lavar as mãos quando o trabalho do dia estiver feito.

Amar de acordo com a ordem estabelecida, entreter-se da melhor maneira possível segundo certas regras, adorar os deuses com o devido decoro, intrigar e enganar os demônios habilmente e, depois, esquecer-se de tudo isso, como se a memória tivesse morrido.

Imaginar segundo um motivo determinado, projetar com consideração, ser feliz com doçura, sofrer com nobreza e, depois, esvaziar a taça para que amanhã a possamos encher novamente.

Todas essas coisas, ó Deus, são concebidas com clarividência, nascidas com firme propósito, mantidas com cuidado e precisão, governadas de acordo com a regra e a razão e, depois, assassinadas e enterradas segundo o método prescrito. E mesmo os seus túmulos silenciosos, que se encontram dentro da alma humana, são marcados e numerados.

É um mundo perfeito, de consumada excelência, o fruto mais maduro do jardim de Deus, o pensamento dominante do universo.

Mas por que tenho de estar aqui, ó Deus, eu, a semente verde da paixão insatisfeita, a tempestade louca que não busca o Oriente nem o Ocidente, o fragmento atordoado de um planeta que pereceu nas chamas?

Por que estou aqui, ó Deus das almas perdidas? Tu, que estás perdido entre os deuses?

Sumário

O Profeta

A chegada do barco   11
Do amor   14
Do matrimônio   16
Dos filhos   17
Da dádiva   18
Da comida e da bebida   20
Do trabalho   22
Da alegria e da tristeza   24
Das casas   26
Das roupas   28
Da compra e da venda   29
Do crime e do castigo   31
Das leis   34
Da liberdade   36
Da razão e da paixão   38
Do sofrimento   40
Do autoconhecimento   41
Do ensino   42
Da amizade   43
Do diálogo   45
Do tempo   47
Do bem e do mal   48
Da oração   50
Do prazer   52
Da beleza   54
Da religião   56
Da morte   58
O adeus   60

O errante

O errante	69
As roupas	70
A águia e a andorinha	71
A canção de amor	73
Lágrimas e risos	74
Na feira	75
As duas princesas	76
O raio	77
O eremita e as bestas-feras	78
O profeta e a criança	79
A pérola	81
Corpo e alma	82
O rei	83
Sobre a areia	86
O três presentes	87
Paz e guerra	88
A dançarina	89
Os dois anjos da guarda	90
A estátua	92
A troca	93
Amor e ódio	94
Sonhos	95
O louco	96
As rãs	97
Leis e juristas	99
Ontem, hoje e amanhã	100
O filósofo e o sapateiro	102
Construtores de pontes	103
Os campos de Zaade	104
O cinto de ouro	106
A terra vermelha	107
A lua cheia	108
O profeta eremita	109
O velho, velho vinho	110
Os dois poemas	111
A senhora Rute	113
O rato e o gato	114
A maldição	115

As romãs	116
Deus e muitos deuses	117
A esposa surda	118
A procura	120
O cetro	122
O caminho	123
A baleia e a borboleta	125
A sombra	126
A paz contagiosa	127
Setenta	128
Ao encontro de Deus	129
O rio	130
Os dois caçadores	131
O outro errante	133

Espíritos rebeldes

Warda al-Hani	136
O grito dos túmulos	148
O leito de núpcias	157
Calil, o herege	166

Asas partidas

Preâmbulo	201
Tristeza muda	203
A mão do destino	205
A entrada do santuário	208
A tocha branca	211
A tempestade	213
O lago de fogo	221
Diante do trono da morte	231
Entre Cristo e Astarte	239
O sacrifício	243
A redentora	249

O Louco

Como me tornei um louco	255
Deus	256
Meu amigo	257
O espantalho	259
As sonâmbulas	260
Um cão sábio	261
Os dois eremitas	262
Dar e Receber	264
Os sete egos	265
Guerra	266
A raposa	267
O rei sábio	268
Ambição	269
O novo prazer	270
O outro idioma	271
A romã	273
As duas jaulas	274
As três formigas	275
O coveiro	276
Sobre os degraus do templo	277
A Cidade Abençoada	278
O Deus Bom e o Deus Mau	280
A derrota	281
A Noite e o Louco	282
Rostos	284
O mar supremo	285
Crucificado	287
O astrônomo	289
O grande anseio	290
Disse uma palha de relva	291
O Olho	292
Os dois eruditos	293
Quando a minha Tristeza nasceu	294
Quando a minha Alegria nasceu	295
"O mundo perfeito"	296

Compartilhando propósitos e conectando pessoas

Visite nosso site e fique por dentro dos nossos lançamentos:
www.novoseculo.com.br

facebook/novoseculoeditora
@novoseculoeditora
@NovoSeculo
novo século editora

gruponovoseculo.com.br

Edição: 1
Fonte: EB Garamond

Escritor profundo e apaixonado, nascido em 6 de janeiro de 1883, em Bsharri, no Líbano, Gibran Khalil Gibran (1883-1931) foi um ensaísta, prosador, poeta, conferencista, pintor e até mesmo filósofo. No ano de 1894, o autor se mudou para Boston fixando residência nos Estados Unidos. No período de 1898 a 1902, Gibran retornou ao Líbano para terminar seus estudos árabes. Em 1902, regressou a Boston, onde posteriormente veio escrever poemas e meditações para Al-Muhajir (O Emigrante), jornal árabe publicado no estado.

Durante 1905 a 1920, Khalil escreve exclusivamente em árabe e publica sete livros neste idioma. Já nos anos de 1918 a 1931 ele deixa o árabe, pouco a pouco, e dedica-se mais ao inglês.

Khalil Gibran faleceu em 10 de abril de 1931, no hospital de São Vicente, em Nova York, vítima de uma crise pulmonar. Em 1935, na intenção de homenagear o autor, a aldeia Bsharri – hoje município –, inaugurou o Museu Gibran Khalil Gibran.

Do sagrado ao poético

AS NARRATIVAS DE
GIBRAN KHALIL GIBRAN

por Cristiane Oliveira

ns

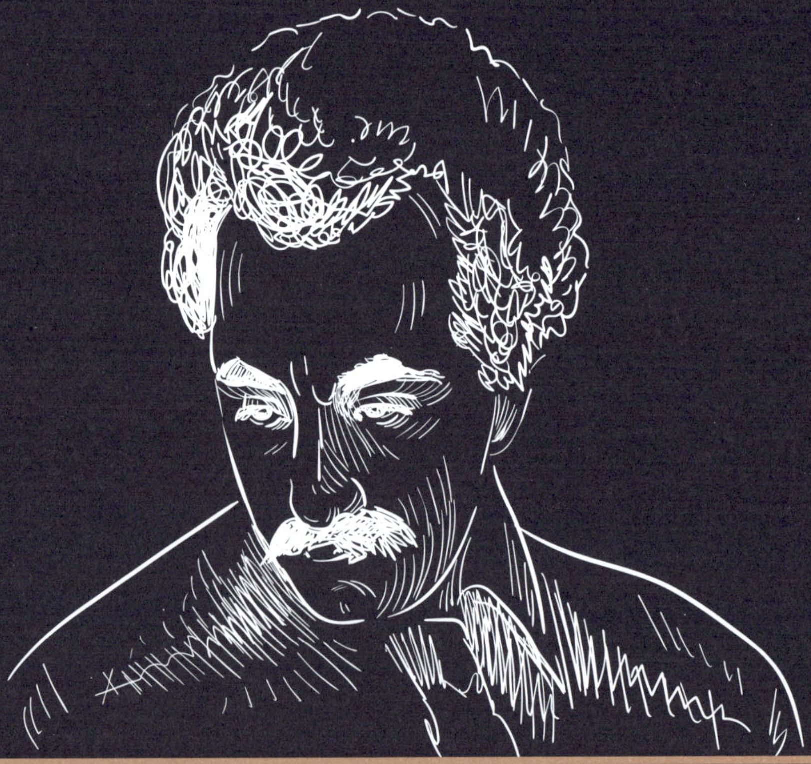

[...]
permanecerei um estrangeiro até que a morte me rapte e me leve para a minha pátria.

O Poeta
Khalil Gibran

A vida de um Poeta

Quando falamos em Khalil Gibran, pensamos logo em *O profeta*, sua obra mais emblemática. Contudo, Gibran, era muito mais do que um escritor profundo e apaixonado. Vamos passear pela trajetória desse escritor tão controverso que conquistou o mundo e mudou a forma de vermos a cultura árabe. Antes de mais nada, pensemos em Gibran como um emigrante de sua terra natal, de seus amores e de si mesmo. O início do século XX no Líbano foi marcado pelo declínio econômico, a miséria, os altos impostos e o desgoverno, que era a tônica do momento. Devido à pressão demográfica, à pobreza do solo, às doenças endêmicas, o declínio das indústrias tradicionais e a falta de oportunidades econômicas, a emigração se tornou a única solução plausível. A família de Gibran fazia parte da população que fora desterrada de sua pátria pela esperança de uma vida melhor.

Quando Gibran nasceu, Bsharri não passava de uma simples aldeia situada a cerca de 1.450m de altitude perto do Vale de Qadisha, um local de refúgio que se tornou o centro espiritual da Igreja Maronita. A aldeia, que atualmente é um município, conserva, ainda, os únicos remanescentes originais dos Cedros do Líbano. E sendo berço do poeta, o município inaugurou, no ano de 1935, o Museu Gibran Khalil Gibran com o intuito de homenageá-lo.

No Líbano, os nativos de Bsharri são caracterizados como um povo corajoso, impetuosamente tribal, hospitaleiro, com elevado patriotismo e, em especial, são conhecidos pelo sotaque quando falam a língua árabe. Ao contrário de outras partes do Líbano, o aramaico foi falado em Bsharri até o século XIX. Como resultado, seus nativos desenvolveram um sotaque inconfundivelmente forte, característica que os torna muito orgulhosos.

Gibran Khalil Gibran – assim como todo nativo de Bsharri – estava imbuído das características peculiares daquela região e daquele povo. É por este motivo que encontramos em suas narrativas aspectos como a coragem, o patriotismo e o orgulho de ser libanês.

Imagem de Igor Golovniov (shutterstock)

Os anos na vida de Gibran

O libanês Gibran Khalil Gibran nasceu em 6 de janeiro de 1883 e herdou o mesmo nome de seu pai. Segundo estudiosos, Khalil Gibran, um homem forte, robusto e de olhos azuis – que havia recebido apenas o ensino fundamental – era um dos homens mais influentes da cidade. Contudo, o álcool e o vício por jogos de azar fizeram-no acumular muitas dívidas, o que o levou a ter que trabalhar num cargo administrativo para os otomanos.

Em 1891 ele foi removido do cargo, investigado e, na sequência, preso por peculato. A propriedade da família foi confiscada pelas autoridades e sua família foi morar com outros parentes. Assim iniciou-se o período de pobreza de sua família, e por este motivo Gibran não pôde receber uma educação formal. Seus estudos se deram através dos ensinamentos de sacerdotes locais que o visitavam e lhe ensinavam sobre religião, a língua árabe e a língua siríaca.

Apesar de Kamileh Rahmeh – mãe de Gibran – pertencer a uma família de prestígio devido ao seu pai Stephan Rahmeh ser um sacerdote maronita em Bsharri, ela e seus filhos não gozavam de tal prestígio. A partir do momento em que ela se casou com Khalil, ela passou a ter as mesmas condições financeiras que ele. E, por mais que o pai de Gibran fosse encarregado de ser um coletor de impostos, ele não era visto com bons olhos porque trabalhava para os turcos otomanos.

No entanto, o que mais pesou sobre a família de Gibran foi o fato de Khalil ter sido preso e ter perdido todas as posses por conta do alcoolismo. O fato de terem que morar de favor foi um dos motivos da partida de Kamileh e os filhos para os Estados Unidos.

Assim, no ano de 1894, Gibran, juntamente com sua com a mãe, o irmão Pedro e as duas irmãs, Mariana e Sultane, emigraram para os Estados Unidos, fixando residência em Boston enquanto o pai permanecera em Bsharri, onde seguiu trabalhando como coletor de impostos rurais. No período de 1898 a 1902, Gibran retorna ao Líbano para completar seus estudos árabes e matricula-se no Colégio da Sabedoria, em Beirute.

Em 1902 ele regressou a Boston e permaneceu lá até o ano de 1908. No ano de 1903 ele perdeu sua mãe, sua irmã Sultane e seu meio irmão Pedro, que foram acometidos por graves enfermidades. Assim, Gibran passou a viver com sua irmã Mariana, que sustentava a si e ao seu irmão com o trabalho de costureira enquanto ele escrevia artigos para jornais da comunidade Árabe.

Gibran, então, passa a escrever poemas e meditações para o Al-Muhajer, um jornal árabe que era publicado em Boston. Seu estilo, repleto de melodias, imagens e símbolos, atraiu a atenção do mundo árabe. Gibran também desenhava e pintava numa arte mística que lhe é própria.

No ano de 1904 ele realiza uma exposição de seus primeiros quadros e desperta o interesse da diretora de uma escola americana de arte chamada Mary Haskell.

A educadora passa a custear os estudos artísticos de Gibran em Paris, onde permanece por quase três anos. No período de 1908 a 1910, já em Paris, Gibran estudou na Académie Julien, trabalhando freneticamente e frequentando museus, exposições e bibliotecas. Ele conhece o escultor Auguste Rodin e torna-se seu aluno na Academia de Belas Artes de Paris, onde uma de suas telas foi escolhida para a Exposição das Belas-Artes, em 1910. Nesse ínterim, morre o pai de Gibran. No mesmo ano ele retorna a Boston e muda-se para Nova York, onde permanecerá até o fim de sua vida.

Um fato ocorrido no ano de 1908 marca um período importante para entender como a escrita Gibraniana favoreceu e influenciou o conhecimento sobre a cultura libanesa e, consequentemente, sobre suas leis e o patriarcalismo religioso no Líbano à época.

Um de seus contos mais emblemáticos é "O lamento das Tumbas", parte integrante do livro *Espíritos Rebeldes*. Podemos ler, na obra de Gibran, a força da denúncia que a publicação da obra alcançou em sua terra natal, haja vista a transcrição da afirmação dos tradutores Tania Maria Farht Pires e Emil Farhat:

> Atitude bem diferente marcou o lançamento do original árabe de "Espíritos Rebeldes", no princípio do século. O livro foi queimado em público, no mercado de Beirute, por representantes da Igreja e do Estado, que o julgavam nocivo à paz do Líbano. O país estava então sob o jugo da Turquia, virtualmente escravizado pelo sultão e seus emires. Atento a essa realidade, Gibran concilia em "Espíritos Rebeldes" seu encantador misticismo com uma aberta preocupação social, denunciando a injustiça e a intolerância. (GIBRAN, Khalil. Espíritos rebeldes. Trad. Tania Maria Farht Pires e Emil Farhat. Rio de Janeiro, Círculo do Livro, 1976).

As narrativas de Gibran abalaram as convicções dos libaneses residentes em Beirute e, de certa maneira, abalaram também a ordem imposta pelos poderosos naquela época. A publicação do livro foi responsável, inclusive, pelo exílio forçado de Gibran, que foi proibido de voltar ao Líbano durante muitos anos.

Gibran morou sozinho em Nova Iorque em um apartamento que ele e seus amigos chamaram de As-Saumaa (O Eremitério). Durante os anos que se estenderam de 1905 a 1920, Gibran escreveu quase que exclusivamente em árabe, publicando sete livros na língua. Já nos anos de 1918 a 1931 ele foi deixando a língua árabe pouco a pouco para se dedicar mais à língua inglesa, no qual produziu oito livros, lançados por Alfred A. Knopf.

Ao mesmo tempo em que escrevia, Gibran também se dedicou a desenhar e pintar; assim, todos os seus livros em inglês foram ilustrados por ele com desenhos evocativos e místicos, de interpretação às vezes difícil, mas de profunda inspiração. Seus quadros foram expostos em Boston e Nova Iorque.

As ilustrações de Gibran consistiam, basicamente, de corpos nus e sombras desenhadas em cinza e preto. Os movimentos e os ambientes representavam uma tentativa de relacionar o conhecido e o desconhecido para retratar o amor, o sofrimento, e a vida em sua relação entre o homem e Deus.

Gibran preferia despir seus quadros com referências de roupas, edifícios, a natureza ou qualquer elemento que possibilitasse a conexão entre sua arte e algum lugar ou religião específicos.

Durante os anos no Ocidente, Gibran conviveu com muitas pessoas, e as mulheres foram as personagens principais de sua trajetória. O escritor tinha um afeto imenso por sua mãe e por suas irmãs, principalmente Mariana. Devido a forte influência de mulheres diversas em sua vida, Gibran tinha uma percepção mais clara sobre a multiplicidade feminina, e, talvez por isso, tenha desenhado um retrato de Mariana com essa interpretação.

Segundo os estudiosos de Gibran, aos dezesseis anos ele se apaixonou perdidamente por Hala Daher, uma moça libanesa de família abastada e tradicional de Beirute. Entretanto, por suas diferenças financeiras – e não exatamente religiosas, pois eles professavam a mesma religião –, foram impedidos pelo irmão dela de iniciarem o namoro.

Acredita-se que um dos motivos da indignação de Gibran fosse justamente a frustração de ter tido seu relacionamento impedido pela tradição e pela diferença de classe social. Estes talvez tenham sido os motivos proeminentes para a sua revolta contra os moldes do casamento, especificamente na cultura árabe-libanesa.

Entre os pesquisadores de Gibran, fia-se que a obra intitulada *Asas partidas* seja um romance baseado no amor forçadamente platônico. Na narrativa é relatado o amor infeliz do narrador, Gibran, por Selma Karamy, que se acredita ser um pseudônimo para Hala Daher.

De maneira franca, Gibran evidencia mais um dos costumes "tipicamente orientais" sobre a questão de a mulher ser excluída da sua família originária para ser tratada como moeda de troca.

Mesmo com todas as provações, Hala e Gibran se corresponderam por mais de vinte anos e mantiveram a promessa de não se casarem. Ele prometeu voltar para ficar com seu amor. Infelizmente, Hala só pode vê-lo novamente no dia de seu velório.

Gibran faleceu em 10 de abril de 1931, no Hospital São Vicente, em Nova Iorque, no decorrer de uma crise pulmonar que o deixou inconsciente. Em 21 de agosto de 1931, seus restos mortais chegaram à terra pátria, o Líbano. Somente em sua morte o poeta pôde voltar para casa.

Após a morte de Gibran, ainda seriam publicados mais dois livros em inglês e um em árabe, composto de artigos e histórias já publicadas em outros livros e com algumas páginas inéditas.

Sua obra mais conhecida é *O Profeta*, que foi originalmente publicada em inglês e traduzida para idiomas em mais de quarenta países.

Há um escrito de Gibran que discorre sobre o sentimento de afastamento ao estar distante de sua cultura durante um longo tempo.

Curiosamente, suas palavras parecem uma profecia de como seria seu retorno para casa:

"Sou um estrangeiro neste mundo. Sou um estrangeiro, e há na vida do estrangeiro uma solidão pesada e um isolamento doloroso. (...) Sou um estrangeiro para minha alma. (...) e minha alma interroga minha alma. (...) Sou um estrangeiro neste mundo. Sou um estrangeiro, e já percorri o mundo do Oriente ao Ocidente sem encontrar a minha terra natal, nem quem me conheça ou se lembre de mim. (...) Sou um poeta que põe em prosa o que a vida põe em versos, e em versos o que a vida põe em prosa. Por isto, permanecerei um estrangeiro até que a morte me rapte e me leve para a minha pátria". (GIBRAN, Khalil. O poeta. In: Temporais. Trad. Mansour Challita. Rio de Janeiro, ACIGI, 1977. p. 108 -110).

Um poeta importante para a literatura árabe

Quando falamos em literatura árabe, devemos entender, antes de tudo, que o idioma *define* o povo. É a partir do Alcorão que a língua árabe terá o seu rigor gramatical, atribuindo ao idioma uma característica conservadora até os dias de hoje. Esse conservadorismo linguístico serviu, inclusive, para a manutenção de uma hegemonia do sentimento de *arabização* dos povos conquistados pelo islamismo, sendo eles muçulmanos ou não.

Por conta desta consolidação no idioma, surgiram as convenções poéticas nas quais a ode, ou *qasida*, eram os estilos mais valorizados. Portanto, haverá, na literatura árabe, uma divisão que será contemplada na maioria das publicações, sejam elas históricas ou literárias, e que irão dividir a literatura árabe em pré ou pós-islâmica.

Os poetas pós-islâmicos começavam a explorar os limites da clássica *qasida* iniciando um movimento originado no Egito chamado Al-Nahda (Renascimento árabe), que foi, na verdade, um renascimento cultural iniciado no final do século XIX e que se estendeu até o começo do século XX. Com o Al-Nahda diversos escritores árabes se valeram da poesia para explorar temas anti-colonialistas bem como os conceitos clássicos.

Gibran não era muçulmano, mas como árabe sofreu todas as influências dos movimentos culturais e literários de sua época. Ele foi o mais influente dos poetas d'*O Mahjar*, um movimento literário iniciado por escritores de língua árabe que emigraram para o continente americano vindos do Líbano, da

Síria e da Palestina na virada do século XX. Como seus antecessores no movimento Al-Nahda, os escritores do Mahjar foram estimulados por seu encontro pessoal com o Ocidente, e participaram amplamente da renovação da literatura árabe.

É justamente pela Al Nahda e o Al-Mahjar que Gibran quebra os grilhões literários segundo os quais escrevia sobre um oriente intimamente ligado ao fictício ocidental. Ele retoma, à sua maneira, os assuntos urgentes e pontuais de sua época. A realidade se torna o tema do momento, e a mulher libanesa é o assunto principal.

Assim, pela diferença na abordagem, podemos dizer que Gibran é um dos primeiros autores a expor as feridas que maculam a imagem que se tem do Oriente no que se refere à mulher árabe.

No romance *Asas partidas* (1957), Gibran expõe, mais do que em outros textos, o "engano" que é ser mulher, do fardo que o indivíduo encontra quando se descobre do gênero feminino. Tanto os costumes como a religião – aliada à legislação civil – esmagam a mulher, física, moral e intelectualmente, determinando suas escolhas, sentimentos e anseios. Gibran confirma a existência de uma imposição masculina diante da vida da mulher, e através de sua ótica nos possibilita ver o que acontecerá à mulher libanesa ao longo dos anos, independentemente de fronteiras politicamente construídas.

Além da questão de gênero, Gibran produziu uma obra literária acentuada e artisticamente marcada pelo misticismo oriental, que, por essa razão, alcançou popularidade em todo o mundo. Sua obra – acentuadamente romântica e influenciada por fontes de aparente contraste como a Bíblia, Nietzsche e William Blake – trata de temas como o amor, a amizade, a morte, a natureza, inclinações religiosas e místicas, entre outros.

Do sagrado ao poético, uma seleção que cura a alma

O PROFETA

Conhecida como a obra mais imponente de Gibran, *O profeta* foi escrita em árabe quando o autor tinha quinze anos – mas não fora publicada. A obra sofreu diversas alterações ao longo dos anos até que foi publicada em inglês no ano de 1923, vinte e cinco anos após ter sido escrita. Repleto de reflexões em que expôs um ideal de vida abstrata – e que conquistou mais de trezentos mil leitores –, o livro foi traduzido em mais de quarenta países e é publicado até hoje. A obra conta a história de Al-Mustafá, que parte da cidade de Orfalese e fala aos moradores antes de partir sobre diversos temas da vida, como a sabedoria, os filhos, o casamento, o amor, a morte, a família, a esperança, as leis e outros. Uma das passagens mais famosas do livro aborda a questão dos filhos e de quando os pais querem governar o destino deles: "Vossos filhos não são vossos filhos. São os filhos e as filhas da ânsia da vida por si mesma".

ESPÍRITOS REBELDES

Em 1908, Gibran publica *Espíritos rebeldes*, uma obra composta de três contos em que o autor faz ligações entre o homem e a natureza: hominizando a natureza e animalizando o homem. Tendo a natureza como soberana nos costumes e leis naturais, ele compara a lei natural e a lei do homem, sempre lembrando que um faz parte do outro. Nesta Obra, Gibran explicita os "deveres" da mulher libanesa, especificamente. No conto *Madame Rose Hanie*, Gibran atribui, metaforicamente, características singulares a seus personagens. Ele expõe o ponto de vista que o homem libanês tinha em relação ao relacionamento conjugal no final do século XIX. Gibran demonstra como os costumes culturais influenciam nas atitudes, deturpando até os conceitos mais íntimos de uma pessoa e moldando-a conforme as regras estabelecidas.

ASAS PARTIDAS

A obra *Asas partidas* foi publicada em 1912 e é um romance que se pode designar como autobiográfico. Nele, Gibran relata o amor infeliz do personagem homônimo por Hala Daher, chamada no romance de Selma Karamy. O livro, notoriamente anticlerical, põe em relevo o contraste entre as palavras e o comportamento do clero. Deplorando, mais uma vez, a crueldade com que a sociedade nega os direitos da paixão e mantém a mulher sob o jugo social e cultural, prezando mais os costumes e as aparências do que a sua felicidade. Selma é obrigada a casar-se com um homem a quem não ama, humilhada e julgada pelo esposo e pela sociedade por não poder gerar um filho. A mulher, subjugada pelas normas sociais masculinas à época, ganha sua liberdade através da maternidade que, ao se concretizar, vem somente para levar Selma para os braços da morte.

O ERRANTE

O livro *O errante* foi publicado postumamente, no ano de 1932. O manuscrito foi deixado por Gibran aos cuidados de Bárbara Young, sua amiga e colaboradora. Nesta obra, ao que tudo indica, a doença avançava em Gibran, afetando não só seu corpo mas também o seu gênio criativo. Naquele momento já era possível perceber o afastamento do autor dos temas antes abordados com maior veemência como o amor, as injustiças, a família e os costumes. Sua ironia estava acentuada e podia ser sentida em suas linhas: "(...) Mas tem pena de mim e de meu marido, porque não fazemos senão suportar-nos um ao outro em silenciosa paciência. E, entretanto, tu e os outros consideram isto felicidade". Em *O errante* temos fábulas e parábolas nas quais se lê uma amargura e ironia impiedosas contrastando com a luminosidade vista em *O profeta* e a força serena encontrada em *Jesus, o filho do homem*.

JESUS, O FILHO DO HOMEM

Publicado em 1928, em *Jesus, o filho do homem*, temos aproximadamente setenta e sete personagens, sendo que dezesseis deles são mulheres. Algumas dessas figuras dramáticas foram criadas por Gibran, outras – as mais importantes –, foram extraídas do Evangelho. Assim, o autor relata a vida de Jesus através de uma narrativa em que se observa os depoimentos de personagens que ficticiamente viveram no seu tempo e, justamente por isso, puderam descrevê-lo genuinamente, pois os relatos eram fundamentados nas memórias das personagens. Ao longo da narrativa compreendemos que a abordagem principal da obra é a humanização de Jesus. O intuito de Gibran em *Jesus, o filho do homem* é mostrar a Sua mortalidade, já que, para o escritor, todos nós somos filhos de Deus, e Jesus é o que consegue maior destaque. Para Gibran, Jesus é filho do homem comum, carnal, o que nos torna mais próximos do próprio Deus.

O LOUCO

A obra *O louco*, publicada em 1918, foi o primeiro livro em inglês escrito por Gibran. É composto de parábolas curtas – que são a expressão de uma vida interior ainda tumultuada e cheia de paixões não controladas num discurso que demonstra toda a revolta contra a hipocrisia, a ignorância e a insensibilidade – em que Gibran fala da natureza, do comportamento humano, das virtudes, filosofias de vida, esperanças e incertezas que povoam o coração que pulsa pela vida e suas surpresas. Já no primeiro conto Gibran explica como se tornou "louco": "Pela primeira vez o sol beijava minha face nua, e minha alma inflamou-se de amor pelo sol, e não desejei mais as minhas máscaras. (...) E encontrei tanto liberdade como segurança em minha loucura: a liberdade da solidão e a segurança de não ser compreendido, pois aquele que nos compreende escraviza alguma coisa de nós".

SEGREDOS DO CORAÇÃO

Segredos do coração tem como inspiração o conto homônimo contido na obra *Uma lágrima e um sorriso*, escritos por Gibran. Nele, a personagem principal revela, por meio da escrita, todos os seus sentimentos e reflexões sobre o amor, seus desencontros e as imposições sociais. Assim, em *Segredos do coração* veremos uma reunião de textos escritos por Gibran em diversas fases de sua vida. O volume é composto principalmente por contos, poemas em prosa, meditações filosóficas, parábolas, sentimentos e percepções que simbolizam a vida de Gibran, que caminhava entre tristezas e alegrias. Podemos ler, nesta coletânea, textos do autor que não se limitam mais às injustiças e imperfeições resultantes das instituições sociais, e estendem-se à humanidade as leis, as tradições e as suas opiniões.

NINFAS DO VALE

Publicada em 1906, *Ninfas do vale* é composta por três novelas que dão vazão aos ódios revolucionários de Gibran. Nesta obra ele aborda o sonho e a esperança de um dia encontrar a pessoa ideal personificada num homem ou numa mulher que é pervertida pelo Homem. É notório que nas obras de Gibran o tema sentimental é marcado pela emoção, enquanto o tema social é marcado por uma revolta incontida contra o constrangimento a que é subordinada a mulher e contra as tradições que aprisionam sua alma. Em *Ninfas do vale*, podemos vincular o amor romântico à defesa feita repetidamente por Gibran não somente dos direitos da mulher, mas sobretudo dos direitos do coração. Para ele, na maioria das vezes a mulher será vítima do homem, mas em muitas outras ocasiões serão ambos vítimas das tradições e das leis da sociedade.

Um artista que transitava entre versos e cores, Gibran Khalil Gibran

A Idade das Mulheres por Khalil Gibran - Soumaya, 1910

Retrato de Émilie Michel, Micheline por Khalil Gibran - Soumaya, 1909

Autorretrato e musa por Khalil Gibran (Museo Soumaya)

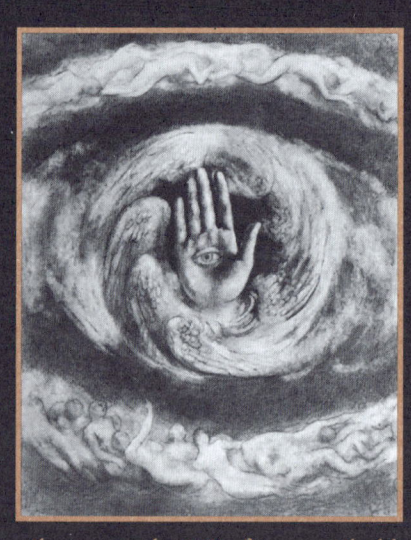

Ilustração de O Profeta por Khalil Gibran

Retrato de Amin Rihani por Khalil Gibran

Cristiane Oliveira

Cristiane Oliveira nasceu em 1975, em Salvador, na Bahia, mas tem uma longa história com o Rio de Janeiro desde 1981. Casou-se no Rio de Janeiro e é mãe de Rayhan. Sua vida acadêmica também se concentrou no Rio. Foi na Universidade Federal do Rio de Janeiro (UFRJ) que ela confirmou a sua paixão pelo Oriente. Formou-se Bacharel com Licencuatura Plena em Língua Portuguesa e Língua Árabe na Faculdade de Letras, é Mestre em Poética, Especialista em Língua Árabe e Doutora em Literatura Comparada. Seus trabalhos acadêmicos abordam a Cultura Árabe e principalmente a situação da Mulher libanesa segundo a ótica do escritor libanês Gibran Khalil Gibran. Atualmente é Membro do Conselho Consultivo da Revista Digital Garrafa (Letras - UFRJ) e também atua como Professora Extensionista Visitante na Universidade Federal do Rio Grande do Sul (UFRGS) e no setor privado de educação.

Coordenação editorial e edição de arte: Lucas Luan Durães
Revisão: Gabrielly Saraiva
Imagens: Shutterstock e Wikimedia Commons

Compartilhando propósitos e conectando pessoas
Visite nosso site e fique por dentro dos nossos lançamentos:
www.gruponovoseculo.com.br

facebook/novoseculoeditora
@novoseculoeditora
@NovoSeculo
novo século editora

gruponovoseculo.com.br

Fonte: Althea